LA TOUR SOMBRE - 1
LE PISTOLERO

DU MÊME AUTEUR

ROMANS

Carrie
Salem
Shining
Le Fléau
Dead Zone
Charlie
Cujo
Christine
Simetierre
L'année du loup-garou
Ça
Les yeux du dragon
Misery
Les Tommyknockers
La part des ténèbres
Bazaar
Jessie
Dolores Claiborne
Insomnie
Rose Madder
Désolation
La ligne verte
Sac d'os
La petite fille qui aimait Tom Gordon
Dreamcatcher
Roadmaster

LA TOUR SOMBRE

1. Le Pistolero
2. Les Trois Cartes
3. Terres Perdues
4. Magie et Cristal
5. Les Loups de La Calla
6. Le Chant de Susannah
7. La Tour Sombre

HORS-SÉRIE
(écrit par Robin Furth) :

La Tour Sombre : Concordance 1
(Le guide officiel des quatre premiers épisodes du cycle)
La Tour Sombre : Concordance 2
(Le guide officiel des trois derniers épisodes du cycle)

Le Talisman des Territoires
(avec Peter Straub)
1. Talisman
2. Territoires

SOUS LE PSEUDONYME DE RICHARD BACHMAN

Rage
Marche ou crève
Chantier
Running Man
La peau sur les os
Les régulateurs

NOUVELLES

Brume – Paranoïa
Brume – La Faucheuse
Différentes saisons
Danse macabre
Minuit 2
Minuit 4
Rêves et cauchemars
Cœurs perdus en Atlantide
Un tour sur le bolid'
Tout est fatal

SCÉNARIOS

Creepshow
Peur bleue
La tempête du siècle

ESSAIS

Anatomie de l'horreur - 1
Anatomie de l'horreur - 2
Écriture

STEPHEN KING

LA TOUR SOMBRE - 1
LE PISTOLERO

Texte revu et enrichi par l'auteur
Nouvelle traduction de l'américain
par Marie de Prémonville
Illustrations de Michael Whelan

Une première version de ce roman
est parue sous forme de cinq nouvelles publiées en
France dans Fiction :

le Justicier (n° 302),
Le Relais (n° 317),
L'Oracle et les Montagnes (n° 327),
Les Lents Mutants (n° 332) ainsi que
Le Justicier et l'Homme en Noir (n°333).

TITRE ORIGINAL :

The Dark Tower
The Gunslinger

•

The Gunslinger, copyright 1978
by Mercury Press, Inc.,
for The Magazine Fantasy
and Science Fiction, October 1978

———

The Way Station, copyright 1980
by Mercury Press, Inc., for The Magazine
of Fantasy and Science Fiction, April 1978

———

The Oracle and the Mountains,
copyright 1981 by Mercury Press, Inc.,
for the Magasine of Fantasy
and Science Fiction, February 1981

———

The Slow Mutants, copyright 1981
by Mercury Press, Inc., for The Magasine
of Fantasy and Science Fiction, July 1981

———

The Gunslinger and the Dark Man,
copyright 1981 by Mercury Press, Inc.,
for The Magasine of Fantasy
and Science Fiction, November 1981

———

The Gunslinger perviously appeared
in a limited edition publkished
by Donald M. Grant, Publisher, Inc.,
West Kingston, Rhode Island.

•

SOMMAIRE

Introduction 11
Avant-Propos 19

LE PISTOLERO 29

LE RELAIS 99

L'ORACLE
ET LES MONTAGNES 147

LES LENTS MUTANTS 179

LE PISTOLERO
ET L'HOMME EN NOIR 231

ILLUSTRATIONS

Le silence s'abattit de nouveau
   sur les lieux, remplissant
   les espaces déchiquetés 94

Ils s'arrêtèrent et levèrent
   les yeux vers le cadavre
   qui pendait en tournant.............. 114

Il voyait son propre reflet 159

Le garçon poussa un cri.................. 227

Le Pistolero resta assis,
   le visage vers le ciel,
   dans la lumière mourante 254

À Ed Ferman,
qui se risqua à croire à toutes ces histoires,
l'une après l'autre.

INTRODUCTION
On n'est pas sérieux, quand on a dix-neuf ans
(*et autres considérations*)

1

Quand j'avais dix-neuf ans, les Hobbits, c'était ce qu'on faisait de mieux (un certain nombre d'entre eux ont eu une influence non négligeable sur les histoires que vous vous apprêtez à lire).

Il devait y avoir une demi-douzaine de Merry et de Pippin en train de se débattre dans la boue de la ferme de Max Yasgur pendant le grand festival de Woodstock, et on devait compter au moins le double de Frodon, et des Gandalf hippies par cars entiers. *Le Seigneur des Anneaux* de Tolkien était LE livre le plus populaire, à l'époque, et même si je ne suis jamais allé jusqu'à Woodstock (mille excuses), je crois pouvoir dire que j'étais au moins à moitié hippie moi-même. Assez hippie, en tout cas, pour lire les livres et tomber amoureux de cette saga. Les volumes de la *Tour Sombre*, comme la plupart des longs récits de fiction écrits par des hommes et des femmes de ma génération (comme *Les Chroniques de Thomas l'Incrédule*, de Stephen Donaldson, ou *L'Épée de Shannara*, de Terry Brooks, et tant d'autres), sont nés de l'influence de Tolkien.

Mais bien que j'aie lu ces livres en 1966 et 1967, j'ai attendu pour écrire. J'ai été réceptif (et cela avec une sincérité et un enthousiasme plutôt touchants) à la tornade de l'imagination de Tolkien – et à l'ambition de son récit – mais je voulais écrire une histoire qui soit vraiment mienne, et si je m'y étais attelé à l'époque, c'est la sienne que j'aurais réécrite. Ce qui n'aurait pas collé du tout, comme aurait pu dire feu ce roublard de Dick Nixon. Grâce à M. Tolkien, le XXe siècle avait déjà accueilli tous les elfes et les magiciens dont il avait besoin.

En 1967, je n'avais aucune idée de ce que pouvait être cette histoire qui serait mienne, mais ça n'avait pas d'importance. J'étais sûr et certain que je saurais la reconnaître, si je la croisais dans la rue. J'étais plein de l'arrogance de mes dix-neuf ans. Assez d'arrogance en tout cas pour sentir que j'avais le temps de voir venir ma muse et mon chef-d'œuvre (car ce ne pouvait être qu'un chef-d'œuvre). À dix-neuf ans, me semble-t-il, on a le droit d'être arrogant ; en général le temps n'a pas commencé son pervers et répugnant travail de sape. Il vous fait des cheveux blancs, mais ce n'est pas son seul méfait. En 1966 et 1967, je ne le savais pas. Mais même si je l'avais su, je m'en serais moqué. Je m'imaginais vaguement à quarante ans, mais à cinquante ? Non. Soixante ? Jamais ! Avoir soixante ans, c'était hors de question. Et à dix-neuf ans, c'est comme ça qu'il faut être. Dix-neuf ans, c'est l'âge auquel on dit : *Fais gaffe, le monde, je fume de la TNT et je bois de la dynamite, alors si tu veux éviter les problèmes, tu ferais mieux de te barrer de ma route – C'est Stevie qui débarque.*

Dix-neuf ans, c'est un âge égoïste, on a des préoccupations extrêmement limitées. Je débordais de punch, et j'aimais ça. Je débordais d'ambition, et j'aimais ça. Je possédais une machine à écrire, que je trimballais d'appartement pourri en appartement pourri, avec un paquet de clopes en poche et le sourire aux lèvres. Les compromis de l'âge mûr étaient loin devant moi, et les insultes de la vieillesse au-delà même de l'horizon. Comme le personnage dans cette chanson de Bob Seger qu'on utilise aujourd'hui pour vendre des camions, je me sentais infiniment puissant et infiniment optimiste ; j'avais les poches vides mais la tête pleine de choses à dire, et mon cœur regorgeait d'histoires que je voulais raconter. Aujourd'hui, ça paraît naïf ; à l'époque, c'était le bonheur. Le vrai bonheur. Mais plus que tout, ce que je voulais, c'était franchir les défenses de mes lecteurs, je voulais les déchiqueter, les violer, les changer à tout jamais, par la seule force de mon histoire. Et je sentais que j'en étais capable. Je sentais que j'étais *fait* pour ça.

Si ça n'est pas de l'orgueil… Quoi qu'il en soit, je ne cherche pas à m'excuser. J'avais dix-neuf ans. Je n'avais pas même un poil blanc dans ma barbe. J'avançais dans la vie avec trois jeans, une paire de bottes, le sentiment que le monde était à moi, et rien ne m'a détrompé pendant les vingt années qui ont suivi. Puis, vers l'âge de trente-neuf ans, les problèmes ont commencé : l'alcool, les drogues, un accident de la route qui a modifié ma façon de marcher (entre autres choses). J'ai écrit en long, en large et en travers à ce sujet, et ce n'est pas le propos ici. De plus, il en va de même pour nous tous, pas vrai ? Le monde finit par vous mettre un foutu radar sur l'autoroute, pour vous ralentir dans votre course et pour vous rappeler qui commande. Ça vous rappelle forcément quelque chose (ou alors, ça viendra). Moi j'ai eu ma part, mais je suis sûr que ça ne va pas s'arrêter là. Parce que le type au radar a mon adresse. C'est un méchant, un « bad lieutenant », l'ennemi juré de la déconnade, de la baise, de l'orgueil, de l'ambition, de la musique qui hurle, bref, de toutes ces choses qu'on fait à dix-neuf ans.

Mais je reste convaincu que dix-neuf ans, c'est un âge plutôt chouette. Peut-être même le meilleur. On peut danser toute la nuit, mais quand la musique s'arrête et qu'on est à court de bière, on est capable de réfléchir. Et de rêver en grand. Le type au radar finit par vous faire rentrer dans le rang, alors si vous commencez petit, il ne vous reste plus que le revers de votre pantalon, une fois qu'il en a fini avec vous. « J'en ai chopé un autre ! », crie-t-il, et il s'approche avec son carnet de contraventions. Alors un peu (voire beaucoup) d'arrogance ne peut pas faire de mal, même si votre mère a dû vous dire le contraire. En tout cas c'est ce qu'a fait la mienne. *L'orgueil précède la chute, Stephen*, disait-elle… et puis j'ai découvert – à l'âge de dix-neuf ans fois deux – que la chute vient de toute façon. Ou alors on se fait pousser dans le fossé. À dix-neuf ans, on peut se faire foutre dehors d'un bar, mais on ne peut pas se faire emmerder pour avoir peint un tableau, écrit un poème ou raconté une histoire, bon Dieu, et s'il se trouve que vous, qui lisez ces lignes, vous êtes vous-même

dans ces âges-là, ne laissez pas vos aînés (soi-disant plus aver-
tis) vous dire le contraire. C'est vrai, vous n'avez jamais mis
les pieds à Paris. Non, vous n'avez jamais assisté au lâcher de
taureaux dans les rues de Pampelune. D'accord, il y a encore
trois ans vous n'aviez pas de poils sous les bras – et alors ? Si
on ne commence pas par avoir les yeux plus grands que le
ventre, de quoi se nourrit-on, une fois adulte ? Faites comme
vous le sentez, peu importe ce qu'on vous dit, voilà mon
conseil. Asseyez-vous tranquillement et prenez le temps de
fumer cette saleté.

2

Pour moi, il existe deux types de romanciers, en comptant
le genre de romancier que j'étais en 1970, avec tout l'attirail
qui s'ensuit. Ceux qui sont destinés à la littérature « sérieuse » se posent constamment cette question : *Qu'est-ce que
ça m'apporterait, d'écrire ce genre d'histoire ?* Ceux dont le destin
(le *ka*, pourrait-on dire) est aussi d'écrire des romans popu-
laires ne se posent pas la même question : *Qu'est-ce que ça
apporterait aux autres, que j'écrive ce genre d'histoire ?* Le romancier « sérieux » cherche des réponses, des clefs pour comprendre l'être. Le romancier « populaire » se cherche un
public. Ils sont aussi égoïstes l'un que l'autre. Pour en avoir
connu beaucoup, j'en jurerais, par ma montre et mon billet.

Quoi qu'il en soit, je crois que, même à dix-neuf ans, j'ai
vu en Frodon et son désir de se débarrasser de l'Anneau la
preuve qu'il appartenait plutôt à la seconde catégorie. Ce
sont les aventures d'une bande de pèlerins disons, britan-
niques, sur toile de fond de mythologie nordique. L'idée de
quête me plaisait – j'adorais ça, même – mais les personnages de campagnards de Tolkien ne m'intéressaient pas
(ce qui ne veut pas dire que je ne les aimais pas, au
contraire), de même pour ses décors bucoliques à la scan-
dinave. Si je m'engageais sur cette voie, j'allais droit dans
le mur.

Alors j'ai attendu. En 1970, j'avais vingt-deux ans, les premiers poils blancs étaient apparus dans ma barbe (il faut dire que fumer deux paquets et demi de Pall Mall par jour ne devait pas arranger les choses), mais même à vingt-deux ans, on peut encore se permettre d'attendre. À vingt-deux ans, on a encore le temps pour soi, même si le type du radar se balade dans le quartier et vient poser des questions aux voisins.

Et puis un jour, dans une salle de cinéma quasiment vide (le Bijou, à Bangor, dans le Maine, pour être précis), j'ai vu un film de Sergio Leone. Il s'appelait *Le Bon, la Brute et le Truand*, et avant même d'être arrivé à la moitié, je me suis rendu compte que j'avais envie d'écrire un roman qui combine l'idée de quête et la magie de Tolkien, mais sur fond de western majestueux jusqu'à l'absurde, à la Sergio Leone. Si vous n'avez vu ce western déjanté que sur votre petit écran, vous ne pouvez pas comprendre de quoi je parle – j'implore votre pardon, mais c'est la vérité. Mais sur grand écran, avec le système Panavision approprié, ça donne du grand spectacle à la *Ben-Hur*. Clint Eastwood a l'air de mesurer deux mètres, et chaque poil de sa barbe de trois jours semble avoir la taille d'un séquoia. Les rides au bord de la bouche de Lee Van Cleef sont aussi profondes que des canyons, avec une *tramée* au bout de chaque (voir *Magie et Cristal*). Le décor désertique semble s'étendre jusqu'à l'orbite de la planète Neptune. Et les barillets des pistolets ont la taille de roues de charrette.

Ce que je voulais encore plus insuffler au décor, c'était cette impression de *grandeur* épique, apocalyptique. Le fait que Leone ait été une bille en géographie américaine (à en croire l'un de ses personnages, Chicago se situerait *grosso modo* dans la banlieue de Phoenix, Arizona) ajoutait à cette magistrale impression de dislocation. Et dans mon grand enthousiasme – comme seuls peuvent en concevoir les jeunes gens, il me semble – je ne voulais pas seulement écrire un livre *long*, mais *le plus long livre de toute l'histoire de la littérature populaire*. Je n'y suis pas parvenu, mais je crois m'en être sorti de manière honorable. *La Tour Sombre*, des volumes un à sept, ne contient en fait qu'un seul récit, et les quatre premiers romans représentent un corpus de plus de deux mille pages. Les trois derniers en comptent deux mille cinq cents, au stade du manuscrit. Je n'essaie pas de sous-entendre que la longueur soit le moins du monde un gage de qualité. Je dis seulement que je voulais écrire une épopée, et que, d'une certaine manière, j'y suis arrivé. Si vous demandiez *pourquoi* j'avais ce désir, je serais incapable de vous répondre. Peut-être que ça tient au fait d'avoir grandi en Amérique : il faut construire toujours plus haut, creuser toujours plus profond, écrire toujours plus long. Et la question casse-tête de la motivation profonde ? Il me semble que, ça aussi, c'est lié à l'identité américaine. On en revient toujours à la même conclusion : *à l'époque, ça paraissait une bonne idée.*

3

Encore un mot au sujet de mes dix-neuf ans : c'est l'âge auquel bon nombre d'entre nous se retrouvent coincés, il me semble (coincés mentalement et émotionnellement, sinon physiquement). Les années défilent et un jour on se retrouve à se regarder dans la glace, complètement perplexe, à se demander : *Qu'est-ce que c'est que ces rides, sur mon visage ? Et cette bedaine ridicule, d'où elle vient ? Bon sang, je n'ai que dix-neuf ans !* Je sais que ce n'est pas là un concept extrêmement original, mais ça n'enlève rien à ce sentiment soudain de stupéfaction.

Le temps vous met du gris dans la barbe, et tout le long, on se dit – on est trop bête, aussi – qu'on a encore du temps devant soi. Si on fait preuve de logique, on sait bien que non, mais le cœur refuse d'y croire. Avec un peu de chance, le type du radar qui vous épingle pour excès de vitesse ou parce que vous vous amusez trop vous file un petit remontant, sans le vouloir. C'est en gros ce qui m'est arrivé, vers la fin du XXe siècle. Sous la forme d'une Plymouth qui m'a renversé au bord du chemin, à deux pas de chez moi.

Environ trois ans après cet accident, j'ai fait une dédicace pour mon livre *Roadmaster* à Dearborn, au Michigan. À un moment, un type est arrivé devant moi et m'a dit qu'il était vraiment content que je sois en vie (ça m'arrive tout le temps, et ça me fait me demander à longueur de journée : « Mais pourquoi tu n'as pas crevé ce jour-là, bon Dieu ? »). « J'étais avec un bon ami à moi quand j'ai appris que vous vous étiez fait renverser, bon sang, on s'est dit : "Ça y est, merde, c'est foutu, *la Tour*, il la finira jamais." »

Il m'était venu à peu près la même idée – le plus troublant, c'était de penser que, après avoir bâti *La Tour Sombre* dans l'imaginaire collectif d'un million de lecteurs, j'avais la responsabilité de mener le projet à bien, aussi longtemps qu'il intéresserait quelqu'un. Ce pouvait être l'affaire de cinq ans ; mais ça pouvait aussi bien en prendre cinq cents. Les histoires de science-fiction, bonnes ou mauvaises (même aujourd'hui, il se trouve probablement quelqu'un en train de lire *Varney le Vampire* ou *Le Moine*), font de vieux os. La technique de Roland, pour protéger la Tour, consiste à écarter la menace des Rayons qui maintiennent la Tour debout. Il me faudrait en faire autant, après mon accident, en finissant l'histoire du Pistolero.

Pendant les longues périodes de battement entre l'écriture et la publication des quatre premiers volumes de *La Tour Sombre*, j'ai reçu des centaines de lettres du genre « c'est parti pour une bonne cure de culpabilité ». En 1998 (alors que je luttais contre cette impression trompeuse que j'avais toujours dix-neuf ans, autrement dit), j'ai reçu une lettre d'une « grand-mère de quatre-vingt-deux ans qui ne veut pas vous embêter avec ses ennuis, mais n'empêche ! qu'est bien malade ces derniers temps ». La grand-mère me disait qu'elle n'avait sans doute pas plus d'une année à vivre, à cause du cancer, et que même si elle ne s'attendait pas à ce que je finisse l'histoire de Roland à temps, elle souhaitait savoir si, au moins, je pouvais (« par pitié ») lui raconter comment ça se terminait. La phrase qui me fendit le cœur (pas assez cependant pour m'inciter à me remettre à écrire), c'est lorsqu'elle me promettait « de ne pas dire un mot à qui que ce soit ». Un an plus tard – sans doute après l'accident qui me fit atterrir à l'hôpital – l'une de mes assistantes, Marsha DiFilippo, recevait une lettre d'un type dans le couloir de la mort, au Texas ou en Floride, qui en substance voulait savoir la même chose : comment ça se terminait ? (Il jurait d'emporter le secret dans la tombe, ce qui me donna la chair de poule).

J'aurais bien volontiers contenté ces deux personnes – en leur donnant un résumé des aventures de Roland – si j'avais pu le faire, ce qui hélas ! n'était pas le cas. Je n'avais aucune idée de ce qui arriverait au Pistolero et à ses amis. Pour le savoir, il fallait que je l'écrive. J'avais bien fait un plan, mais je l'avais égaré en cours de route (ça ne valait probablement pas un kopek, de toute façon). Tout ce que j'avais, c'étaient quelques notes en vrac (« Va, cours, vole... », dit un bout de papier posé sur mon bureau, au moment où j'écris ces lignes). Finalement, en juillet 2001, je me suis remis à écrire. J'avais fini par comprendre que je n'avais plus dix-neuf ans, et que je n'étais pas à l'abri des maux qui affectent la chair. Je savais que j'allais un jour avoir soixante ans, peut-être même soixante-dix. Et je voulais finir cette histoire avant la visite ultime du type au radar. Je n'avais aucune envie d'être rancardé entre *Les Contes de Canterbury* et *Le Mystère d'Edwin Drood*.

Le résultat – pour le meilleur et pour le pire –, vous l'avez sous les yeux, Fidèle Lecteur, que vous attaquiez le volume un, ou bien le cinquième. C'est ainsi que s'achève l'histoire de Roland. J'espère qu'elle vous plaira.

En ce qui me concerne, je me suis éclaté.

Stephen King
Le 25 janvier 2003

AVANT-PROPOS

Quand les écrivains s'expriment sur leur travail, dans la plupart des cas, c'est pour pondre des conneries[1]. C'est pourquoi on n'a jamais vu de livre intitulé *Cent grandes introductions de la civilisation occidentale*, ou *Recueils des préfaces préférées du peuple américain*. Ça n'engage que moi, bien entendu, mais après avoir rédigé une bonne cinquantaine d'avant-propos et de préfaces – sans parler de tout un livre sur le processus d'écriture – je me dis que j'ai le droit de faire celle-ci. Et je pense que vous pouvez me faire confiance si je vous dis que c'est peut-être l'une des rares occasions où j'ai quelque chose de valable à dire.

Il y a quelques années, j'ai suscité la colère de bon nombre de mes lecteurs en proposant une version révisée et augmentée de mon roman, *Le Fléau*. On peut le comprendre, j'étais assez anxieux de voir quel accueil serait réservé à ce livre, car *Le Fléau* est depuis toujours le roman préféré de mes lecteurs (pour ce qui est des fans les plus acharnés, j'aurais aussi bien pu mourir en 1980 sans qu'on me regrette plus que ça).

S'il existe une histoire de nature à rivaliser avec *Le Fléau* dans l'esprit des lecteurs, c'est probablement celle de Roland Deschain et de sa quête de la Tour Sombre. Et maintenant – bon sang ! – voilà que j'ai refait la même chose.

Sauf que ça n'est pas la même chose, pas exactement, et il faut que vous le sachiez. Je veux que vous sachiez ce que j'ai fait, et pourquoi. Ce n'est peut-être pas important à vos yeux, mais pour moi c'est *très* important, c'est pourquoi cet

---

1. Pour plus d'informations sur la question des Conneries, voir *Écriture*, du même auteur.

avant-propos échappe (je l'espère) à la règle des Conneries selon King.

Tout d'abord, je tiens à rappeler qu'au stade du manuscrit, *Le Fléau* avait subi des coupes sombres, non pas pour des raisons éditoriales, mais pour des raisons financières (il y avait aussi des histoires de reliure, mais je ne veux même pas m'engager sur ce terrain-là). Ce que j'ai publié dans les années 1980, c'étaient des extraits révisés du manuscrit original. J'avais aussi corrigé l'ensemble du livre, notamment pour prendre en compte l'épidémie de sida qui avait émergé entre l'édition originale et la publication de la version révisée, huit ou neuf ans plus tard. Le résultat, c'était l'ajout de cent mille mots, entre la première et la seconde version.

Dans le cas du *Pistolero*, le volume original n'était pas épais, et les ajouts ne représentent qu'environ trente-cinq pages, soit neuf mille mots. Si vous avez lu la première mouture du *Pistolero*, vous ne trouverez que deux ou trois scènes radicalement nouvelles. Les puristes de *La Tour Sombre* (et ils sont étonnamment nombreux, il suffit de faire un tour sur le Net pour s'en convaincre) vont vouloir relire le livre, et beaucoup le feront sans doute avec un mélange de curiosité et d'irritation. Je compatis, mais je dois dire que je me soucie moins d'eux que de ceux qui abordent l'histoire de Roland et son *ka-tet*[1] pour la première fois.

En dépit de l'existence de ces fervents disciples, le récit de la Tour est bien moins connu que ne l'est *Le Fléau*. Parfois, quand je fais des lectures, je demande aux participants s'ils ont lu certains de mes romans. Puisqu'ils se sont donné la peine de venir – parfois, il leur a fallu payer une baby-sitter et un plein d'essence – il n'est pas très surprenant d'en voir beaucoup lever la main. Puis je demande à ceux qui ont lu un ou plusieurs volumes de *La Tour Sombre* de garder la main levée. Et immanquablement, la moitié au moins baisse la main. La conclusion s'impose d'elle-même : bien que j'aie passé un temps incalculable à écrire ces livres, durant les trente-trois ans qui séparent 1970 de 2003, ils ont été lus par peu de gens, proportionnellement. Pourtant, ceux qui les ont

---

1. Groupe d'individus liés par le destin.

lus sont devenus des passionnés, et je dois dire que je le suis aussi – assez pour ne jamais me résoudre à laisser Roland dans cet exil des personnages inachevés (rappelez-vous les pèlerins de Chaucer, en route pour Canterbury, ou encore ce dernier roman inachevé de Charles Dickens, *Le Mystère d'Edwin Drood*).

Je pense que j'ai toujours supposé (dans un coin de ma tête, car je ne me rappelle pas y avoir réfléchi consciemment) que j'aurais le temps de finir, peut-être même que, l'heure venue, Dieu m'enverrait un télégramme pour m'en informer : « Ding-dong / Remets-toi au boulot, Stephen / Il est temps de finir *La Tour*. » Et, en fait, c'est un peu ce qui s'est produit, même si ce n'était pas sous la forme d'un télégramme, mais sous le choc d'une rencontre, avec un break Plymouth. Si le véhicule qui m'a renversé ce jour-là avait été un peu plus gros, ou s'il avait mieux visé, ça se serait fini en « ni fleurs ni couronnes », la famille King vous remercie de vous être uni à son deuil. Et la quête de Roland n'aurait jamais connu de fin, du moins de ma main.

Quoi qu'il en soit, en 2001 – quand je commençais à reprendre du poil de la bête – j'ai décidé que l'heure était venue d'achever l'histoire de Roland. J'ai remis tout le reste à plus tard et je me suis attaqué aux trois derniers volumes. Comme toujours, ce n'est pas tant pour les lecteurs qui me le demandaient que pour moi-même que je l'ai fait.

Bien qu'à l'heure où j'écris ces lignes (à l'hiver 2003), il reste encore à procéder aux corrections des deux derniers volumes, je les ai tous deux terminés l'été dernier. Et, pendant le temps de battement entre le travail éditorial sur le volume cinq *(Les Loups de La Calla)* et le volume six *(Le Chant de Susannah)*, j'ai décidé qu'il était également temps de revenir à la case départ et de faire une révision complète de l'ensemble. Pourquoi ? Parce que ces sept volumes n'ont jamais vraiment été conçus comme des histoires distinctes, mais plutôt comme des chapitres d'un seul et même récit intitulé *La Tour Sombre*, et que le début n'était plus synchronisé avec la fin.

Ma conception de la révision n'a pas beaucoup varié, au fil des ans. Je sais que certains écrivains le font au fur et à mesure, mais personnellement, ma méthode consiste à m'immerger dedans et à procéder aussi vite que possible, de sorte que la lame narrative ne s'émousse pas et que je puisse venir à bout de l'ennemi le plus pernicieux du romancier, le doute. Revenir en arrière soulève trop d'interrogations : mes personnages sont-ils crédibles ? L'histoire est-elle prenante ? Est-ce que ça vaut vraiment quelque chose ? Est-ce que ça va intéresser qui que ce soit ? Est-ce que ça m'intéresse moi-même ?

Quand j'ai fini le premier jet d'un roman, je le mets de côté, avec toutes ses imperfections, pour le laisser reposer. Quelque temps plus tard – six mois, un an, deux ans, peu importe – j'y reviens avec un regard moins impliqué (mais toujours aimant), et j'entreprends de le corriger. Et, bien que chaque volume de *La Tour Sombre* ait été corrigé séparément, je n'ai jamais vraiment considéré l'ouvrage comme un tout avant d'avoir achevé le septième volume, *La Tour Sombre*.

Quand je me suis penché de nouveau sur le premier roman, celui-là même que vous avez entre les mains, trois vérités essentielles me sont apparues. La première était que *Le Pistolero* avait été écrit par un très jeune homme, et qu'à ce titre il présentait toutes les scories d'un travail de jeunesse. La deuxième, c'était qu'il contenait de nombreuses erreurs et de faux départs, particulièrement à la lumière des volumes suivants[1]. La troisième vérité, c'était que *Le Pistolero* n'avait même pas le même *ton* que les volumes ultérieurs – très honnêtement, il était difficile à lire. Je me suis trop souvent entendu m'en excuser, et conseiller aux gens de persévérer dans leur lecture, car le récit trouvait sa vraie voix dans *Les Trois Cartes*.

Dans un passage du *Pistolero*, Roland est décrit comme le genre d'homme à remettre de l'ordre dans des chambres d'hôtel inconnues. Je suis moi-même ce genre de type et, dans une certaine mesure, c'est en ça que consiste la réécriture : remettre de l'ordre, passer un grand coup d'aspirateur, récu-

---

1. J'en veux pour preuve l'exemple suivant : dans la précédente version du *Pistolero*, la ville s'appelle Farson. Dans les volumes suivants, il se trouve que c'est devenu le nom d'un *homme*, celui de John Farson, le rebelle, qui œuvre à la chute de Gilead, la ville-État dans laquelle Roland a grandi.

rer les toilettes. Au cours de cette réécriture, je me suis livré au grand ménage de printemps, et j'ai eu l'occasion de faire ce que tout romancier souhaite faire sur un récit terminé, mais qui nécessite un dernier coup de chiffon, pour le faire briller : *tout mettre en ordre*. Une fois qu'on sait comment va se dénouer l'intrigue, on doit au lecteur potentiel – et on se le doit à soi-même – de revenir en arrière et de tout mettre en ordre. C'est ce que j'ai essayé de faire ici, en veillant toujours à ce que les ajouts ou les modifications ne vendent la mèche et ne révèlent des secrets contenus dans les trois derniers volumes du cycle, des secrets que, pour certains, je garde jalousement depuis trente ans.

Avant d'en terminer, je crois devoir dire un mot du jeune homme qui s'était risqué à écrire ce livre. Ce jeune homme avait participé à beaucoup trop d'ateliers d'écriture, et s'était beaucoup trop imprégné des idées que véhiculent ce genre d'ateliers : que l'on écrit pour l'autre plus que pour soi, que la forme est plus importante que le fond, que l'ambiguïté est toujours préférable à la clarté et à la simplicité, qui ne sont que le reflet d'un esprit besogneux et terre à terre. En conséquence, je n'ai pas été surpris de trouver beaucoup de prétention dans le Roland du début (sans oublier une surabondance d'adverbes totalement inutiles). J'ai supprimé ce bla-bla autant que faire se pouvait, et je ne regrette aucune des coupes que j'ai choisies, dans ce but. À d'autres endroits du texte – ceux pour lesquels je m'étais détourné de la sacro-sainte parole des ateliers d'écriture, pour me concentrer sur une séquence particulièrement envoûtante – je n'ai eu quasiment aucune retouche à faire, à part quelques détails. Comme j'ai eu l'occasion de le dire ailleurs, Dieu seul comprend tout du premier coup.

Pour résumer, mon souhait n'était ni de museler, ni même de modifier radicalement la trame initiale. Malgré tous ses défauts, je lui trouvais un charme bien à elle. Tout chambouler serait revenu à répudier la personne qui avait écrit *Le Pistolero* à la fin du printemps et au début de l'été 1970, et je m'y refusais.

Mon souhait intime – et cela avant la sortie des derniers volumes, si possible – était de donner aux nouveaux initiés au conte de la Tour (et aux anciens lecteurs désireux de se rafraîchir la mémoire) un démarrage plus limpide et un accès facilité au monde de Roland. Et je voulais qu'ils aient en main un récit qui augure mieux des événements à venir. J'espère y être parvenu. Et si vous faites partie de ceux qui n'ont jamais visité les contrées dans lesquelles évoluent Roland et ses acolytes, j'espère que vous savourerez les merveilles qu'elles vous réservent. Car mon but premier était de raconter une histoire merveilleuse. Si vous tombez sous le charme de la Tour Sombre, ne serait-ce qu'un peu, je considérerai que j'ai accompli ma tâche, cette tâche commencée en 1970, et menée à bien en 2003. Pourtant, Roland serait le premier à faire remarquer qu'une telle période ne signifie pas grand-chose. Car, quand on est en quête de la Tour Sombre, le temps n'a strictement aucune importance.

Le 6 février 2003

... une pierre, une feuille, une porte dérobée ;
d'une feuille, d'une pierre, d'une porte. Et de
tous ces visages oubliés.
Nus et esseulés, nous avons connu l'exil.
Dans sa sombre matrice, nous n'avons pas
reconnu le visage de notre mère ; quittant la
prison de sa chair, nous pénétrons dans la prison innommable et indicible de cette terre.
Qui de nous a réellement connu son frère ?
Qui de nous a su sonder le cœur de son
père ? Qui de nous n'est pas demeuré éternellement prisonnier ? Qui de nous est autre
que cet étranger solitaire, à jamais ?

... Ô, tout errant que tu sois, chagriné par le
vent,
fantôme, reviens-moi.

Thomas WOLFE
Que l'ange regarde de ce côté, 1929

19

RETOUR ÉTERNEL

LE PISTOLERO

1

L'homme en noir fuyait à travers le désert, et le Pistolero le suivait.

En matière de désert, celui-ci était une apothéose : gigantesque, tendu vers le ciel dans ce qui ressemblait à l'éternité, dans toutes les directions. Il était blanc, aveuglant et aride, sans aucun relief hormis la ligne brumeuse des montagnes à l'horizon et l'herbe du diable qui faisait naître des rêves, puis des cauchemars, et pour finir, la mort. Çà et là, une pierre tombale indiquait le chemin, car ce sentier à la dérive qui se creusait une voie dans l'épaisse croûte d'alcali avait été une grand-route. Diligences et *buckas* l'avaient empruntée. Depuis lors, le monde avait changé. Le monde s'était vidé.

Le Pistolero s'était trouvé frappé d'un vertige passager, comme s'il avait fait une embardée ; une sensation qui avait donné au monde entier une dimension éphémère, presque comme si on pouvait voir à travers. Le vertige passa et, comme ce monde sur le cuir duquel il cheminait, il changea de perspective. Il fit défiler les kilomètres d'un pas égal, sans presser l'allure mais sans traînasser. Une outre de peau lui ceignait la taille comme une saucisse boursouflée. Elle était presque pleine. Il progressait ainsi dans le *khef* depuis des années et devait bien en avoir atteint le cinquième niveau. S'il avait été un saint homme Manni, il n'aurait probablement pas ressenti la soif ; il aurait pu regarder son corps se déshydrater avec un détachement clinique, n'en humecter les crevasses et les sombres replis internes que lorsque la logique le lui aurait dicté. Cependant, il n'était pas un Manni, ni un disciple de l'Homme Jésus, et ne se considérait en aucun cas comme un saint. Autrement dit, il n'était qu'un pèlerin ordinaire, et tout ce qu'il pouvait affirmer avec certitude, c'est qu'il avait soif. Pourtant, il ne ressentait aucune urgence particulière de boire. Et tout cela le réjouissait, d'une manière assez floue. C'était ce qu'exigeait ce pays, ce pays assoiffé ; et durant toute sa longue vie, il avait été avant tout adaptable.

Sous l'outre bombée étaient fixées ses armes, soigneusement lestées à sa main ; il avait fallu ajouter un placage lorsqu'elles lui avaient été transmises par son père, car ce dernier était plus léger et plus petit que lui. Les deux ceinturons lui barraient le ventre et se croisaient juste au-dessus de l'entrejambe. La graisse avait pénétré si profondément le cuir des étuis que même ce soleil philistin ne parvenait à le craqueler. Les crosses étaient en bois de santal, d'un grain jaune, très fin. Des lanières de cuir brut maintenaient les étuis en place sur ses cuisses, contre lesquelles ils battaient, au rythme de ses pas. Le frottement avait dessiné deux demi-lunes plus claires et moins épaisses sur le tissu de son jean, deux arcs qui rappelaient presque des sourires. Les alvéoles de cuivre des balles fichées dans le ceinturon dessinaient des hologrammes dans la lumière du soleil. Il lui restait moins de balles à présent. Le cuir poussait de subtils gémissements.

Sa chemise, de cette non-couleur propre à la pluie et à la poussière, était ouverte sur la gorge, et ornée d'une lanière de cuir qui pendait mollement des œillets perforés à la main. Son chapeau avait disparu. De même que le cor qu'il avait porté jadis. Disparu depuis des années, ce cor qu'il avait laissé échapper des mains d'un ami mourant, et tous deux lui manquaient.

Il atteignit le sommet d'une dune en pente douce (bien qu'il n'y eût pas de sable, rien qu'une croûte dure – même les vents violents qui soufflaient une fois l'obscurité venue ne faisaient que soulever une poussière âpre comme de la poudre à récurer). Là, il aperçut les restes piétinés d'un minuscule feu de camp du côté sous le vent, celui que le soleil déserterait en premier. De petits signes tels que celui-ci, qui attestaient une fois de plus la possible humanité de l'homme en noir, ne manquaient jamais de le réjouir. Ses lèvres s'étirèrent en travers de ce qui lui tenait encore lieu de visage, tout desquamé et constellé de cicatrices. C'était là un rictus épouvantable, douloureux. Il s'accroupit.

Sa proie avait fait brûler l'herbe du diable, bien sûr. C'était la seule chose ici qui *voulait bien* brûler. Ce faisant, elle diffusait une lumière jaune et graisseuse, et elle se consumait lentement. D'après les frontaliers, les diables venaient danser jusque dans les flammes. Eux faisaient brûler l'herbe mais se gardaient bien de regarder les flammes dans les yeux. Ils disaient que les diables hypnotisaient, attiraient, puis finissaient par emporter quiconque regardait droit dans les feux. Et le prochain assez stupide pour regarder lui aussi pourrait bien vous y voir, vous.

Les brins d'herbe calcinée étaient entrecroisés, en un dessin idéographique devenu familier, et qui perdit soudain tout sens, réduit à un petit tas gris et absurde par une pichenette du Pistolero. Rien d'autre dans les cendres qu'un ruban de bacon carbonisé, qu'il grignota d'un air pensif. Il en avait toujours été ainsi – depuis deux mois que le Pistolero poursuivait l'homme en noir dans ce désert, à travers ces terres désolées et interminables, ces paysages de purgatoire d'une monotonie à hurler. Et il lui restait encore à trouver des traces autres que ces idéogrammes hygiéniques et stériles que dessinaient les feux de camp de l'homme en noir. Il n'avait trouvé ni boîte de conserve, ni bouteille, ni même une outre (le Pistolero en avait laissé quatre derrière lui, comme des mues de serpent). Il n'avait pas trouvé d'excréments. Il supposait que l'homme en noir les enterrait.

Peut-être les feux de camp épelaient-ils un message, une Grande Lettre à la fois. *Garde tes distances, l'ami*, disaient-ils peut-être. Ou bien : *Tu touches au but*. Ou peut-être même : *Viens m'attraper*. Peu importait ce qu'ils disaient ou ne disaient pas. Il se préoccupait peu des messages, si messages il y avait. Ce qui comptait, c'est que ces restes-là étaient aussi froids que tous les précédents. Pourtant il avait gagné du terrain. Il savait qu'il se rapprochait, sans savoir comment il le savait. Une odeur, peut-être. Ça aussi, c'était sans importance. Il continuerait ainsi jusqu'à ce que quelque chose change, et si rien ne changeait, il continuerait de toute façon. Il y aurait de l'eau, si Dieu le voulait, comme disaient les Anciens. De l'eau, si Dieu en décidait ainsi, même dans le désert. Le Pistolero se leva, et s'essuya les mains.

Aucune autre trace. Le vent, acéré telle une lame de rasoir, avait bien sûr effacé les maigres indices dont le sol dur comme la pierre avait pu garder l'empreinte. Pas de déchets jetés en route, jamais la moindre trace indiquant qu'il avait enterré quoi que ce soit. Rien. Rien d'autre que ces feux de camp refroidis le long de l'ancienne route de l'est, et ce télémètre implacable à l'intérieur de son crâne. Mais il n'y avait pas que ça, évidemment ; cette force qui le tirait vers le sud-ouest n'était pas qu'une question d'attraction, c'était plus encore que du magnétisme.

Il s'assit et s'offrit le luxe d'une gorgée tirée de l'outre. Il repensa à ce moment de vertige, un peu plus tôt, à cette sensation de n'être plus rattaché au monde, et il se demanda quel pouvait en être le sens. Pourquoi ce vertige avait-il convoqué l'image du cor et celle du dernier de ses vieux amis, tous deux perdus si longtemps auparavant, à Jericho Hill ? Mais il avait toujours les pistolets – les pistolets de son père –, et ils étaient assurément plus importants qu'un cor… ou même qu'un ami.

Non ?

Cette question le troublait étrangement, mais puisqu'il semblait n'y avoir d'autre réponse que l'évidence, il la mit de côté, peut-être pour la reconsidérer plus tard. Il balaya le désert du regard puis leva les yeux vers le soleil, qui glissait à présent dans son dernier quart de ciel – qui pourtant, détail dérangeant, n'était pas plein ouest. Il se releva, retira ses gants élimés de sa ceinture et se mit à arracher de l'herbe du diable pour se faire lui aussi un feu, qu'il bâtit sur les cendres laissées par l'homme en noir. Il y vit une ironie, aussi amèrement attendrissante que la soif qui le tenaillait.

Il attendit pour sortir la pierre et le briquet de son sac qu'il ne restât plus des derniers feux du jour qu'une chaleur fugitive du sol sous ses pieds et une ligne d'un orange sarcastique sur l'horizon monochrome. Il demeura assis là, son *gunna* posé sur ses genoux repliés, à contempler patiemment en direction du sud-est, vers les montagnes ; non pas dans l'espoir de voir s'élever la fine colonne de fumée d'un autre feu de camp, mais dans le seul but d'observer, car observer faisait partie du jeu – et ce jeu recelait une satisfaction amère, bien particulière. *Tu ne verras pas ce que tu ne cherches pas, l'asticot,* aurait dit Cort. *Ouvre-moi ces pauvres mirettes que les dieux t'ont données, tu veux bien ?*

Mais il n'y avait rien. Il était près, mais d'une proximité toute relative. Pas assez près pour voir de la fumée dans le crépuscule, ou le clin d'œil orange d'un feu de camp.

Il fit jaillir l'étincelle de la pierre, enflamma les brins d'herbe sèche, tout en marmonnant ces puissantes paroles, anciennes et insensées : « Fuse, fuse, belle étincelle, où donc est mon père ? Dois-je m'étendre ? Dois-je m'éteindre ? Que ton feu réchauffe ma tanière. » C'était étrange, comme on abandonnait certains des mots et des gestes de l'enfance, et comme d'autres s'accrochaient fermement et accompagnaient toute une vie, de plus en plus lourds à porter à mesure que le temps passait.

Il s'allongea contre le vent, près de son petit brasier, laissant la fumée des rêves se dissoudre dans les étendues infinies. Hormis quelques tourbillons de poussière aléatoires, le vent était constant.

Au-dessus de lui, constantes elles aussi, les étoiles ne clignotaient pas. Des soleils et des mondes par millions. Des constellations étourdissantes, du feu glacé dans toutes les teintes primaires. Sous ses yeux, le ciel vira de l'indigo à l'ébène. Un météore dessina un arc de cercle fugace et spectaculaire en dessous du Vieil Astre, puis s'éteignit en un clin d'œil. Le feu projetait d'étranges ombres tandis que l'herbe du diable se consumait lentement, composant de nouveaux dessins – non plus des idéogrammes, mais un enchevêtrement sans complexité, vaguement effrayant dans sa fiabilité bien à lui, sans logique. Il avait disposé son combustible non pas dans un souci artistique, mais pratique. Il parlait de Noirs et de Blancs. Il parlait d'un homme capable, qui sait, de remettre de l'ordre dans des chambres d'hôtel inconnues. Le feu brûlait, de ses flammes basses et ralenties, et des visions dansaient dans son cœur incandescent. Le Pistolero ne les voyait pas. Les deux motifs, l'art et l'artisanat, se soudèrent l'un à l'autre pendant son sommeil. Le vent gémissait, sorcière tordue par le cancer dans son ventre. De temps à autre, un courant d'air pervers faisait tourbillonner la fumée à la manière d'un petit caillou qui, en tournant, dans une huître parfois devient perle. Parfois le Pistolero gémissait de concert avec le vent. Les étoiles étaient aussi indifférentes à ce spectacle qu'elles l'étaient aux guerres, aux crucifixions, ou aux résurrections. Voilà qui l'aurait sans doute réjoui.

2

Il avait atteint le pied de la dernière colline, menant sa mule aux yeux déjà morts, saillants de chaleur. Il avait passé la dernière ville trois semaines auparavant, et, depuis lors, il n'avait plus connu que le sentier de diligence déserté, rompu çà et là par une petite grappe de baraques de frontaliers, aux toits de chaume. Rien de plus qu'un tas de baraques isolées, la plupart habitées par des lépreux ou des fous. Il préférait la compagnie des fous, à choisir. L'un d'eux lui avait même donné une boussole Silva en inox, en lui demandant de la remettre à l'Homme Jésus. Le Pistolero l'avait prise d'un air grave, en promettant de la Lui remettre, s'il Le voyait. Il doutait d'avoir cette chance un jour, mais tout était possible. Une fois il avait vu un tahine – un homme à tête de corbeau, cette fois-là –, mais la pauvre erreur de la nature avait fui sous une pluie de balles, croassant ce qui pouvait être des mots. Voire des insultes.

Cinq jours avaient passé depuis la dernière cabane et il avait commencé à soupçonner qu'il n'y en aurait pas d'autres, lorsqu'il arriva au sommet de cette dernière colline érodée et aperçut le toit de chaume bas et familier.

L'occupant des lieux, un homme étonnamment jeune avec une crinière échevelée d'un rouge vif qui lui tombait presque à la taille, était en train de sarcler un maigre carré de maïs avec un zèle désinvolte. La mule lâcha un braiment sifflant et le frontalier leva les yeux, des yeux d'un bleu éblouissant qui se fixèrent instantanément sur le Pistolero, comme des têtes chercheuses. Le frontalier n'était pas armé, le Pistolero n'aperçut ni *bolt*, ni *bah*. L'homme leva les deux mains et adressa un bonjour sec à l'étranger, puis se pencha de nouveau sur son maïs, descendant le sillon le plus proche de sa baraque, le dos courbé, balançant de temps à autre par-dessus son épaule un brin d'herbe du diable ou un plant de maïs rabougri. Sa chevelure ondulait et claquait dans le vent qui s'était levé du désert, sans rien qui venait lui faire obstacle.

Le Pistolero descendit lentement la colline, menant la mule chargée de ces outres qui lui battaient les flancs. Il s'immobilisa au bord du carré de maïs à l'apparence desséchée, but une gorgée pour amorcer la salive, et cracha sur le sol aride.

— Longue vie à vos récoltes.

— Longue vie aux vôtres, répondit le frontalier en se redressant.

Ses vertèbres craquèrent de manière très audible. Il examina le Pistolero sans aucune peur. La petite partie visible de son visage entre la barbe et les cheveux semblait saine, sans traces de lèpre, et ses yeux, bien qu'un peu sauvages, n'étaient apparemment pas ceux d'un fou.

— Que vos journées soient longues et vos nuits plaisantes, l'étranger.

— Et deux fois le compte pour vous.

— Y a peu de chance, répondit le frontalier, avec un rire brusque. Ici j'ai rien d'autre que du maïs et des fayots. Le maïs est gratuit, mais il va falloir payer quelque chose pour les fayots. Il y a un type qui en apporte de temps en temps. Il reste pas longtemps.

Le frontalier eut un rire bref.

— Il a peur des esprits. De l'homme-oiseau, aussi.

— Je l'ai vu. L'homme-oiseau, je veux dire. Il s'est enfui.

— Ouais, il s'est perdu. Il dit qu'il cherche un endroit qui s'appelle Algul Siento, sauf que parfois il dit Le Havre Bleu, ou Le Paradis Bleu[1], je sais plus. Vous en avez entendu parler ?

Le Pistolero secoua la tête.

---

1. Dans le texte original, les termes sont Haven (le havre) et Heaven (le paradis). *(N.d.T.)*

— Bon… il mord pas, il mendie pas, alors il a qu'à aller se faire foutre. Vous êtes vivant ou mort ?

— Vivant, répondit le Pistolero. Vous parlez comme les Manni.

— J'ai traîné un moment avec eux, mais c'était pas une vie pour moi. Ils font trop copain-copain, ils cherchent tout le temps des trous dans ce monde.

Ce qui était vrai, se dit le Pistolero. Les Manni étaient un grand peuple de voyageurs.

Ils se regardèrent un moment en silence, puis le frontalier tendit la main.

— Mon nom, c'est Brown.

Le Pistolero lui serra la main et donna son nom. Au même moment, un corbeau maigre perché sur le toit de chaume bas poussa un croassement. Le frontalier fit un geste vague dans sa direction.

— Lui, c'est Zoltan.

En entendant son nom, l'oiseau croassa de nouveau et s'envola en direction de Brown. Il atterrit sur la tête du frontalier et se jucha solidement, les serres fermement plantées dans la tignasse échevelée.

— Va te faire foutre, lâcha Zoltan d'une voix claire. Va te faire foutre, et emmène ton canasson avec toi.

Le Pistolero fit un signe de tête affable.

— Fayots, fayots, fruits musicaux, récita le corbeau d'un air inspiré. Plus t'en manges, plus tu joues du pipeau.

— C'est vous qui lui avez appris ça ?

— Il veut rien apprendre d'autre, il faut croire, répondit Brown. J'ai essayé de lui apprendre le Notre-Père, une fois.

Ses yeux vagabondèrent un moment au-delà de la cabane, vers les étendues monotones de sable dur comme la pierre.

— Mais ça doit pas être le pays rêvé pour les prières. Vous êtes un pistolero, pas vrai ?

— Exact.

Il s'accroupit et exhiba son attirail. Zoltan s'envola de la tête de Brown et, battant furieusement des ailes, vint atterrir sur l'épaule du Pistolero.

— Je croyais que votre race s'était éteinte.

— Et maintenant vous voyez que non, pas vrai ?

— Vous venez du Monde de l'Intérieur ?

— C'était il y a bien longtemps, acquiesça le Pistolero.

— Il reste quelque chose, là-bas ?

Ce à quoi le Pistolero ne répondit pas, mais son visage suggéra qu'il valait mieux ne pas s'aventurer sur ce terrain.

— Vous êtes après l'autre, j'imagine.

— Oui.

Suivit la question suivante, inévitable.

— Il est passé il y a longtemps ?

Brown haussa les épaules.

— J'en sais rien. Il est bizarre, le temps, par ici. Pareil pour les distances et les directions. Plus de deux semaines. Moins de deux mois. Le type aux haricots est passé deux fois, depuis. Je dirais six semaines. Mais je me trompe sûrement.

— Plus t'en manges, plus tu joues du pipeau, éructa Zoltan.

— Il a passé la nuit ici ? demanda le Pistolero.

Brown fit oui de la tête.

— Il est resté souper, comme vous allez le faire, je suppose. On a passé le temps.

Le Pistolero se leva et l'oiseau s'envola en braillant, pour retourner se poser sur le toit. Il sentit une sorte d'urgence trembler en lui.

— De quoi a-t-il parlé ?

Les yeux fixés sur lui, Brown haussa un sourcil.

— De pas grand-chose. Est-ce qu'il arrivait qu'il pleuve dans les parages, quand j'étais arrivé dans le coin, et si j'avais enterré ma femme. Il m'a demandé si c'était une Manni, et je lui ai fait « ouais », parce qu'on aurait dit qu'il savait déjà. C'est moi qui ai tenu le crachoir, et c'est pas dans mes habitudes.

Il se tut, et on n'entendit plus que le souffle morne du vent.

— C'est un sorcier, pas vrai ?

— Entre autres, oui.

Brown hocha lentement la tête.

— Je m'en doutais. Il a sorti un lapin de sa manche, tout vidé, prêt pour la marmite. Et vous, vous en êtes un ?

— Un sorcier ? – le Pistolero éclata de rire – Moi je suis un homme, c'est tout.

— Vous ne l'aurez jamais.

— Si, je l'aurai.

Ils se regardèrent, sentant entre eux une soudaine profondeur de sentiment, le frontalier planté dans son carré de poussière, le Pistolero sur ce sol de pierre qui descendait en pente douce jusqu'au désert. Il prit sa pierre à briquet dans sa poche.

— Tenez, fit Brown en sortant une allumette à tête de soufre et en la frottant du bout d'un ongle crasseux.

Le Pistolero planta le bout de sa cigarette dans la flamme et tira une bouffée.

— Merci.

— Va falloir que vous remplissiez vos outres, dit le frontalier en se retournant. La source est derrière, sous l'appentis. Je vais m'occuper du dîner.

Le Pistolero enjamba avec précaution les rangs de maïs et contourna l'habitation. La source se trouvait au fond d'un puits creusé à la main et doublé de pierres à l'intérieur, pour empêcher la terre poudreuse de s'affaisser. Tandis qu'il descendait le long de l'échelle branlante, le Pistolero se fit la réflexion qu'un tel travail avait bien dû prendre deux ans – deux ans à traîner, à tirer et à empiler des pierres. L'eau était claire mais presque stagnante, et remplir les outres représentait une tâche de longue haleine. L'eau atteignait le goulot de la seconde quand Zoltan vint se percher sur le rebord du puits.

— Va te faire foutre. Va te faire foutre, et emmène ton canasson avec toi, lui conseilla-t-il.

Surpris, le Pistolero leva les yeux. Le puits était profond, cinq mètres environ. Assez profond pour permettre à Brown de lui lâcher un rocher sur la tête, et de le dépouiller. Un fou ou un lépreux ne s'y serait pas risqué ; or Brown n'était ni l'un ni l'autre. Pourtant il aimait bien cet homme, aussi repoussa-t-il cette pensée et récolta-t-il le reste de l'eau que Dieu avait bien voulu donner. Pour le reste de ce que Dieu voulait, c'était le boulot du *ka*, pas le sien.

Lorsqu'il franchit le seuil de la cabane et descendit les marches (la masure elle-même était située au-dessous du niveau du sol, afin de récolter et de conserver la fraîcheur de la nuit), Brown était en train de faire griller des épis de maïs dans les braises d'un feu minuscule, au moyen d'une spatule de bois dur. Deux assiettes ébréchées étaient disposées aux deux extrémités d'une couverture grisâtre. Dans une marmite suspendue au-dessus du feu, l'eau des haricots se mit à bouillir.

— Je paierai l'eau, aussi.

Brown ne leva pas la tête.

— L'eau est un don de Dieu, comme vous le savez, je crois. Les fayots, c'est Papa Doc qui les apporte.

Le Pistolero eut un rire qui tenait du grognement et s'assit, le dos appuyé contre l'un des murs bruts ; puis il croisa les bras et ferma les yeux. Au bout de quelques instants, l'odeur de maïs grillé arriva à ses narines. Il y eut comme une avalanche de petits galets métalliques quand Brown lâcha une poignée de haricots secs dans la marmite. Et aussi le *tac-tac-tac* des pattes de Zoltan parcourant le toit sans relâche. Le Pistolero était fatigué. Il avait avancé pendant seize, voire dix-huit heures par jour, depuis l'horreur de son passage à Tull, le dernier village. Et, depuis douze jours maintenant, il allait à pied. La mule avait atteint les limites de son endurance, et seule la force de l'habitude la maintenait en vie. Il avait connu autrefois un garçon du nom de Sheemie, qui possédait une mule. Sheemie avait disparu, à présent ; ils avaient tous disparu aujourd'hui, il ne restait plus qu'eux deux : lui et l'homme en noir. Il avait entendu courir des bruits, sur des terres au-delà de celles-ci, les terres vertes d'un lieu appelé Entre-Deux-Mondes, mais c'était difficile à croire. Dans le coin, les terres vertes, c'était bon pour les rêves d'enfants.

Tac-tac-tac.

Deux semaines, avait dit Brown, de deux à six semaines. Peu importait. Il y avait eu des calendriers, à Tull, et les gens s'étaient rappelé l'homme en noir, à cause de ce vieux qu'il avait soigné, en passant. Rien qu'un vieux en train de mourir à cause de l'herbe. Un vieux de trente-cinq ans. Et si Brown disait vrai, il avait gagné pas mal de terrain sur l'homme en noir, depuis lors. Mais il arrivait au désert. Et le désert, ce serait l'enfer.

Tac-tac-tac...

Prête-moi tes ailes, l'oiseau. Je les déploierai et je volerai sur les courants ascendants.

Il dormit.

Brown le réveilla une heure plus tard. Il faisait sombre. La seule lumière était la lueur sourde, couleur cerise, des braises couvertes.

— Votre mule est morte, fit Brown. Désolé de vous le dire. Le dîner est prêt.

— Quoi ?

Brown haussa les épaules.

— Maïs grillé et fayots bouillis, qu'est-ce qu'il vous faut ? On fait le difficile ?

— Non, pour la mule, je veux dire.

— Elle s'est couchée, c'est tout. Elle m'avait l'air bien vieille, cette mule.

Puis, ayant presque l'air de s'excuser :

— Zoltan lui a bouffé les yeux.

— Oh.

Il aurait dû s'y attendre.

— D'accord.

Brown le surprit une nouvelle fois lorsqu'ils s'installèrent sur la couverture qui faisait office de table, en prononçant un court bénédicité : « Que nous soient donnés la pluie, la santé et l'enrichissement de l'esprit ».

— Vous croyez à une vie après la mort ? demanda le Pistolero à Brown qui lui servait trois épis de maïs chauds dans l'assiette.

Brown acquiesça.

— Il me semble qu'on est en plein dedans.

4

Les haricots étaient durs comme des balles, le maïs coriace. Dehors, le vent dominant nasillait et gémissait dans l'avant-toit, au niveau du sol. Le Pistolero mangea rapidement, avec voracité, avalant quatre copieuses rasades d'eau avec son repas. Au milieu, il y eut comme une rafale de mitraillette contre la porte. Brown se leva et fit entrer Zoltan. L'oiseau traversa la pièce et alla se renfrogner dans un coin, la tête rentrée dans les épaules.

— Fruits musicaux, marmonna-t-il.

— Vous n'avez jamais pensé à le manger ? demanda le Pistolero.

Le frontalier éclata de rire.

— Les animaux qui parlent, ils ont la carne dure. Les oiseaux, les bafouilleux, les fayots humains. Trop durs sous la dent.

Après le souper, le Pistolero offrit de son tabac. Le frontalier, Brown, accepta sans se faire prier.

Maintenant, pensa le Pistolero. *Voici venue l'heure des questions.*

Mais Brown ne posa aucune question. Les yeux rivés sur les braises mourantes du feu, il fuma le tabac cultivé des années auparavant à Garlan. Il faisait déjà sensiblement plus frais, dans la masure.

— Ne nous soumets pas à la tentation, lâcha tout à coup Zoltan, d'un ton apocalyptique.

Le Pistolero sursauta comme si on venait de lui tirer dessus. Il eut soudain la certitude que tout ça n'était qu'une illusion, que l'homme en noir lui avait jeté un sort et essayait de lui dire quelque chose, d'une façon horripilante, à la fois symbolique et obtuse.

— Vous connaissez Tull ? demanda-t-il subitement.

Brown fit oui de la tête.

— J'y suis passé deux fois : la première, pour m'installer ici, et puis j'y suis retourné une fois pour vendre mon maïs et boire un verre de whisky. Il avait plu, cette année-là. Ça a duré… quoi, quinze minutes. On aurait dit que la terre s'ouvrait et qu'elle engloutissait tout d'un coup. Une heure après, c'était redevenu aussi blanc et sec qu'avant. Mais le maïs… bon Dieu, ce maïs. On le voyait pousser à l'œil nu. Ça, encore, ça allait. Mais on l'*entendait*, aussi, comme si la pluie lui avait donné une voix. Pas joyeux, comme son. On aurait dit que ça soupirait et que ça grognait pour s'arracher à la terre.

Il marqua une pause.

— J'ai eu un surplus, alors je suis allé le vendre. Papa Doc m'avait proposé de le faire, mais il m'aurait roulé. Alors j'y suis allé moi-même.

— Vous n'aimez pas la ville ?

— Non.

— J'ai bien failli me faire tuer, là-bas, dit le Pistolero.

— C'est pas vrai ?

— J'en jurerais, par ma montre et mon billet. Et j'ai tué un homme qui avait été touché par Dieu, dit le Pistolero. Sauf que ce n'était pas Dieu. C'était l'homme avec le lapin sorti de sa manche. L'homme en noir.

— Il vous a tendu un piège.

— Vous parlez avec la voix de la sagesse, soyez-en remercié.

Leurs regards se croisèrent dans l'ombre, et l'instant prit des allures d'irrévocabilité.

Maintenant, *les questions vont venir*.

Mais Brown n'avait toujours aucune question à poser. Sa cigarette n'était plus qu'un mégot rougeoyant, mais, lorsque le Pistolero tapota son sac, Brown fit non de la tête.

Zoltan ne tenait pas en place, semblait sur le point de parler, puis se ravisait.

— Vous voulez que je vous raconte ? demanda le Pistolero. D'habitude je ne suis pas bavard, mais…

— Parfois ça aide, de parler. Je vous écoute.

Le Pistolero chercha par où commencer et ne trouva pas les mots.

— Il faut que j'aille me soulager, fit-il.

Brown acquiesça.

— Pensez au maïs, s'il vous plaît.

— Pas de problème.

Il monta les marches et se retrouva dehors, dans le noir. Au-dessus de lui scintillaient les étoiles. Le vent palpitait. Le Pistolero fit jaillir une courbe d'urine au-dessus du champ poudreux, un jet vacillant. C'était l'homme en noir qui l'avait mené ici. Il n'était pas impensable que Brown *fût* l'homme en noir. C'était possible…

Le Pistolero chassa de son esprit ces pensées pénibles et inutiles. La seule éventualité à laquelle il n'avait pas appris à faire face était celle de sa propre folie. Il retourna à l'intérieur.

— Alors, vous vous êtes décidé ? Je suis un sortilège, ou pas ? demanda Brown, amusé.

Surpris, le Pistolero marqua un temps d'arrêt sur le minuscule palier. Puis il vint lentement se rasseoir.

— L'idée m'a traversé l'esprit. En êtes-vous un ?

— Si c'est le cas, je suis le dernier à le savoir.

Ce n'était pas là une réponse extrêmement utile, mais le Pistolero décida de ne pas relever.

— J'avais commencé à vous parler de Tull.

— Ça pousse, là-bas ?

— C'est mort, répondit le Pistolero. J'ai tout tué moi-même.

Il pensa ajouter : *Et maintenant je vais te tuer aussi, ne serait-ce que parce que je ne tiens pas à ne dormir que d'un seul œil.* Mais en était-il vraiment arrivé là ? Et, si oui, à quoi bon continuer ? À quoi bon, s'il était devenu ce qu'il poursuivait ?

Brown prit la parole.

— Je ne veux rien de toi, pistolero, sauf d'être encore là quand tu partiras. Je ne te supplierai pas de me laisser en vie, mais ça ne veut pas dire que je ne veux pas en profiter encore un peu.

Le Pistolero ferma les yeux. Son esprit tourbillonnait.

— Dis-moi ce que tu es, dit-il d'une voix pâteuse.

— Rien qu'un homme. Qui ne te veut pas de mal. Et je suis toujours disposé à écouter, si toi tu es disposé à parler.

Ce à quoi le Pistolero ne répondit pas.

— Je suppose que tu ne te sentiras pas à l'aise tant que je ne t'aurai pas invité à parler, dit Brown. C'est donc ce que je fais. Tu veux bien me parler de Tull ?

Le Pistolero constata avec surprise que, cette fois, les mots voulaient bien venir. Il se mit à raconter, par salves monotones, qui bientôt s'épanouirent en un récit égal, sans timbre. Il se trouva étrangement excité. Il parla jusque tard dans la nuit. Pas une fois Brown ne l'interrompit. L'oiseau non plus.

5

Il avait acheté la mule à Pricetown, et elle était encore fraîche lorsqu'il avait atteint Tull. Le soleil était couché depuis
une heure, mais le Pistolero avait poussé plus avant, guidé
par la lueur de la ville dans le ciel, puis par les notes étrangement claires d'un piano de bastringue jouant « Hey Jude ».
La route s'élargissait à mesure que s'y ralliaient des chemins
plus étroits. Çà et là, il croisait des lampes à étincelles sus-
pendues, toutes hors service depuis des lustres.

Les forêts avaient disparu longtemps auparavant, rempla-
cées par un paysage de plaine, plat et monotone : des champs
désolés à perte de vue, rendus à la fléole des prés et aux arbus-
tes bas ; des domaines sinistres et désertés, s'étendant dans
l'ombre vigilante de manoirs maussades, indéniablement han-
tés par des démons ; des cabanes vides à l'air vaguement
concupiscent, abandonnées par ceux qui s'étaient déplacés, ou
qu'on avait déplacés ; de loin en loin une baraque de frontalier,
que ne trahissait qu'un petit point oscillant dans la pénombre,
ou des familles d'autochtones à l'air menaçant, qui peinaient
tout le jour en silence, dans les champs. Le maïs était la culture
principale, mais on trouvait aussi des haricots et parfois des
maquereines. Il arrivait qu'une vache maigre le regarde passer
de son air pataud, entre deux poteaux écaillés d'une clôture en
bois d'aulne. Il avait croisé quatre diligences, deux dans un sens
et deux dans l'autre, presque vides, arrivant sur lui par-derrière
et les dépassant lui et sa mule – plus pleines au retour, en route
vers les forêts du nord. De temps à autre le croisait un fermier,
les pieds en l'air sur le garde-boue de son *bucka*, veillant à ne
pas croiser le regard de l'homme aux pistolets.

C'était moche, comme pays. Il y avait eu deux averses depuis son départ de Pricetown, toutes deux insignifiantes.
Même les mauvaises herbes, jaunies, avaient un air déprimé.
C'était vraiment un sale coin, où on ne faisait que passer. Il
n'avait pas vu trace de l'homme en noir. Peut-être avait-il pris
une diligence.

La route formait un coude, au-delà duquel le Pistolero fit
arrêter la mule d'un claquement de la langue, pour contem-

pler Tull, en contrebas. La ville se lovait au fond d'une cuvette circulaire, bijou de pacotille dans un écrin miteux. On voyait des loupiotes, la plupart regroupées autour du point d'où émanait la musique. Il semblait y avoir quatre rues, dont trois hérissées à angle droit de l'artère principale, celle où passaient les diligences. Peut-être y aurait-il un café. Peu probable, mais pourquoi pas ? Il fit de nouveau claquer sa langue et la mule repartit.

Le long de la route, le chapelet de maisons se resserrait, même si elles restaient pour la plupart inoccupées. Il passa devant un minuscule cimetière aux tombes de bois moussues et penchées, étouffées par l'herbe du diable nauséabonde qui les recouvrait. Quelque cent cinquante mètres plus loin, il croisa un panneau rongé qui disait : TULL.

La peinture était tellement écaillée que le nom était à peine lisible. Le Pistolero en vit un autre un peu plus loin, impossible à déchiffrer.

À son entrée dans la ville proprement dite, il fut accueilli par un chœur pitoyable de voix franchement éméchées, qui entonnaient le finale interminable de « Hey Jude » – « Naa-naa-naa-naa-na-na-na... hey, Jude ». C'était un son mort, comme celui du vent soufflant dans le tronc creux d'un arbre pourri. Sans le martèlement sourd et prosaïque du piano de pacotille, il se serait sérieusement demandé si l'homme en noir n'avait pas levé une armée de fantômes pour hanter une ville désertée.

Il y avait des gens dans la rue, mais pas grand monde. Trois femmes portant un pantalon noir et un chemisier à col montant – toutes les trois le même – le croisèrent sur le trottoir d'en face, sans le dévisager pour autant avec une curiosité appuyée. On aurait dit qu'un triple visage flottait, comme trois ballons blafards avec des yeux, au-dessus de leurs corps pratiquement invisibles. Un vieil homme à l'air solennel, un canotier vissé sur le crâne, l'observait depuis les marches d'une épicerie condamnée par des planches. Un tailleur mai-grichon, en discussion avec un client qui s'attardait, s'inter-rompit pour le regarder passer ; il leva la lanterne derrière sa devanture, pour mieux le voir. Le Pistolero lui adressa un signe de tête. Ni le tailleur ni son client ne le lui rendirent.

Il sentait sur lui leurs yeux, fixés pesamment sur les étuis bas qui lui battaient les hanches. Un jeune garçon, qui devait avoir treize ans, ainsi qu'une fille qui pouvait être sa sœur ou sa jeune *gueuse* traversèrent la rue dix mètres plus haut, en marquant un temps d'arrêt à peine perceptible. Leurs pas soulevaient de petits nuages de poussière qui restaient suspendus au-dessus du sol. En ville, en revanche, la plupart des lampes à étincelles marchaient, mais pas à l'électricité. Leurs ichtyocolles latérales étaient rendues opaques par l'huile coagulée. Certaines étaient brisées. Il vit une écurie de louage, qui semblait au bord de la décrépitude totale, et dont la survie dépendait sans doute de la ligne de diligences. Trois garçons étaient tapis en silence autour d'un jeu de billes, dans la poussière, le long de l'étable à la gueule béante, en train de fumer des cigarettes de maïs. Ils dessinaient de longues ombres sur le sol. L'un d'eux avait planté une queue de scorpion dans le rebord de son chapeau. Un autre avait l'œil gauche hypertrophié, comme une saillie aveugle hors de son orbite.

Le Pistolero passa devant eux avec sa mule et jeta un regard dans l'antre obscur de l'écurie. Une lampe y diffusait une lueur sourde. Une ombre tremblait et tressautait, celle d'un vieillard dégingandé en salopette ; il balançait le foin dans son fenil, à grands moulinets de sa fourche scandés de grognements.

— Hé ! appela le Pistolero.

La fourche vacilla et le vieux palefrenier balaya les alentours de ses yeux jaunis.

— Hé vous-même !

— J'ai une mule, là.

— Tant mieux pour vous.

Le Pistolero fit tourbillonner une lourde pièce d'or inégale dans la semi-obscurité. Elle tournoya en scintillant et alla tinter sur les planches jonchées de petite paille.

Le palefrenier s'approcha, se pencha pour la ramasser et jeta un coup d'œil de côté au Pistolero. Son regard descendit sur les ceinturons et il hocha la tête d'un air revêche.

— Combien de temps vous comptez la laisser ?

— Une nuit ou deux. Peut-être plus.

— J'ai pas la monnaie, sur l'or.

— Je ne l'ai pas demandée.

— Sale fric, marmonna-t-il.

— Qu'est-ce que vous dites ?

— Rien.

Le vieux prit la bête par la bride et l'emmena à l'intérieur.

— Et bouchonnez-la bien ! lança le Pistolero. Je veux sentir qu'elle est propre quand je reviendrai, j'espère que c'est clair !

Le vieux ne se retourna pas. Le Pistolero se dirigea vers les garçons accroupis autour des billes. Ils avaient suivi l'échange avec un intérêt méprisant.

— Que vos journées soient longues et vos nuits plaisantes, tenta le Pistolero en guise de salutation.

Pas de réponse.

— Vous êtes de cette ville, les gars ?

Toujours pas de réponse, sauf peut-être de la queue de scorpion, qui sembla esquisser un hochement de tête.

L'un des gamins s'arracha du coin de la bouche un mégot de maïs entortillé, attrapa une agate verte et la fit sauter dans la poussière. Elle alla cogner un calot, qu'elle éjecta hors du cercle. Il ramassa l'agate et s'apprêta à tirer de nouveau.

— Il y a un restaurant, dans le coin ? demanda le Pistolero.

L'un d'eux leva les yeux, le plus jeune du groupe. Il avait un vilain bouton de fièvre au coin de la bouche, mais lui avait les yeux de la même taille, et remplis d'une innocence qui ne ferait pas long feu dans ce trou de merde. Il regarda le Pistolero avec un regard débordant d'émerveillement, un regard à la fois touchant et effrayant.

— Pouvez vous dégotter un steak chez Sheb.

— Le boui-boui avec le piano ?

Le gosse acquiesça.

— Ouais.

Dans les yeux de ses copains étaient apparues laideur et hostilité. Il aurait sans doute à payer ces quelques paroles de gentillesse.

Le Pistolero effleura le bord de son chapeau.

— Je te suis reconnaissant. C'est bon de savoir qu'il y a dans cette ville quelqu'un capable d'aligner deux mots.

Il reprit son chemin, monta sur le trottoir en planches et se dirigea vers chez Sheb. Il entendit distinctement dans son dos la voix aiguë et enfantine d'un des deux autres gamins, qui lança d'un ton chargé de mépris : « Bouffeur d'herbe ! Bouffeur d'herbe ! Ça fait combien d'temps qu'tu sautes ta sœur, Charlie ? Bouffeur d'herbe ! ». Puis un coup, suivi d'un sanglot.

Trois lampes à pétrole brûlaient devant l'entrée de chez Sheb, une de chaque côté, la dernière clouée au milieu, au-dessus de la porte à battants bancale. Le refrain de « Hey Jude » avait fini par s'éteindre, et le piano massacrait déjà une autre vieille ballade. Des voix murmuraient, comme des fils rompus. Le Pistolero s'arrêta un instant devant la porte et regarda à l'intérieur. Le sol couvert de sciure, les crachoirs près des tables branlantes. Des planches posées sur des tréteaux tenant lieu de bar et, derrière, un miroir poisseux dans lequel se reflétait le pianiste, affublé de l'inévitable chapeau mou. On avait retiré la façade du piano, de sorte qu'on voyait les marteaux de bois bondir et rebondir au rythme du morceau qu'il jouait. Derrière le bar se tenait la serveuse, une blonde aux cheveux filasse, vêtue d'une robe bleue sale. L'une des bretelles était retenue par une épingle de nourrice. Il devait y avoir six types du coin au fond de la salle, occupés à picoler en jouant au Surveille-Moi d'un air apathique. Une autre demi-douzaine d'hommes était vaguement regroupée autour du piano. Plus quatre ou cinq au bar. Et un vieux aux cheveux gris, affalé sur une table, près de la porte. Le Pistolero entra.

Les têtes pivotèrent vers lui et les regards se posèrent sur ses armes. Il y eut un instant de silence presque parfait, hormis la mélodie du pianiste, oublieux de ce qui l'entourait, et qui continuait dans son coin. Puis la femme se mit à passer le chiffon sur le bar, et tout reprit sa place.

— Surveille-Moi, lança l'un des joueurs attablés dans le coin, en contrant trois cœurs par quatre piques, étalant toute sa main sur la table.

Celui qui avait posé les cœurs lâcha un juron, poussa sa mise devant lui, et on distribua un nouveau jeu.

Le Pistolero se dirigea vers la femme au bar.

— Vous avez de la viande ? demanda-t-il.

— Bien sûr, répondit-elle en le regardant droit dans les yeux.

Elle avait dû être jolie à ses débuts, mais, depuis, le monde avait changé. Son visage s'était alourdi de bourrelets de chair et une cicatrice blême lui barrait le front en zigzag. Elle l'avait poudrée, et comme elle avait eu la main lourde, la poudre attirait l'attention sur ce qu'elle était censée camoufler.

— Du bœuf, de la qualité. C'est du bétail de bon aloi. Mais c'est pas donné.

De bon aloi, mon cul, pensa le Pistolero. *Ce que t'as dans ton congélo, ça vient d'une bête à trois yeux ou à six pattes – peut-être même les deux. Voilà ce que j'en pense, dame-sai.*

— Je vais prendre trois steaks et une bière, si ça ne vous dérange pas.

Nouveau glissement subtil d'atmosphère. Trois steaks. Les bouches se mirent à saliver, et les langues à lécher les babines avec une lenteur obscène. Trois steaks. Est-ce qu'on avait jamais vu quiconque manger trois steaks d'un seul coup ?

— Ça vous fera cinq de-l'or. Vous pigez, de-l'or ?

— Des dollars ?

Elle acquiesça, aussi en déduisit-il que c'était ce qu'elle demandait, des dollars.

— Avec la bière ? demanda-t-il avec un léger sourire. Ou bien la bière, c'est en plus ?

Elle ne lui rendit pas son sourire.

— Je mets ça en route. Dès que j'aurai vu la couleur de votre argent, j'veux dire.

Le Pistolero posa sur le bar une pièce d'or, que tout le monde suivit du regard.

Il y avait un poêle à charbon qui fumait derrière le bar, à gauche du miroir. La femme passa derrière et disparut dans une petite pièce, d'où elle revint avec de la viande posée sur du papier. Elle en retira chichement trois rondelles qu'elle déposa sur le grill. L'odeur qui s'en éleva avait de quoi rendre fou. Le Pistolero demeura d'une indifférence et d'une impassibilité totales, tout en notant de manière périphérique les couacs du piano, le jeu de cartes au ralenti et les regards obliques des piliers de bar.

L'homme était déjà quasiment sur lui lorsque le Pistolero l'aperçut dans le miroir. Il était presque chauve, la main enroulée autour du manche d'un gigantesque couteau de chasse, glissé dans une boucle à sa ceinture, comme un étui de pistolet.

— Retourne t'asseoir, fit le Pistolero. Rends-toi service à toi-même, péquenaud.

L'homme s'arrêta. Inconsciemment, il souleva la lèvre supérieure, comme un chien, et il y eut un moment de silence. Puis il regagna sa table, et tout reprit à nouveau sa place.

La bière arriva, dans une chope en verre fêlée.

— J'ai pas la monnaie, sur l'or, dit la femme agressivement.

— Je n'ai rien demandé.

Elle acquiesça avec colère, comme si cet étalage de richesse, même à son bénéfice à elle, la mettait dans une rage folle. Mais elle prit son or et, quelques minutes plus tard, les steaks arrivèrent, encore saignants sur les bords, sur une assiette douteuse.

— Vous auriez du sel ?

Elle attrapa un petit pot en dessous du bar et le lui tendit, des petits paquets blancs qu'il lui fallut émietter entre ses doigts.

— Du pain, peut-être ?

— Pas de pain.

Elle mentait, il le savait, mais il savait aussi pourquoi et n'insista pas. Le chauve le fixait de ses yeux cyanosés, crispant et décrispant spasmodiquement les mains autour du plateau fendu et creusé de sa table. Ses narines s'écartaient en une pulsation régulière, pour engloutir l'odeur de la viande. Ça au moins, c'était gratuit.

Le Pistolero se mit à manger, posément, sans avoir l'air de savourer, se contentant de découper sa viande et de la porter à sa bouche, en essayant de ne pas penser à quoi devait ressembler cette vache. Du bétail de bon aloi, avait dit la fille. Ben voyons ! Autant voir les cochons danser le *Commala* au clair de lune.

Il avait presque terminé et allait commander une autre bière en se roulant une cigarette, quand la main lui tomba sur l'épaule.

Il prit soudain conscience du silence qui s'était à nouveau emparé de la salle, et il sentit dans sa bouche le goût de la tension qui planait dans l'air. Il se retourna et se retrouva face à face avec l'homme qu'il avait vu assoupi près de la porte, en entrant. Il avait un visage horrible. L'odeur d'herbe du diable l'enveloppait comme un miasme fétide. Ses yeux étaient ceux d'un damné, les yeux fixes, brillants de colère de celui qui voit sans voir, des yeux tournés vers l'intérieur, vers l'enfer stérile des rêves incontrôlés, des rêves débridés, qui se lèvent des marais puants de l'inconscient.

La femme derrière le bar poussa un petit gémissement.

Les lèvres craquelées frémirent, se retroussèrent, révélant des dents vertes et mousseuses, et le Pistolero se dit : *Il ne la fume même plus. Il la chique. Il la chique vraiment.*

Puis, poussant un peu la déduction : *Cet homme est mort. Il aurait dû mourir il y a déjà un an.*

Puis, pour conclure, l'évidence : *C'est l'homme en noir qui a fait ça.*

Et ils se fixèrent, le Pistolero et l'homme qui s'était tenu au bord du gouffre de la folie.

Ce dernier se mit à parler et le Pistolero, ahuri, s'entendit apostropher dans le Haut Parler de Gilead.

— De l'or pour une faveur, Pistolero-*sai*. Une seule ? De bonne grâce.

Le Haut Parler. L'espace d'un instant, son esprit refusa d'en suivre le cours. Il ne l'avait plus entendu depuis des années – mon Dieu – des siècles, des millénaires. Le Haut Parler n'existait plus ; il était le dernier, le dernier pistolero. Tous les autres étaient…

Abasourdi, il porta la main à sa poche de chemise et en sortit une pièce d'or. La main gangreneuse, couverte de crevasses et d'escarres, s'en empara, la couva, la souleva pour faire jouer sur le métal les reflets graisseux des lampes à pétrole. La pièce diffusait son éclat fier et civilisé ; doré, rougeoyant, sanglant.

Ahhhhh… Un son de plaisir inarticulé. Le vieillard se retourna en titubant et se dirigea vers sa table, tenant toujours la pièce à hauteur des yeux, la faisant tourner, la faisant étinceler.

La salle se vidait à vue d'œil, les portes à battants claquaient dans un va-et-vient fou. Le pianiste claqua le couvercle sur son clavier dans un grand « bang » et sortit à la suite des autres, à grandes enjambées, dans le style opéra-comique.

— Sheb ! lui hurla la serveuse, d'une voix étrange, à mi-chemin entre la panique et le braillement de mégère. Sheb ! Reviens ici tout de suite ! Nom de Dieu !

Le Pistolero avait-il déjà entendu ce nom quelque part ? Il lui semblait que oui, mais ce n'était pas le moment de s'appesantir sur cette question, ou de revenir en arrière.

Pendant ce temps, le vieillard était retourné s'asseoir. Il faisait tourner la pièce d'or comme une toupie sur le bois crevassé de la table, et ses yeux de mort-vivant en suivaient les vrilles avec une fascination vide. Il la fit tourner de nouveau, puis une troisième fois, et ses paupières se firent lourdes. La quatrième fois, sa tête heurta le bois avant que la pièce ne s'immobilise.

— Eh bien voilà, fit la femme à voix basse et furieuse. Vous m'avez vidé la baraque. Vous êtes content ?

— Ils vont revenir, répondit le Pistolero.

— Pas ce soir, en tout cas.

— Qui est-ce ? fit-il en désignant le mangeur d'herbe.

— Allez vous faire foutre. *Sai*.

— J'ai besoin de savoir, répondit le Pistolero sur un ton patient. Il…

— Il vous a parlé bizarrement, fit-elle. Nort a jamais parlé comme ça de toute sa vie.

— Je cherche un homme. Vous l'avez forcément remarqué.

Elle le dévisagea. La colère la quittait peu à peu. Elle fut remplacée par de la spéculation, puis par cette lueur vive et humide qu'il avait déjà vue. La bâtisse branlante émit pour elle-même un craquement pensif. Au loin, un chien aboya, rappelant plutôt un âne en train de braire. Le Pistolero attendit. Elle vit qu'il savait, et la lueur céda la place au désespoir, à un besoin sourd qui n'avait pas de voix.

— J'imagine que vous connaissez mon prix, dit-elle. J'ai cette pulsion en moi, avant je savais m'en occuper, mais plus maintenant.

Il la regarda sans ciller. La cicatrice ne se verrait pas, dans le noir. Son corps était plutôt mince, ainsi le désert, le sable et les corvées n'avaient pas réussi à tout affaisser. Et elle avait dû être jolie, peut-être même belle. Ça ne changeait rien du tout. Même si les scarabées nécrophages avaient niché aux confins arides et noirs de sa matrice, ça n'aurait rien changé. Tout était écrit. Quelque part, une main inconnue avait tout couché dans le livre du *ka*.

Elle leva les mains à son visage ; il lui restait de la vigueur – assez pour pleurer.

— Ne me *regardez* pas ! Vous n'avez pas le droit de me regarder avec cet air mesquin !

— Je suis désolé, dit le Pistolero. Je ne pensais pas à mal.

— Vous dites tous ça ! lui cria-t-elle.

— Fermez boutique et éteignez les lumières.

Elle sanglotait, les mains sur le visage. Il était content que ses mains lui cachent le visage. Pas à cause de la cicatrice, mais parce que cela lui rendait sa jeunesse, sinon sa figure. L'épingle qui retenait sa bretelle scintillait dans la lumière graisseuse.

— Il ne risque pas de voler quelque chose ? Je peux le mettre dehors, sinon.

— Non, murmura-t-elle. Nort n'est pas un voleur.

— Alors éteignez les lumières.

Elle ne voulut pas retirer ses mains de son visage avant d'être passée derrière lui pour éteindre les lampes une à une, tournant la mollette avant de souffler sur la flamme. Puis elle prit la main du Pistolero dans l'obscurité, et elle était chaude. Elle le mena à l'étage. Il n'y avait pas de lumière pour camoufler leur acte.

6

Dans le noir, il roula deux cigarettes, les alluma puis lui en passa une. La chambre était imprégnée de son parfum à elle, une senteur de lilas frais touchante. L'odeur du désert l'avait recouverte. Il se rendit compte qu'il redoutait le désert qui l'attendait.

— Il s'appelle Nort, fit-elle.

Sa voix n'avait rien perdu de sa dureté.

— Nort, c'est tout. Il est mort.

Le Pistolero attendit.

— Dieu l'a touché.

Le Pistolero répondit :

— Je ne L'ai jamais vu.

— D'aussi loin que je m'en souvienne, il a toujours été là – Nort, je veux dire, pas Dieu.

Son rire en dents de scie déchira l'obscurité.

— À une époque, il avait une carriole à bonbons. Et puis il s'est mis à boire. Il a commencé à priser l'herbe. Puis à la fumer. Les gosses le suivaient et lançaient leurs chiens sur lui. Il portait un vieux pantalon vert qui puait. Tu comprends ?

— Oui.

— Il s'est mis à la chiquer. Sur la fin, il restait assis là, il ne mangeait plus rien. Dans sa tête, c'est comme s'il était le roi. Les enfants étaient ses bouffons, et les chiens ses princes.

— Oui.

— Il est mort juste là, devant. Il est arrivé sur les planches, avec son pas lourd – ses bottes, elles étaient inépuisables, des bottes de cheminot qu'il avait trouvées sur les voies désaffectées –, avec les gosses et les chiens aux talons. On aurait dit qu'il était tout en fil de fer, des cintres emberlificotés les uns dans les autres. Dans ses yeux on voyait tous les feux de l'enfer, mais il avait un grand sourire, du genre de ceux que les enfants creusent dans leurs citrouilles, au moment de la Moisson. Ça sentait la crasse, le pourri et l'herbe. Ça lui coulait du coin de la bouche comme du sang vert. J'imagine qu'il voulait entrer pour entendre Sheb jouer. Et puis juste devant, il s'est arrêté et il a redressé la tête. Je l'ai vu, j'ai cru qu'il entendait une diligence, mais on n'en attendait aucune. Et puis il a vomi, c'était tout noir et plein de sang. C'est passé au travers de son sourire, comme de l'eau souillée à travers une plaque d'égouts. Et cette puanteur, de quoi devenir dingue. Il a levé les bras et puis il s'est écroulé. C'est tout. Il est mort dans son vomi, avec ce sourire sur la figure.

— Une bien belle histoire.

— Oh oui, merci-*sai*. C'est un coin charmant, par ici.

Elle tremblait à ses côtés. Dehors, le vent sifflait toujours sa plainte monotone, et quelque part au loin une porte claquait, comme dans un rêve. Des souris couraient dans les murs. Le Pistolero pensa confusément que cet endroit était probablement le seul assez prospère en ville pour entretenir des souris. Il posa la main sur son ventre, et elle sursauta violemment, puis se détendit.

— L'homme en noir, souffla-t-il.

— Il te faut ta réponse, hein ? Tu pouvais pas te contenter de me sauter et de dormir un coup ?

— Il me la faut.

— D'accord. Je vais te raconter.

Elle attrapa les mains du Pistolero entre les siennes, et elle lui raconta tout.

7

Il était arrivé le jour de la mort de Nort. Dehors, le vent s'en donnait à cœur joie, soulevant du sol une épaisse couche de terre, faisant voler des pelletées de sable où tournoyait le maïs déraciné. Jubal Kennerly avait cadenassé l'écurie, et les quelques autres commerçants avaient obturé les fenêtres et cloué des planches en travers des volets. Le ciel était d'un jaune qui rappelait du vieux fromage, zébré de nuages qui fuyaient à toute allure, comme s'ils avaient vu quelque spectacle horrifiant dans les étendues désertiques qu'ils venaient de quitter.

La proie du Pistolero avait débarqué dans un chariot branlant, avec sa bâche accrochée à l'essieu, et qui claquait au vent. Ils le regardèrent arriver, et le vieux Kennerly, allongé près de sa fenêtre avec dans une main une bouteille et dans l'autre la chair chaude du sein gauche de sa deuxième fille, décida de ne pas répondre s'il venait frapper chez lui.

Mais l'homme en noir poursuivit son chemin sans faire ralentir le cheval bai qui tirait son chariot, dont les roues soulevaient la poussière comme de l'écume, dont le vent s'emparait avec avidité. Ç'aurait pu être un prêtre, ou un moine. Il portait une robe noire toute farinée de poussière, et sur la tête une capuche lâche qui lui dissimulait les traits, à l'exception de cet ignoble rictus ravi. La robe ondulait et claquait. En dessous de l'ourlet apparaissait le bout carré de lourdes bottines à boucles.

Il s'arrêta net devant chez Sheb et mit le cheval à l'attache. L'animal baissa la tête et souffla vers le sol. L'homme décrocha un pan de la bâche, à l'arrière du chariot, et attrapa une sacoche fatiguée. Il se la jeta sur l'épaule et franchit les portes à battants.

Alice l'observa avec curiosité, mais personne d'autre ne sembla remarquer son entrée. Les habitués étaient saouls comme des barriques. Sheb jouait des hymnes méthodistes façon ragtime, et les vieux roublards qui étaient arrivés tôt, tant pour éviter l'orage que pour veiller Nort, s'étaient cassé la voix à trop chanter. Sheb, tellement saoul qu'il frisait le coma éthylique, mais très remonté, excité à l'idée que lui était encore en vie, jouait à un rythme trépidant. Ses doigts tressautaient, volant littéralement sur les touches.

Des voix beuglaient et braillaient à tue-tête, sans jamais couvrir le vent, même si elles semblaient parfois à deux doigts de relever le défi. Dans un coin, Zachary avait retroussé les jupes d'Amy Feldon jusque par-dessus sa tête et il lui peignait les amulettes de la Moisson sur les genoux. Quelques autres femmes allaient et venaient dans la salle. Toutes semblaient habitées d'une étrange fièvre. Cependant, la lueur sourde de l'orage qui filtrait à travers les portes à battants semblait se rire d'elles.

On avait allongé Nort sur deux tables, au centre de la salle. Ses bottes de cheminot dessinaient un V mystique. Sa bouche pendait en un rictus béant, bien que quelqu'un lui eût fermé les yeux et posé des jetons sur les paupières. On lui avait croisé les mains sur la poitrine, avec un brin d'herbe du diable entre les doigts. Il sentait le poison.

L'homme en noir repoussa sa capuche en arrière et se dirigea vers le bar. Alice l'observait, et à cette trépidation se mêlait le besoin familier qui se tapissait à l'intérieur d'elle. Il ne portait aucun symbole religieux, même si ça ne voulait rien dire en soi.

— Whisky, dit-il, d'une voix douce et agréable. Et je veux du bon, chérie.

Elle attrapa une bouteille de Star sous le comptoir. Elle aurait pu lui refiler le tord-boyaux local en prétendant que c'était son meilleur, mais elle ne le fit pas. L'homme en noir l'observa pendant qu'elle le servait. Il avait de grands yeux, lumineux. Les ombres étaient trop denses pour pouvoir en déterminer la couleur exacte. Elle sentit son désir s'intensifier. Derrière, les braillements et les cris continuaient de plus belle. Sheb, ce hongre inutile, improvisait sa version de *Soldats du Christ*, et quelqu'un avait réussi à persuader Tante Mill de chanter. Sa voix, voilée et faussée, taillait dans le chahut comme une hache émoussée dans le crâne d'un veau.

— Hé, Allie !

Elle alla servir, en voulant à l'étranger pour son silence, pour ses yeux sans couleur et pour son bas-ventre insatiable à elle. Elle avait peur de ses besoins. Ils étaient capricieux, elle n'avait aucun contrôle sur eux. Peut-être étaient-ils le signe d'un changement, qui serait lui-même le signe de la vieillesse – un état qui, à Tull, était en général court et glacial comme un coucher de soleil hivernal.

Elle tira de la bière jusqu'à vider le tonnelet, puis en mit un autre en perce. Plutôt ça que de demander son aide à Sheb ; il ne rechignerait pas à venir quand elle l'appellerait, en bon chien qu'il était, mais ou bien il se trancherait les doigts, ou bien il renverserait de la bière partout. Les yeux de l'étranger ne la quittèrent pas tout au long de l'opération ; elle les sentait sur elle.

— Il y en a, du monde, fit-il quand elle revint au bar.

Il n'avait pas touché son verre, il le faisait seulement rouler entre ses paumes pour le réchauffer.

— Veillée funèbre, dit-elle.

— J'avais remarqué le défunt.

— Rien que des bons à rien, lâcha-t-elle avec une haine soudaine. Tous autant qu'ils sont.

— Cela les excite. Il est mort. Pas eux.

— Vivant, il était leur souffre-douleur. Ça n'est pas juste qu'il le soit encore aujourd'hui. C'est...

Elle laissa sa voix s'éteindre, incapable d'exprimer la situation, d'exprimer combien elle était obscène.

— Mangeur d'herbe ?

— Oui ! Qu'est-ce qu'il lui restait d'autre ?

Son ton s'était fait accusateur, pourtant l'homme ne baissa pas les yeux et elle sentit le sang lui monter au visage.

— Je suis désolée. Vous êtes prêtre ? Ça doit vous révolter.

— Je ne suis pas prêtre, et ça ne me révolte pas.

Il avala le whisky d'un trait, sans grimacer.

— Un autre, s'il vous plaît. Et mettez-y du sentiment, comme on dit dans le monde d'à côté.

Elle n'avait aucune idée de ce qu'il voulait dire et elle eut peur de le lui demander.

— Je dois d'abord voir la couleur de votre argent. Désolée.

— Il n'y a pas de quoi.

Il posa sur le comptoir une pièce d'argent grossière, épaisse d'un côté, fine de l'autre et elle dit, comme elle devait le dire plus tard :

— J'ai pas la monnaie là-dessus.

Il secoua la tête pour écarter le sujet et la regarda verser l'alcool, d'un air absent.

— Vous êtes juste de passage ? demanda-t-elle.

Il mit un long moment à répondre et elle était sur le point de répéter, lorsqu'il secoua la tête d'un air impatient.

— Ne parlez pas de la pluie et du beau temps. Vous êtes en présence de la mort.

Blessée et stupéfaite, elle eut un mouvement de recul et sa première pensée fut qu'il avait menti sur son état, pour la mettre à l'épreuve.

— Vous l'aimiez, fit-il d'une voix monocorde. Je me trompe ?

— Qui ? Nort ?

Elle se mit à rire, affectant le mécontentement pour dissimuler sa confusion.

— Vous feriez mieux de...

— Vous avez le cœur tendre, et un peu peur, aussi, poursuivit-il, et il était accro à l'herbe, avec déjà un pied en enfer.

60

Et le voilà, la porte a claqué derrière lui, et vous vous dites que la prochaine fois qu'elle s'ouvrira, ce sera pour vous, n'est-ce pas ?

— Vous êtes saoul ou quoi ?

— Missié Norton, lui mort, se mit à singer l'homme en noir, en y mettant un petit accent sardonique. Raide mort. On ne peut plus mort. Comme vous.

— Fichez le camp de chez moi.

Elle sentait jaillir en elle un dégoût tremblant, pourtant la chaleur irradiait toujours de son ventre.

— Tout va bien, fit-il d'une voix douce. Tout va bien. Il n'y a qu'à attendre. Attendre, c'est tout.

Bleus, il avait les yeux bleus. Tout à coup elle se sentit à l'aise, comme si elle avait pris de la drogue.

— Mort, comme tout le monde, dit-il. Vous comprenez ?

Elle hocha la tête avec stupeur et lui éclata de rire – un rire superbe, fort, pur, qui fit se tourner les têtes. Il pivota et leur fit face, devenu soudain le centre d'attention. Tante Mill hésita dans les paroles, puis sa voix s'éteignit, laissant saigner un aigu fêlé, en suspens dans l'air. Sheb fit un couac et s'arrêta net. Tous regardaient l'inconnu d'un air gêné. Le sable crépitait contre les murs du bâtiment.

Le silence dura, le silence se délaya dans le silence. Elle sentit que son souffle s'était englué dans sa gorge ; elle baissa les yeux et vit ses deux mains crispées sur son bas-ventre, sous le bar. Tous le regardaient et il les regardait tous. Puis son rire fusa de nouveau, fort, riche, évident. Mais un rire qui n'appelait pas de compagnie.

— Je vais vous montrer un miracle ! leur lança-t-il.

Mais ils se contentaient de l'observer, comme des enfants obéissants qu'on aurait emmenés voir un magicien qu'ils seraient devenus trop vieux pour croire.

L'homme en noir fit un bond en avant, et Tante Mill eut un mouvement de recul. Il eut un rictus féroce et lui donna une claque sur son gros ventre. Elle émit malgré elle un bref gloussement et l'homme en noir bascula la tête en arrière.

— C'est mieux, n'est-ce pas ?

Tante Mill gloussa de nouveau, fondit brusquement en sanglots et se précipita dehors. Les autres la regardèrent s'enfuir en silence. L'orage était en train d'éclater ; les ombres se suivaient, allaient et venaient sur le cyclorama blanc du ciel. Près du piano, sa bière oubliée dans une main, un homme émit un son baveux, une sorte de grognement.

Un rictus sur les lèvres, l'homme en noir se pencha au-dessus de Nort. Le vent pleurait, hurlait et raclait. Un bruit sourd ébranla le côté de l'immeuble, un choc assez fort pour le faire trembler, puis rebondit plus loin. L'un des clients accoudés au bar se secoua et migra vers des lieux plus calmes, à longues enjambées grotesques. Le tonnerre déchirait le ciel, dans un tapage tel qu'on aurait dit que Dieu toussait.

— Très *bien* ! fit l'homme en noir en grimaçant. Très bien ! Au *travail* !

Il se mit à cracher au visage de Nort, en visant avec précaution. Le crachat miroitait sur le front du cadavre, perlait au bout de son nez lisse.

Sous le bar, les mains d'Allie accélérèrent la cadence.

Sheb se mit à rire, comme un dément, plié en deux. Il se mit à cracher des glaires, d'énormes amas gluants, et jura violemment. L'homme en noir approuva bruyamment et lui tapa dans le dos. Sheb eut un grand sourire, qui laissa étinceler une dent en or.

Certains se défilèrent. D'autres formèrent un large cercle autour de Nort. Son visage, et les plis en fanons de son cou et de sa poitrine scintillaient – à cause de ce liquide si précieux dans ce pays si sec. Et, soudain, la pluie de crachats stoppa, comme obéissant à un signal. On entendit une respiration, lourde et irrégulière.

L'homme en noir bondit brusquement en travers du corps, en un arc souple. Une pose splendide, comme un jet d'eau. Il se réceptionna sur les mains, sauta sur ses pieds en un coup de rein, sans se départir de son rictus, puis repassa par-dessus le cadavre. L'un des spectateurs s'oublia, se mit à applaudir, puis s'éloigna soudain à reculons, les yeux embués de terreur. Il plaqua une main tremblante devant sa bouche et courut vers la porte.

Nort sursauta à la troisième cabriole de l'homme en noir.

Un son s'éleva dans l'assemblée – un grognement –, puis ce fut le silence total. L'homme en noir renversa la tête en arrière et hurla. À chaque inspiration, sa poitrine se soulevait en un mouvement rapide, comme à vide. Il se mit à aller et venir au-dessus du corps de Nort à une cadence plus soutenue, se coulant sur lui comme de l'eau passant d'un verre à l'autre, encore et encore. Le seul son audible dans la salle était le grincement déchirant de sa respiration, scandé par la pulsation de l'orage qui s'amplifiait.

Puis vint le moment où Nort inspira profondément, une inspiration sèche. Ses mains se mirent à s'agiter et à frapper la table vainement. Sheb poussa un cri perçant et sortit. L'une des femmes le suivit, les yeux écarquillés et la guimpe qui tournoyait.

L'homme en noir se coucha encore une fois, deux fois, trois fois. À présent, le corps sur la table vibrait, tremblait convulsivement, se contorsionnait comme une grosse poupée pourtant sans vie, mais animée par un monstrueux mécanisme dissimulé en son sein. Un relent mêlé de pourriture, d'excréments et de moisi s'éleva en vagues suffocantes. Puis vint le moment où ses yeux s'ouvrirent.

Allie sentit ses pieds transis et engourdis la propulser en arrière. Elle se cogna au miroir, ce qui le fit trembler, et une panique aveugle s'empara d'elle. Elle bondit comme un cabri.

— Le voilà, votre miracle, lui lança l'homme en noir. Je vous l'ai donné. Désormais vous pourrez dormir tranquille. Même ça, ce n'est pas irréversible. Bien que ce soit… foutrement… *drôle !*

Et il se remit à rire. Le son s'estompa lorsqu'elle bondit dans l'escalier, mais ne se tut que lorsqu'elle eut verrouillé derrière elle la porte du couloir qui menait aux trois chambres au-dessus du bar.

Alors un gloussement nerveux la reprit et elle se mit à se balancer d'avant en arrière, près de la porte. Son rire s'intensifia, comme une mélopée funèbre venant se mêler au vent gémissant. Elle ressassait mentalement le bruit qu'avait fait Nort en revenant à la vie – le bruit d'un poing martelant aveuglément le couvercle d'un cercueil. Quelles pensées pouvait-il bien rester dans ce cerveau réanimé ? Qu'avait-il vu, dans la mort ? Que se rappellerait-il ? Voudrait-il le raconter ? Les secrets de la tombe l'attendaient-ils en bas de cet escalier ?

Elle se rendit compte que le plus horrible, dans toutes ces questions, c'était cette partie d'elle qui avait tellement envie de savoir.

Au-dessous d'elle, Nort errait à l'aveuglette dans l'orage, à la recherche d'herbe. L'homme en noir, seul client restant dans le bar, le regarda peut-être partir, avec peut-être sur les lèvres son immuable rictus.

Lorsqu'elle se força à redescendre ce soir-là, portant dans une main une lampe et dans l'autre une lourde bûche de bois de chauffe, l'homme en noir avait disparu, avec son véhicule. Mais Nort était là, assis à la table près de la porte, comme s'il ne l'avait jamais quittée. Il sentait de nouveau l'herbe, mais pas aussi fort qu'elle l'aurait cru.

Il leva les yeux vers elle et esquissa un pauvre sourire.

— Salut, Allie.

— Salut, Nort.

Elle posa la bûche par terre et entreprit d'allumer les lampes, sans lui tourner le dos.

— Dieu m'a touché, dit-il au bout d'un moment. J'vais plus mourir, tu sais. Il me l'a dit. Il a promis.

— Je suis bien contente pour toi, Nort.

L'allumette qu'elle tenait glissa entre ses doigts tremblants, mais elle la rattrapa.

— Je voudrais arrêter de chiquer de l'herbe. Ça m'plaît plus. C'est pas bien, pour un homme qui a été touché par Dieu, de chiquer de l'herbe.

— Alors pourquoi tu n'arrêtes pas ?

Elle était tellement exaspérée qu'elle le regardait de nouveau comme un homme, non plus comme un miracle infernal. Tout ce qu'elle voyait, c'était un spécimen plutôt triste, seulement à moitié drogué, avec un air honteux de chien battu. Elle ne pouvait plus avoir peur de lui.

— Je tremble, fit-il. Et je suis en manque. Je peux pas arrêter. Allie, toi qu'as toujours été bonne pour moi…

Il se mit à sangloter.

— Je peux même pas m'empêcher de me pisser dessus. Qu'est-ce que je suis ? *Qu'est-ce que je suis ?*

Elle s'approcha de la table et s'arrêta, hésitante.

— Il aurait pu faire en sorte que j'sois plus en manque, dit-il à travers ses larmes. Il pouvait bien faire ça, s'il a pu me faire revivre. J'me plains pas, hein… je veux pas m'plaindre…

Il parcourut la salle du regard, l'air égaré, et murmura :

— Sinon il pourrait me tuer d'un coup.

— C'est peut-être une blague. Il avait l'air d'avoir un sacré sens de l'humour.

Nort attrapa sous sa chemise son petit sac et en sortit une poignée d'herbe. Sans réfléchir, elle lui frappa le poignet pour la lui faire lâcher, puis retira sa main, horrifiée.

— J'y peux rien, Allie, c'est plus fort que moi.

Avec ses manières d'infirme, il alla piocher dans le sac. Elle aurait pu l'en empêcher, mais elle ne se donna pas la peine. Elle retourna allumer les lampes, déjà fatiguée alors que la soirée commençait à peine. Mais personne ne vint ce soir-là, à part le vieux Kennerly, qui avait tout raté. Il ne parut pas surpris outre mesure de voir Nort. Peut-être quelqu'un lui avait-il dit ce qui s'était passé. Il commanda une bière, demanda où était Sheb, et la pelota.

Plus tard, Nort vint la trouver et lui tendit un morceau de papier plié d'une main tremblante, indigne d'être en vie.

— Il a laissé ça pour toi, dit-il. J'ai failli oublier. Si j'avais oublié, i's'rait revenu et il m'aurait tué, tu peux en être sûre.

Le papier était précieux, une denrée à chérir, pourtant elle n'aimait pas le contact de celui-là. Il était lourd, désagréable au toucher. Dessus, un seul mot :

Allie

— Comment il a su mon nom ? demanda-t-elle à Nort, et Nort se contenta de hocher la tête.

Elle ouvrit le papier et le lut :

Vous vouliez en savoir plus sur la Mort. Je lui ai laissé un mot. Ce mot, c'est DIX-NEUF. Si vous lui dites ce mot, son esprit s'ouvrira. Il vous dira ce qu'il y a au-delà. Il vous dira ce qu'il a vu.

Le mot est DIX-NEUF.

La réponse vous rendra folle.

Mais tôt ou tard vous poserez la question.

Vous ne pourrez pas vous en empêcher.

Bonne journée ! :o)

Walter o'Dim

PS : Le mot est DIX-NEUF.

Vous essaierez d'oublier mais tôt ou tard ça sortira de votre bouche comme du vomi.

DIX-NEUF.

Et, ô mon Dieu, elle savait qu'il disait vrai. Déjà il tremblait sur ses lèvres. *Dix-neuf*, elle allait le dire – *Nort, écoute : dix-neuf.* Et les secrets de la Mort et de l'Au-Delà s'ouvriraient à elle.

Tôt ou tard vous poserez la question.

Le lendemain, tout était presque revenu à la normale, même si plus aucun enfant ne suivait Nort. Le surlendemain, les sifflets réapparurent. La vie avait repris son petit cours tranquille. Les enfants ramassèrent le maïs déraciné et, une semaine après la résurrection de Nort, ils le brûlèrent au milieu de la rue. Pendant un court moment, le feu fut éclatant, et la plupart des piliers de bar sortirent en titubant plus ou moins pour regarder. Ils avaient un air primitif. Leurs visages semblaient flotter entre le rougeoiement des flammes et l'éclat de givre du ciel. En les regardant, Allie ressentit un pincement de désespoir, le désespoir fugace qu'on éprouve dans les moments de tristesse, ici-bas. Le deuil. Les choses s'étaient distendues. Il n'y avait plus de colle au centre, désormais. Quelque part, quelque chose vacillait, et lorsque ça tomberait, ce serait la fin de tout. Elle n'avait jamais vu l'océan, et ne le verrait jamais.

— Si seulement j'avais des *tripes*, balbutia-t-elle, si j'avais des tripes, des tripes, des *tripes*…

Au son de sa voix, Nort leva la tête et lui sourit, d'un sourire vide venu de l'enfer. Elle n'avait pas de cran. Rien qu'un bar et une cicatrice. Et un mot. Qui se débattait derrière ses lèvres closes. Et si elle l'appelait maintenant, si elle l'emmenait à l'écart, en dépit de cette puanteur ? Et si elle prononçait le mot dans ces foutus trous cireux qu'il appelait des oreilles ? Ses yeux changeraient. Ils deviendraient ses yeux *à lui*, à l'homme en robe noire. Et alors Nort raconterait ce qu'il avait vu au Pays des Morts, ce qu'on trouvait au-delà de la terre et des vers.

Jamais je ne lui dirai ce mot.

Mais l'homme qui avait ramené Nort à la vie et qui lui avait laissé un mot à elle – un mot comme un pistolet chargé qu'elle se mettrait un jour sur la tempe – cet homme-là savait ce qu'il faisait.

Dix-neuf ouvrirait le secret.

Dix-neuf *était* le secret.

Elle se surprit à l'écrire dans une petite flaque sur le bar – 19 – et brouilla le tout en remarquant que Nort l'observait.

Le feu diminua rapidement et ses clients rentrèrent. Elle se servit une première dose de Star et, avant le milieu de la nuit, elle était fin saoule.

8

Elle interrompit son récit et, voyant qu'il ne faisait aucun commentaire immédiat, elle crut d'abord que son histoire l'avait endormi. Elle commençait elle-même à somnoler quand il demanda :

— C'est tout ?

— Oui. C'est tout. Il est très tard.

— Hmm.

Il était en train de rouler une nouvelle cigarette.

— Ne va pas me mettre plein de tabac dans le lit, lui dit-elle, plus sèchement qu'elle l'aurait souhaité.

— Non.

Nouveau silence. Le bout de sa cigarette clignotait dans le noir.

— Tu seras parti demain matin, dit-elle d'un ton morne.

— Il faudrait, oui. Je pense qu'il m'a tendu un piège, ici même. Tout comme il t'en a tendu un à toi.

— Tu penses vraiment que ce nombre pourrait…

— Si tu tiens à ta santé mentale, prends bien garde de ne jamais dire ce mot à Nort, répondit le Pistolero. Sors-le-toi de la tête. Si tu peux, persuade ton cerveau que le chiffre qui vient après dix-huit, c'est vingt. Que la moitié de trente-huit, c'est dix-sept. L'homme qui a signé du nom de Walter o'Dim est tout ce que tu voudras, mais certainement pas un menteur.

— Mais…

— Quand tu sentiras que l'envie devient trop forte, monte vite ici, viens te réfugier sous ta couverture et répète-le-toi encore et encore… hurle-le, s'il le faut… jusqu'à ce que ça passe.

— Il viendra un moment où ça ne passera plus.

Le Pistolero ne répondit pas, car il savait qu'elle disait vrai. Ce piège était effroyablement parfait. Si on vous disait que vous iriez en enfer si vous pensiez à votre mère nue (quand le Pistolero était très jeune, c'est exactement ce qu'on lui avait dit), vous finiriez par le faire. Et pourquoi ? Parce que vous ne voudriez *pas* imaginer votre mère nue. Parce que, si on vous donnait un couteau et une main pour le tenir, l'esprit finirait par se bouffer lui-même. Pas par volonté de le faire ; précisément par volonté de ne *pas* le faire.

Tôt ou tard, Allie appellerait Nort et lui dirait le mot.

— Ne t'en va pas, dit-elle.

— On verra.

Il se coucha sur le côté en lui tournant le dos, pourtant elle était rassurée. Il allait rester, au moins un petit peu. Elle s'assoupit.

À l'orée du sommeil, elle repensa à la façon curieuse que Nort avait eue de l'aborder, dans ce langage bizarre. C'était la seule fois qu'elle avait vu le visage de cet homme étrange, son nouvel amant, exprimer une émotion. Même sa manière de faire l'amour était silencieuse, et ce n'est qu'à la toute fin que sa respiration était devenue plus rude, s'interrompant une seconde ou deux. On aurait dit une créature sortie d'un conte de fées, ou d'un mythe, une créature fabuleuse, dangereuse. Savait-il exaucer les vœux ? Selon elle, la réponse était oui, et alors elle savait quoi demander. Il allait rester un moment. C'était là un vœu assez bien pour une garce malchanceuse et balafrée comme elle. Il serait bien temps demain de penser à un deuxième vœu, ou à un troisième. Elle dormit.

9

Le lendemain matin, elle fit cuire du gruau de maïs, qu'il mangea sans faire de commentaire. Il enfournait les bouchées sans penser à elle, presque sans la voir. Il savait qu'il aurait dû partir. À chaque minute qu'il passait assis là, l'homme en noir prenait plus d'avance – à l'heure qu'il était, il était sans doute sorti de cette terre de pierre et des arroyos, pour pénétrer dans le désert. Ses pas l'avaient invariablement mené vers le sud-est, et le Pistolero savait pourquoi.

— Tu as une carte ? demanda-t-il en levant les yeux.

— Une carte de la ville ? dit-elle en riant. Il y a même pas de quoi en faire une carte.

— Non, du sud-est de la ville.

Son sourire s'éteignit.

— Le désert. Rien que le désert. Je pensais que tu allais rester un peu.

— Et, de l'autre côté du désert, qu'est-ce qu'il y a ?

— Comment je le saurais ? Personne ne va de l'autre côté. Personne n'a essayé depuis que je suis ici.

Elle s'essuya les mains sur son tablier, prit des gants et versa le baquet d'eau qu'elle faisait chauffer dans l'évier, dans une gerbe d'éclaboussures et de vapeur.

— Les nuages vont tous par là. Comme si quelque chose les aspirait…

Il se leva.

— Où vas-tu ?

Elle entendit dans sa voix la peur stridente et elle détesta ça.

— À l'écurie. S'il y a quelqu'un qui doit savoir, c'est le palefrenier.

Il lui posa les mains sur les épaules. C'étaient des mains dures, mais chaudes, aussi.

— Et pour prendre des dispositions, pour ma mule. Si je dois rester un peu, il faut que quelqu'un s'en occupe. Pour quand je partirai.

Mais pas encore. Elle leva les yeux vers lui.

— Mais méfie-toi de ce Kennerly. Quand il ne sait pas quelque chose, il l'invente.

— Merci, Allie.

Il sortit, et elle se tourna vers l'évier, sentant sur ses joues le sillage doux et chaud de ses larmes de gratitude. Depuis quand n'avait-elle pas entendu de remerciements ? De remerciements de quelqu'un qui comptait ?

10

Kennerly était un vieux satyre édenté et déplaisant, qui avait enterré deux femmes et qui croulait sous le nombre de ses filles. Deux d'entre elles, tout juste adolescentes, espionnèrent le Pistolero, tapies dans les ombres poussiéreuses de l'écurie. Un bébé bavait joyeusement dans la crasse. Une autre fille, pleinement formée quant à elle, blonde, sale et sensuelle, l'observa avec une curiosité inquisitrice, tout en tirant de l'eau de la pompe qui gémissait, à côté de la grange. Son regard attira celui du Pistolero, elle se pinça les tétons entre les doigts, lui adressa un clin d'œil et se remit à pomper.

Le palefrenier vint l'accueillir à mi-chemin de la porte de son établissement. Son attitude hésitait entre une sorte d'hostilité haineuse et une servilité lâche.

— J'en ai pris soin, z'avez pas à vous inquiéter pour ça, lança-t-il.

Et, avant que le Pistolero ait pu répondre, Kennerly se tourna vers sa fille, le poing dressé, comme un misérable coq tout maigrelet.

— Tu rentres, Soobie ! Tu vas me foutre le camp à la maison, oui !

Soobie se mit à traîner son seau d'un air morne vers la cabane jouxtant l'écurie.

— Au sujet de ma mule, reprit le Pistolero.

— Oui, *sai*. Ça faisait un bail que j'en avais pas vu, surtout de c'te qualité – deux yeux, quatre pattes…

Et ses traits se plissèrent de manière inquiétante, en une expression de douleur extrême, ou bien visant à souligner une bonne blague. Le Pistolero pencha pour la seconde solution, bien que son propre sens de l'humour fût minime, voire inexistant.

— Y avait une époque où on en avait tellement qu'on devenait dingue, poursuivit Kennerly, mais le monde a changé. Depuis, j'ai rien vu d'autre que quelques bœufs mutants, et puis les chevaux de la diligence et… Soobie, je vais te coller une raclée, nom de Dieu !

— Je ne mords pas, fit le Pistolero d'un ton aimable.

Kennerly s'inclina bassement et fit un grand sourire. Le Pistolero vit très distinctement la pulsion de meurtre dans ses yeux et, bien que ne la craignant pas, il en prit note comme on corne la page d'un livre, parce qu'elle contient des instructions qui pourraient se révéler précieuses.

— C'est pas *vous*. Mon Dieu, non, c'est pas *vous* – il accentua le sourire –, c'est juste qu'elle est empotée de nature. Elle a le démon en elle. Elle est dingue.

Son regard s'assombrit.

— C'est bientôt les Temps Derniers, monsieur. Vous savez comment c'est, dans la Bible. Les enfants qui obéissent plus à leurs parents, et alors un fléau qui s'abat sur la multitude. Y a qu'à écouter la prêtresse pour le savoir.

Le Pistolero acquiesça d'un signe de tête, puis désigna le sud-est.

— Il y a quoi, par là-bas ?

Kennerly sourit de nouveau, découvrant ses gencives et quelques ravissantes dents jaunes.

— Des frontaliers. De l'herbe. Le désert. Quoi d'autre ?

Il gloussa, et jaugea froidement le Pistolero du regard.

— Grand comment, le désert ?

— Grand.

Kennerly tenta de prendre un air sérieux, comme s'il répondait à une question sérieuse.

— Je dirais mille roues. Peut-être deux mille. Je peux pas vous dire, monsieur. Y a rien là-bas, à part l'herbe du diable et peut-être bien des démons. Y paraîtrait qu'y aurait un anneau de parole, avec un démon, mais c'est sûrement un mensonge. C'est par là qu'il est parti, l'autre gars. Celui qu'a remis Norty debout quand il était malade.

— Malade ? J'ai entendu dire qu'il était mort.

Kennerly garda le sourire.

— Euh, ben, peut-être bien. Mais on n'est plus des gamins, pas vrai ?

— Mais vous croyez bien aux démons.

Kennerly eut l'air offensé.

— Ça a rien à voir. La prêtresse dit que...

Il se mit à palabrer et à débiter des inepties. Le Pistolero retira son chapeau et s'épongea le front. Le soleil tapait fort, sans relâche. Kennerly ne paraissait pas s'en apercevoir. Kennerly avait plein de choses à raconter, dont pas une n'était sensée. Dans l'ombre étroite le long de la grange, la petite fille s'étalait d'un air grave de la terre sur la figure.

Le Pistolero finit par s'impatienter et interrompit l'autre en pleine logorrhée.

— Vous ne savez pas ce qu'il y a au-delà du désert ?

Kennerly haussa les épaules.

— Y en a peut-être qui savent. La diligence est passée dans ce coin-là, y a cinquante ans. C'est mon paternel qui m'l'a dit. Il disait que c'était des montagnes. D'autres disent que c'est l'océan... un océan vert avec des monstres. Y en a aussi qui disent que c'est là qu'le monde finit. Qu'il y a que des lumières qui rendent aveugle et le visage de Dieu, la bouche ouverte, prêt à nous avaler.

— Balivernes, fit sèchement le Pistolero.

— Pour sûr, répliqua Kennerly dans un petit cri joyeux.

Il eut à nouveau un mouvement veule, entre la haine, la peur et le désir de plaire.

— Veillez à ce qu'on s'occupe de ma mule.

Il fit tournoyer une autre pièce dans l'air, que Kennerly attrapa au vol. On dirait un chien se jetant sur une balle, se dit le Pistolero.

— Bien sûr. Vous restez un peu ?

— Ça n'est pas impossible. Il y aura de l'eau…

— … si Dieu le veut ! Pour sûr, pour sûr !

Kennerly y alla d'un rire sans joie, et dans ses yeux le Pistolero gisait raide mort à ses pieds.

— Elle est plutôt gentille, quand elle veut, notre Allie, pas vrai ?

Le palefrenier fit un cercle avec son poing gauche et fit aller et venir son index droit à l'intérieur.

— Vous avez dit quelque chose ? demanda le Pistolero d'un air distant.

Une terreur soudaine voila le regard de Kennerly, comme des lunes jumelles venant masquer l'horizon. Il se mit les mains derrière le dos, comme un vilain garnement pris les mains dans le pot de confiture.

— Non, *sai*, rien du tout. Et, si j'ai dit quelque chose, j'en suis bien désolé.

Du coin de l'œil, il aperçut Soobie à la fenêtre et se précipita sur elle comme un cyclone.

— Je vais te la mettre tout d'suite, ta raclée, espèce de petite pute ! Nom de Dieu ! Je m'en vais te…

Le Pistolero s'éloigna, conscient de ce que Kennerly s'était retourné pour le regarder partir, conscient qu'il pouvait très bien se retourner et saisir, distillée sur le visage du palefrenier, une émotion sincère et sans mélange. Mais pourquoi se donner cette peine ? Elle était brûlante, cette émotion, il en connaissait le nom d'avance : de la haine à l'état pur. La haine de l'étranger. Il avait pris tout ce que cet homme avait à offrir. La seule chose certaine concernant le désert, c'était sa taille. La seule chose certaine concernant cette ville, c'était qu'elle n'avait pas révélé tous ses secrets. Pas encore.

11

Il était couché avec Allie lorsque Sheb ouvrit la porte d'un coup de pied et entra avec le couteau dans la main.

Ça faisait quatre jours, quatre jours qui avaient filé dans une sorte de brouillard, entre veille et sommeil. Il mangeait. Il dormait. Il couchait avec Allie. Il découvrit qu'elle jouait du violon, et il la fit jouer pour lui. Elle s'asseyait près de la fenêtre dans la lumière laiteuse de l'aube, elle n'était qu'un profil et elle jouait, de façon hésitante, un morceau qui aurait pu être bon si elle s'était entraînée plus.

Il sentait grandir en lui son affection pour elle (mais une affection étrangement distraite) et il se dit que c'était peut-être là le piège que lui avait tendu l'homme en noir. Parfois il sortait. En règle générale, il réfléchissait peu.

Il n'avait pas entendu monter le petit pianiste – ses réflexes se relâchaient. Pourtant, ça n'avait aucune importance, alors qu'en d'autres lieux et en d'autres circonstances ça l'aurait sérieusement effrayé.

Allie était nue, le drap sous les seins, et ils s'apprêtaient à faire l'amour.

— S'il te plaît, disait-elle, comme avant, je veux ça, je veux…

La porte s'ouvrit avec fracas et le pianiste déboula en courant, ridicule, avec ses genoux cagneux. Allie ne hurla pas, bien que Sheb tînt à la main un couteau de cuisine grand format. Il émettait des sons, un babil inarticulé. On aurait dit un homme en train de se noyer dans un seau de boue. Les postillons volaient. Il frappa en tenant le couteau des deux mains, et le Pistolero lui attrapa les poignets et les tordit. Le couteau vola. Sheb lâcha un cri strident, comme une porte rouillée. Ses mains s'agitaient en mouvements désordonnés, comme celles d'une marionnette, les poignets cassés. Le vent crissait contre la fenêtre. Sur le mur, le miroir d'Allie, légèrement embué et déformant, reflétait la chambre.

— Elle était à moi ! C'est moi qui l'ai vue en premier ! Moi !

Allie le fixa et sortit du lit. Elle enfila un peignoir, et le Pistolero ressentit une seconde d'empathie pour cet homme qui devait être spectateur de ce qu'il avait autrefois possédé, et mesurer ce qu'il avait perdu. Ce n'était qu'un petit homme. Et le Pistolero se rappela soudain où il l'avait vu. Où il l'avait connu, par le passé.

— C'était pour toi, fit Sheb en sanglotant. C'était rien que pour toi, Allie. C'était toi la première et tout était pour toi. Je… ah, oh mon Dieu, mon Dieu…

Les mots furent dissous dans un paroxysme inintelligible, puis dans les larmes. Il se mit à se balancer d'avant en arrière, serrant contre son ventre ses poignets cassés.

— Chut, chut. Fais-moi voir ça.

Elle s'agenouilla à côté de lui.

— C'est cassé. Sheb, espèce d'idiot. Comment tu vas gagner ta vie, maintenant ? Tu sais pourtant que tu n'as jamais été costaud.

Elle l'aida à se remettre debout. Il essaya de porter les mains à son visage, mais elles ne voulaient pas lui obéir, alors il se mit à pleurer ouvertement.

— Viens à la table, que je voie ce que je peux faire.

Elle le mena jusqu'à la table et lui immobilisa les poignets grâce à des lattes de petit-bois qu'elle avait prises dans la réserve, près de la cheminée. Il pleurait faiblement, totalement abandonné.

— *Mejis*, dit le Pistolero, et le pianiste regarda autour de lui, les yeux écarquillés.

Le Pistolero acquiesça, d'un air plutôt aimable, à présent que Sheb n'essayait plus de lui coller un couteau entre les omoplates.

— *Mejis*, répéta-t-il. Au bord de la Mer Limpide.

— Eh bien ! quoi ?

— Vous y étiez, pas vrai ? Il y a bien bien long, comme ils disaient.

— Et alors ? Je ne me souviens pas de vous.

— Mais vous vous souvenez de la fille, n'est-ce pas ? La fille du nom de Susan ? Et de la Nuit de la Moisson.

Sa voix se fit plus cassante.

— Et pour le feu de joie, vous étiez là ?

Les lèvres du petit homme se mirent à trembler. Elles brillaient de bave. Ses yeux disaient qu'il connaissait la vérité : il était plus proche de la mort en cet instant que lorsqu'il avait surgi dans la chambre, le couteau à la main.

— Sortez d'ici, lança le Pistolero.

L'ombre qui s'abattit sur les yeux de Sheb prouva qu'il avait compris.

— Mais vous n'étiez qu'un *gamin* ! Un de ces trois *gamins* ! Venus compter le bétail, et y avait aussi Eldred Jonas, le Chasseur de Cercueil, et...

— Sortez d'ici tant que vous le pouvez encore, dit le Pistolero, et Sheb sortit, portant ses poignets cassés contre lui.

Elle revint au lit.

— De quoi tu parlais ?

— Peu importe.

— Très bien... alors, on en était où ?

— Nulle part.

Et il bascula sur le côté, se détournant d'elle.

Avec patience, elle dit :

— Tu étais au courant, pour lui et moi. Il a fait ce qu'il a pu, ce qui n'est pas grand-chose, et j'ai pris ce que j'ai pu, parce qu'il le fallait bien. Il n'y a rien à faire. Que dire d'autre ?

Elle lui toucha l'épaule.

— À part que je suis heureuse que tu sois si fort.

— Pas maintenant, fit-il.

— C'était qui ?

Puis, répondant à sa propre question :

— Une fille que tu as aimée.

— Laisse tomber, Allie.

— Je peux te rendre fort...

— Non, dit-il. Tu ne peux pas.

12

Le soir suivant, le bar resta fermé. C'était ce qui tenait lieu de jour du Seigneur, à Tull. Le Pistolero se rendit à la minuscule église penchée près du cimetière, pendant qu'Allie nettoyait les tables avec du désinfectant fort et rinçait le verre des lampes à pétrole à l'eau savonneuse.

Une étrange brume pourpre s'était levée et vue de la route, l'église, éclairée de l'intérieur, ressemblait presque à un haut-fourneau.

— Je n'y vais pas, avait dit Allie sèchement. Cette femme qui prêche, elle fait de la religion toxique. Les gens comme il faut ont qu'à y aller.

Debout dans le vestibule, caché dans l'ombre, il inspecta l'intérieur. Les bancs avaient disparu, et les fidèles se tenaient debout (il vit Kennerly et sa nichée ; Castner, qui possédait le pauvre magasin local de tissus et de mercerie, et sa femme ; quelques piliers de bar ; quelques femmes « de la ville » qu'il n'avait jamais vues auparavant et, à sa grande surprise, Sheb). Ils chantaient un hymne approximatif, *a cappella*. Il observa avec curiosité la femme colossale perchée dans la chaire. Allie lui avait dit : « Elle vit seule, elle voit jamais personne. Elle sort que le dimanche, pour venir distribuer les flammes de l'enfer. Elle s'appelle Sylvia Pittston. Elle est folle, mais elle les tient par la menace. Ils aiment ça, ça leur plaît. »

Aucune description ne pouvait rendre compte du physique de cette femme. Des seins comme des collines. Un cou comme une colonne gigantesque, surmonté d'un visage blanc et lunaire percé de deux yeux si grands et si sombres qu'on aurait dit des lacs sans fond. Elle avait les cheveux d'un beau brun profond, empilés sur sa tête en un tas désordonné retenu par une épingle presque assez grosse pour embrocher un gigot. La robe qu'elle portait semblait taillée dans de la toile à sac. Les bras qui tenaient le livre de cantiques étaient de véritables dalles de pierre. Elle avait la peau crémeuse, sans imperfection, ravissante. À vue d'œil, elle devait dépasser les cent cinquante kilos. Il ressentit soudain pour elle un désir sexuel intense qui le laissa tout tremblant ; il détourna le regard.

> *Réunissons-nous à la rivière,*
> *La belle, la belle,*
> *La riiiiiiivière,*
> *Réunissons-nous à la rivière,*
> *Qui coule près du royaume de Dieu.*

La dernière note du dernier couplet s'éteignit, et pendant un instant ça remua et ça toussa.

Elle attendit. Quand tout le monde fut installé, elle étendit les mains au-dessus d'eux, comme pour une bénédiction. Un geste lourd de réminiscences.

— Mes chers petits frères et sœurs dans le Christ.

Une entrée en matière plutôt familière. L'espace d'une seconde, le Pistolero éprouva des sentiments mêlés de peur et de nostalgie, le tout empreint d'une forte sensation de *déjà-vu*[1], et il se dit : *J'ai rêvé cette scène. Ou bien je suis déjà venu ici. Et si oui, quand ? Pas à Mejis.* Non, pas là-bas. Il secoua la tête pour écarter cette hypothèse. Un silence de mort régnait dans l'assemblée – quelque vingt-cinq personnes, tout au plus. Tous les yeux étaient posés sur la prêtresse.

— La méditation de ce soir portera sur l'Intrus.

Elle avait une voix douce, mélodieuse, la voix d'une contralto pratiquante.

Un bruissement parcourut l'assistance.

— J'ai le sentiment, dit Sylvia Pittston d'un ton pensif, que je connais personnellement tout le monde, dans la Bible. Au cours de ces cinq dernières années, j'en ai usé trois exemplaires, de ce livre plus précieux que tout autre en ce monde de malheurs, et avant cela, un nombre incalculable. J'adore cette histoire, et j'adore les personnages de l'histoire. J'ai pénétré dans la fosse aux lions avec Daniel, bras dessus, bras dessous. J'ai tenu bon avec David, tenté par Bethsabée au bain. J'ai plongé dans la fournaise enflammée aux côtés de Schadrac, de Méschac et d'Abed Nego. J'ai exterminé mille Philistins aux côtés de Samson, lorsqu'il a brandi la mâchoire d'âne, et j'ai été aveuglée par l'éclair, comme Saint-Paul sur le chemin de Damas. J'ai joint mes larmes à celles de Marie, sur le Golgotha.

Un doux soupir passa sur l'assemblée.

— Je les connais tous, et je les aime. Il n'y en a qu'*un* – elle dressa un doigt – qu'un seul personnage dans la plus grande de toutes les pièces que je ne connaisse pas.

---

1. En français dans le texte. *(N.d.T.)*

— *Un seul* qui se tienne à l'écart, le visage caché dans l'ombre.

— *Un seul* qui fasse trembler mon corps et vaciller mon esprit.

— Je le crains.

— Je ne sais pas ce qu'il a dans la tête et je le crains.

— Je crains l'Intrus.

Nouveau soupir. Une des femmes avait porté la main à sa bouche comme pour arrêter un gémissement qui allait et venait, allait et venait.

— Cet Intrus qui est venu à Ève sous la forme du serpent, rampant sur le ventre dans la poussière, se tordant en souriant. Cet Intrus qui a marché parmi les Enfants d'Israël tandis que Moïse était sur la montagne, qui leur a chuchoté de faire une idole d'or, un veau d'or, et de le vénérer dans la vilenie et la fornication.

Des gémissements, des hochements de tête.

— L'Intrus !

— Celui qui se tenait à la fenêtre avec Jézabel, à contempler Achab hurlant, à l'agonie, lui qui a souri avec elle de voir les chiens laper le sang royal. Oh, mes petits frères et sœurs, méfiez-vous de l'Intrus.

— Oui, Ô Jésus…

Le Pistolero remarqua qu'il s'agissait du tout premier homme qu'il avait vu en pénétrant en ville, celui au canotier.

— Il a toujours été là, chers frères et sœurs. Mais je ne sais pas ce qu'il veut. *Vous-mêmes*, vous ne savez pas ce qu'il veut, ce qu'il a dans la tête. Qui pourrait comprendre ces ténèbres épouvantables qui tourbillonnent dans son esprit, cet orgueil et ce blasphème titanesque, cette jubilation impie ? Et cette folie ! La folie qui marche et rampe en baragouinant, qui avance en se tortillant au milieu des pulsions et des désirs humains les plus effroyables ?

— Ô Jésus, notre Sauveur…

— C'est *lui* qui a mené notre Seigneur sur la montagne…

— Oui…

— C'est *lui* qui L'a tenté, qui Lui a montré le monde, et les plaisirs du monde…

— *Ouiiiiii*…

Et l'assemblée devint une mer, une mer se balançant en gémissant. La femme semblait désigner chacun d'eux et aucun d'entre eux.

— C'est *lui* qui reviendra, l'Antéchrist, le roi cramoisi aux yeux de sang, pour mener les hommes dans les entrailles embrasées de la perdition, dans les confins sanglants de la cruauté, tandis que la bile rongera les organes des enfants, que la matrice des femmes donnera naissance à des monstres, que les travaux des hommes seront noyés dans le sang...

— Ahhh...

— Ah, mon Dieu...

— Gawwwwwww...

Une femme tomba à terre, prise de convulsions, les jambes labourant le bois. Une de ses chaussures s'envola.

— C'est *lui* qui se tient derrière tous les plaisirs de la chair... lui qui a construit les machines portant la marque La-Merk, *lui* ! L'Intrus !

LaMerk, se répéta le Pistolero. *Ou peut-être a-t-elle dit Le-Mark*. Ce mot lui rappelait vaguement quelque chose, mais rien qu'il pût identifier clairement. Néanmoins, il le classa dans sa mémoire, qui était vaste.

— Oui, Seigneur, hurlaient-ils.

Un homme tomba à genoux, se tenant la tête en brayant comme un âne.

— Quand vous prenez un verre, qui vous tend la bouteille ?

— *L'Intrus* !

— Quand vous vous asseyez à une table de faro ou de Surveille-Moi, qui distribue les cartes ?

— *L'Intrus* !

— Quand vous vous escrimez dans la chair d'un autre corps, quand vous vous souillez de votre main solitaire, à qui vendez-vous votre âme ?

— À...

— *L'In*...

— Oh, doux Jésus... Oh...

— ... *trus*...

— Aw... Aw... Aw...

— Et qui est-il ? hurla-t-elle.

Mais à l'intérieur, elle était calme, il sentait ce calme en elle, cette maîtrise de soi, cette domination. Il se dit soudain, avec terreur et une certitude absolue, que l'homme qui se faisait appeler Walter avait laissé un démon en elle. Elle était possédée. Il sentit à nouveau percer à travers sa peur l'onde chaude du désir sexuel, et elle lui parut comparable au mot que l'homme en noir avait laissé dans l'esprit d'Allie, un piège qui avait la forme d'un pistolet chargé.

L'homme qui se tenait la tête rampa malhabilement vers elle.

— Je suis en enfer ! hurla-t-il en direction de la femme.

Son visage se tordait et se contorsionnait comme si un serpent ondulait sous sa peau.

— J'ai forniqué ! J'ai joué ! J'ai fumé l'herbe ! J'ai *péché* ! J'ai...

Mais sa voix s'éleva vers le ciel en un gémissement effroyable, hystérique, dénué de toute syllabe articulée. Il se tenait la tête comme si elle allait exploser à tout moment, tel un melon trop mûr.

L'assistance s'immobilisa comme si un signal avait été donné, tous figés dans leurs poses d'extase à demi érotiques.

Sylvia Pittston se pencha et lui attrapa la tête. Les sanglots de l'homme cessèrent à l'instant où les doigts forts et blancs, doux et immaculés, se mirent à lui caresser les cheveux. Il leva vers elle des yeux pleins de stupeur.

— Et qui vous accompagnait dans le péché ? demanda-t-elle.

Elle plongea dans le regard de l'homme ses yeux assez profonds, assez doux et assez froids pour qu'il s'y noie.

— Le... l'Intrus.

— Qu'on appelle aussi ?

— Qu'on appelle Satan le Très Haut, lâcha-t-il dans un murmure rauque.

— Êtes-vous décidé à renoncer ?

Et l'homme, rempli de ferveur :

— Oui ! Oui ! Oh, Jésus, mon Sauveur !

Elle lui berça la tête. Il posait sur elle le regard vide et brillant du fanatique.

— S'il passait cette porte – du doigt, elle désigna les ombres du vestibule où se tenait le Pistolero, comme si elle découpait l'espace –, lui diriez-vous en face que vous le reniez ?

— Sur la tête de ma mère !

— Croyez-vous en l'amour éternel de Jésus ?

Il se mit à sangloter.

— Putain, sûr que j'y crois…

— Ça aussi, Il vous le pardonne, Jonson.

— Gloire à Dieu, fit Jonson, toujours en larmes.

— Je sais qu'Il vous pardonne, tout comme je sais qu'Il chassera de ses palais ceux qui ne se repentent pas, qu'Il les enverra dans ce lieu de flammes et de ténèbres, au-delà de la fin du Monde Ultime.

— *Gloire à Dieu*, répliqua l'assemblée, épuisée, d'un ton solennel.

— Tout comme je sais que cet Intrus, ce Satan, cette Majesté des Mouches et des Serpents, sera banni et écrasé… l'écraserez-vous si vous le voyez, Jonson ?

— Oui, et Gloire à Dieu ! sanglota Jonson. Des deux pieds !

— L'écraserez-vous si vous le voyez, mes frères et sœurs ?

— *Ouiiiii…*, firent-ils, comme rassasiés.

— Si vous le voyez se promener demain dans la rue principale ?

— Gloire à Dieu…

Le Pistolero se replia dans l'obscurité et repartit en direction de la ville. L'odeur du désert imprégnait l'air. C'était presque l'heure du départ.

Presque.

13

Au lit, de nouveau.

— Elle refusera de te voir, dit Allie.

La peur teintait sa voix.

— Elle ne reçoit personne. Elle ne sort que le dimanche soir, pour foutre la trouille à tout le monde.

— Depuis combien de temps est-elle là ?

— Douze ans. Ou peut-être seulement deux. Le temps est bizarre, tu le sais bien. Arrêtons de parler d'elle.

— D'où vient-elle ? De quelle direction ?

— Je ne sais pas.

Mensonge.

— Allie ?

— *J'en sais rien !*

— Allie ?

— D'accord ! D'accord ! Elle vient de chez les frontaliers ! Du désert !

— C'est bien ce que je me disais.

Il se détendit quelque peu. Du sud-est, en somme. Quelque part sur la route qu'il suivait. Celle qu'il voyait même parfois tracée dans le ciel. Et, selon lui, la prêtresse venait de beaucoup plus loin que de chez les frontaliers, ou même du désert. Comment avait-elle parcouru une telle distance ? Grâce à une vieille machine encore en état de marche ? Un train, peut-être bien ?

— Où vit-elle ?

Dans la voix d'Allie, la tension baissa d'un ton.

— Si je te le dis, tu me feras l'amour ?

— De toute façon, je te ferai l'amour. Mais je veux savoir.

Elle soupira. C'était un vieux bruit, jauni, comme si on tournait des pages.

— Elle a une maison sur le monticule, derrière l'église. Une petite cabane. C'est là que… le vrai pasteur vivait, avant de déménager. Ça te suffit ? Tu es satisfait ?

— Non. Pas tout à fait.

Et il bascula au-dessus d'elle.

14

C'était le dernier jour, et il le savait.

Le ciel était d'un mauvais mauve, couleur d'hématome, et les premiers éclats de l'aube venaient l'éclairer d'une lumière étrange, du dessus. Allie allait et venait telle une apparition, allumant les lampes, surveillant les beignets de maïs qui crépitaient dans le poêlon. Après qu'elle lui avait dit tout ce qu'il devait savoir, il l'avait aimée avec fougue, et elle avait senti la fin proche, aussi avait-elle donné plus que jamais auparavant, et elle l'avait donné avec la rage du désespoir, contre l'aube qui venait, elle l'avait donné avec l'inépuisable énergie de ses seize ans. Mais ce matin elle était pale, de nouveau aux portes de la ménopause.

Elle le servit sans un mot. Il mangeait rapidement, mâchant, avalant, chassant chaque bouchée d'une gorgée de café chaud. Allie s'approcha des portes à battants et contempla le matin naissant, les bataillons silencieux de nuages qui glissaient lentement.

— Ça va secouer, aujourd'hui.

— Ça ne m'étonne pas vraiment.

— Pourquoi, ça t'arrive de l'être, étonné ? demanda-t-elle d'un ton ironique.

Et elle se retourna pour le regarder prendre son chapeau. Il se le plaqua sur la tête et passa devant elle en la frôlant.

— Parfois, répliqua-t-il.

Il ne devait plus la revoir vivante qu'une seule fois.

15

Le temps qu'il arrive à la cabane de Sylvia Pittston, le vent était complètement tombé et le monde entier semblait dans l'attente. Il parcourait le désert depuis assez longtemps pour savoir que, plus l'accalmie durait, plus le coup était violent, quand il finissait par venir. Une étrange lumière mate écrasait tout.

Clouée sur la porte penchée et fatiguée, une grosse croix en bois. Il frappa et attendit. Pas de réponse. Il frappa à nouveau. Toujours pas de réponse. Il recula et ouvrit la porte d'un violent coup de pied droit. À l'intérieur, un loquet sauta. La porte alla claquer contre un mur de planches de fortune, ce qui délogea des rats, qui détalèrent au ras du sol. Sylvia Pittston était assise face à la porte, étalée dans un rocking-chair géant en bois de fer et le regardait calmement avec ses grands yeux sombres. La lumière de l'orage lui dessinait sur les joues des formes folles, en demi-teintes. Elle portait un châle. La chaise émettait des petits grincements suraigus.

Ils se fixèrent pendant un long moment, suspendu hors du temps.

— Jamais vous ne l'attraperez, fit-elle. Vous marchez dans la voie du mal.

— Il est venu vous voir, dit le Pistolero.

— Il est venu jusque dans mon lit. Il m'a parlé dans la Langue. Le Haut Parler. Il…

— Il vous a baisée. Dans tous les sens du terme.

Elle ne cilla pas.

— Vous êtes dans la voie du mal, pistolero. Vous vous tenez dans l'ombre. L'autre soir, dans le lieu sacré, vous vous teniez dans l'ombre. Vous pensiez vraiment que je ne vous voyais pas ?

— Pourquoi a-t-il guéri le mangeur d'herbe ?

— C'est un ange de Dieu. C'est ce qu'il a dit.

— J'espère qu'il l'a dit en souriant.

Elle releva inconsciemment la lèvre en un mouvement sauvage qui découvrit ses dents.

— Il m'a dit que vous viendriez. Il m'a dit quoi faire. Il a dit que vous étiez l'Antéchrist.

Le Pistolero secoua la tête.

— Il n'a pas dit ça.

Elle lui adressa un sourire indolent.

— Il a dit que vous voudriez coucher avec moi. C'est vrai ?

— Vous avez déjà rencontré un homme qui ne voulait pas coucher avec vous ?

— Ma chair a un prix, pistolero, et ce prix serait votre vie. Il m'a engrossée. Je ne porte pas son enfant, mais celui d'un roi illustre. Si vous me souillez…

Elle laissa un sourire fou achever sa pensée. Elle l'accompagna d'un mouvement explicite de ses cuisses énormes, monstrueuses. Elles se tendirent sous sa robe comme des blocs de marbre pur. L'effet était étourdissant.

Le Pistolero porta les mains à la crosse de ses pistolets.

— Tu portes un démon, femme, pas un roi. Aussi, ne crains rien. Je peux t'en débarrasser.

Sa réaction fut instantanée. Elle se recroquevilla dans sa chaise, et elle eut soudain un regard de fouine.

— Ne me touche pas ! Ne m'approche pas ! Tu n'oserais pas toucher l'Épousée de Dieu !

— Tu veux parier ? dit le Pistolero.

Il fit un pas vers elle.

— Comme dirait le joueur qui tente le tout pour le tout, Surveille-Moi.

La chair trembla sur sa carcasse gigantesque. Son visage était à présent une caricature de terreur, et elle brandit vers lui ses doigts en fourche, pour conjurer le mauvais œil.

— Le désert, fit le Pistolero. Qu'est-ce qu'il y a, au-delà ?

— Tu ne l'attraperas jamais ! Jamais ! Tu vas brûler ! C'est lui qui me l'a dit !

— Je l'attraperai, répliqua le Pistolero. Et nous le savons tous les deux. Qu'y a-t-il au-delà du désert ?

— Non !

— Réponds-moi !

— Non !

Il glissa vers l'avant, se jeta à genoux et lui saisit les cuisses. Les jambes de la femme se verrouillèrent comme un étau. Elle se mit à pousser d'étranges gémissements, précipités et lascifs.

— Tant pis pour le démon, alors, dit-il. Il dégage de là.

— *Non...*

Il lui écarta les jambes et dégaina un de ses pistolets.

— Non ! Non ! Non !

Elle respirait par à-coups, en grognements sauvages.

— Réponds-moi.

Elle renversa la chaise en arrière, faisant trembler le sol. Des prières et des bribes confuses d'évangiles s'échappèrent de ses lèvres.

Il avança le pistolet, comme un bélier. Il sentit, plus qu'il ne l'entendit, le souffle de terreur emplir les poumons de la femme. Elle se mit à lui marteler la tête de ses mains et à tambouriner des pieds sur le sol. Et, en même temps, l'énorme corps essayait d'aspirer l'envahisseur. À l'extérieur, rien d'autre pour les espionner que le ciel meurtri et poussiéreux.

Elle hurla une réponse aiguë et inarticulée.

— Quoi ?

— *Des montagnes !*

— Quoi, des montagnes ?

— Il s'arrête... de l'autre côté... d-d-d-doux *Jésus*... pour se régénérer. La méd-m-méditation, tu comprends ? Oh... je... je...

La montagne de chair tout entière se mit à aller et venir, de haut en bas, pourtant il veilla à ne pas entrer en contact avec sa chair intime.

Puis elle parut se tasser, comme perdant du volume ; les mains sur son giron, elle se mit à sangloter.

— Alors, dit le Pistolero en se relevant. Le démon est servi, hein ?

— Sors d'ici. Tu as tué l'enfant du Roi Cramoisi. Mais tu recevras la monnaie de ta pièce. J'en jurerais, par ma montre et mon billet. Maintenant, dehors. Dehors.

À la porte, il s'arrêta et se retourna.

— Pas d'enfant, dit-il, laconique. Ni ange, ni prince, ni démon.

— Laisse-moi tranquille.

C'est ce qu'il fit.

16

Lorsqu'il arriva chez Kennerly, une étrange obscurité avait voilé l'horizon par le nord, et il savait que c'était de la poussière. Au-dessus de Tull planait toujours un silence de mort.

Kennerly l'attendait sur l'estrade jonchée de paille qui tenait lieu de plancher à sa grange.

— Sur le départ ? demanda-t-il avec un rictus abject à l'intention du Pistolero.

— En effet.

— Pas avant l'orage ?

— Je vais le devancer.

— Le vent va plus vite que n'importe quel homme sur une mule. À découvert, il peut vous tuer.

— Je veux récupérer ma mule, dit simplement le Pistolero.

— Bien sûr.

Mais Kennerly ne bougea pas, il se tint là comme s'il cherchait quelque chose à ajouter, arborant son rictus servile et poisseux de haine ; de ses yeux papillotants, il fixait un point au-dessus de l'épaule du Pistolero.

Le Pistolero fit un pas de côté et pivota, et la lourde bûche que brandissait Soobie siffla dans l'air, ne faisant que lui effleurer le coude. Emportée par son élan, elle lâcha prise et la bûche alla s'écraser sur le plancher dans un grand fracas. Dans les hauteurs obscures du fenil, des hirondelles s'envolèrent, projetant leurs ombres fugitives.

La fille le dévisagea d'un air bovin. Sous sa chemise délavée, ses seins jaillissaient avec l'opulence magnifique de fruits trop mûrs. Avec une lenteur qui rappelait un rêve, son pouce alla chercher le refuge de sa bouche.

Le Pistolero se tourna de nouveau vers Kennerly. Son rictus s'était élargi. Sa peau avait pris une teinte jaune cireuse et ses yeux roulaient dans leurs orbites.

— Je…, commença-t-il en un murmure pâteux, mais il se trouva incapable de poursuivre.

— La mule, insista doucement le Pistolero.

— Bien sûr, bien sûr, bien sûr, chuchota Kennerly, le rictus teinté d'incrédulité, se demandant tout bonnement comment il pouvait être encore en vie.

Il alla chercher l'animal d'un pas traînant.

Le Pistolero se décala sur le côté, de sorte à pouvoir garder l'homme dans son champ de mire. Le palefrenier ramena la mule et lui en tendit la bride.

— Rentre t'occuper de ta sœur, lança-t-il à Soobie.

Soobie rejeta la tête en arrière et resta plantée où elle était.

Le Pistolero les abandonna là, sur le sol jonché de fientes, à se dévisager d'un bout à l'autre de la grange ; lui avec son rictus malsain, elle avec un air de défi stupide et apathique. Dehors, la chaleur cognait toujours comme un marteau.

17

Il mena la mule au milieu de la rue, soulevant de petits jets de poussière du bout de ses bottes. Ses outres, gonflées d'eau, étaient attachées sur le dos de l'animal.

Il fit une halte au bar, mais Allie n'y était pas. La salle était déserte, claquemurée en prévision de l'orage, mais encore sale de la soirée de la veille. Tout puait la bière aigre.

Il remplit son sac fourre-tout de farine de maïs, de maïs grillé et de la moitié de la pièce de viande crue dans le garde-manger. Il laissa quatre pièces d'or, qu'il empila sur le comptoir en bois. Allie ne descendit pas. Le piano de Sheb lui adressa un adieu silencieux, souriant de ses dents jaunes.

Il ressortit dans la rue et resangla son sac sur le dos de la mule. Il se sentait la gorge serrée. Peut-être pouvait-il encore échapper au guet-apens, mais ses chances étaient minces. Après tout, il était l'Intrus.

Il passa devant les bâtiments aux volets clos, suspendus dans l'attente ; il sentait glisser sur lui les regards qui s'immisçaient dans les fentes et les fissures. L'homme en noir avait joué à Dieu, à Tull. Il avait parlé d'un enfant de Roi, d'un prince rouge. S'agissait-il d'une gigantesque pantalonnade, ou d'une réelle cause de désespoir ? C'était là une question non négligeable.

Il entendit derrière lui un hurlement suraigu, et soudain les portes s'ouvrirent à toute volée. Des formes plongèrent en avant. Le piège se refermait. Des hommes en chemise, des hommes en salopette sale. Des femmes en pantalon ou en robe défraîchie. Et même des enfants, accrochés aux basques de leurs parents. Et, dans chaque main, un bâton ou un couteau.

Sa réaction fut automatique, instantanée, innée. Il pivota sur les talons, cependant que ses mains extirpaient les pistolets de leurs étuis, et le contact des lourdes crosses dans ses mains le rassura. C'était Allie, forcément ce serait Allie, qui venait vers lui le visage tordu, sa cicatrice violette et diabolique sous la lumière déclinante. Il vit qu'on la retenait en otage ; derrière son épaule apparut la figure horrible et grimaçante de Sheb, comme le démon familier d'une sorcière. Elle était son bouclier et son offrande. Le Pistolero vit tout cela, avec une clarté et une limpidité totales, dans cette lumière figée et immortelle et ce calme stérile, et il l'entendit supplier :

— Tue-moi, Roland, tue-moi ! J'ai dit le mot, *dix-neuf*, je l'ai dit, et il m'a raconté... *et je ne peux pas le supporter...*

Ces mains étaient entraînées à lui donner ce qu'elle demandait. Il était le dernier de son espèce et sa bouche n'était pas seule à maîtriser le Haut Parler. Les pistolets firent résonner dans l'air leur mélodie atonale et sourde. À la deuxième salve, la mâchoire inférieure d'Allie s'affaissa et son corps glissa à terre. La dernière expression qu'il lut sur son visage pouvait être de la gratitude. La tête de Sheb bascula en arrière. Ils roulèrent tous deux dans la poussière.

Ils sont allés au pays de Dix-Neuf, se dit-il. *Dieu sait ce qu'ils y trouveront.*

Des gourdins volèrent, pleuvant sur lui. Il chancela, parant les coups. Un des bâtons, orné d'un clou planté de guingois, lui ouvrit le bras ; le sang se mit à couler. Un homme avec une barbe de plusieurs jours, les aisselles trempées de sueur, lui plongea dessus, un couteau de cuisine dans la main. Le Pistolero le tua d'une balle et l'homme s'abattit dans la rue. Quand son menton heurta le sol, son dentier sauta dans la poussière, dégoulinant de bave, dans un sourire aveugle.

— SATAN ! hurlait quelqu'un. LE MAUDIT ! ABATTEZ-LE !

— L'INTRUS ! cria une autre voix.

Les bâtons pleuvaient toujours. Un couteau lui heurta la botte et rebondit.

— L'INTRUS ! L'ANTÉCHRIST !

Il se fraya un chemin au pistolet, jusqu'à se retrouver au milieu d'eux, courant devant les corps qui tombaient, ses mains choisissant les cibles avec facilité, et une précision effrayante. Deux hommes et une femme s'effondrèrent, et il s'engouffra dans la faille qu'ils lui ouvrirent.

Il les mena en une parade effrénée qui traversa la rue en direction de la boutique de l'épicier-barbier, en face de chez Sheb. Il sauta sur la passerelle de planches, se retourna et vida ce qu'il lui restait de munitions sur la foule qui chargeait. Derrière eux, Sheb, Allie et les autres gisaient sur le sol, crucifiés.

Pas une seconde ils n'hésitèrent ou ne faiblirent, bien que chacun de ses tirs fît mouche, bien qu'ils n'eussent probablement jamais vu un pistolet de leur vie.

Il reculait, avec des feintes de danseur, pour éviter les missiles qui volaient. Il rechargeait en pleine course, avec une rapidité qui était devenue une seconde nature pour ses doigts, à force d'entraînement. Jamais inactifs, ils allaient et venaient entre ceinturons et barillets. La foule monta à son tour sur la passerelle et il entra dans l'épicerie, poussant de toutes ses forces la porte derrière lui. La grande vitrine sur la droite explosa vers l'intérieur et trois hommes se précipitèrent. Leurs visages reflétaient un zèle totalement impassible et dans leurs yeux brûlait un feu terne. Il les abattit tous, ainsi que les deux qui les suivaient. Ils tombèrent à cheval sur la vitre, empalés sur les longues gerbes de verre, bouchant le passage.

La porte céda dans un grand fracas et branla sous leur poids ; c'est alors qu'il entendit sa voix *à elle* :

— LE TUEUR ! VOS ÂMES ! LE PIED FOURCHU !

La porte se dégonda et tomba tout droit à l'intérieur, dans un claquement plat. Une bouffée de poussière s'éleva du sol. Des hommes, des femmes et des enfants foncèrent sur lui. Les crachats et les bûches volèrent. Il vida ses deux armes et ses assaillants tombèrent comme des mouches. Il recula dans la boutique, renversant un baril de farine qu'il fit rouler vers eux. Il leur lança une casserole d'eau bouillante dans laquelle trempaient deux rasoirs à main ébréchés. Ils avançaient toujours, avec des hurlements frénétiques et incohérents. Dans la foule, Sylvia Pittston les exhortait à l'aveugle, de sa voix ondulante. Il enfournait les balles dans les chambres brûlantes, dans les arômes de mousse à raser, dans l'odeur aussi de sa propre chair, des cals au bout de ses doigts qui grillaient.

Il sortit par la porte de derrière et se retrouva dans le passage couvert. La steppe rase était à présent dans son dos, reniant imperturbablement cette ville tapie en son sein crasseux. Trois hommes déboulèrent au coin, avec de larges sourires de traîtres. Ils le virent, virent qu'il les voyait, et leurs sourires se figèrent une seconde avant qu'il ne les fauche. Une femme les avait suivis, en mugissant. Elle était grosse et grasse, et connue des clients de Sheb sous le nom de Tante Mill. Le Pistolero la souffla et elle vola en arrière, pour atterrir dans une pose putassière, étalée de tout son long, la jupe retroussée entre les cuisses.

Il descendit les marches et avança à reculons dans le désert : dix pas, vingt. La porte arrière du barbier s'ouvrit à la volée et ils dégueulèrent à l'extérieur. Du coin de l'œil il aperçut Sylvia Pittston. Il ouvrit le feu. Ils tombèrent accroupis, ils tombèrent en arrière, ils basculèrent par-dessus la rambarde, dans la poussière. Ils ne projetaient pas d'ombres dans la lumière pourpre et immortelle. Il se rendit compte qu'il était en train de hurler. Qu'il hurlait depuis le début. Ses yeux lui faisaient l'effet de roulements à billes fêlés. Les parties lui étaient remontées sur l'estomac. Il avait les jambes en bois et les oreilles en fer.

Les pistolets étaient vides et lui crachaient leur chaleur, métamorphosés en un Œil et une Main, et il se tenait là, hurlant et rechargeant, l'esprit ailleurs, absent, laissant les mains faire leurs petits tours. Pouvait-il lever la main, leur dire qu'il avait passé mille ans à apprendre ce tour-là et bien d'autres encore, leur parler de ces armes et du sang qui les avait bénies ? Pas avec sa bouche. Mais ses mains racontaient leur propre histoire.

Alors qu'il achevait de recharger, il les vit alignés en position de tir. Un bâton le frappa au front et des gouttes de sang suintèrent de l'éraflure. Dans les deux secondes, ils seraient à portée de main. Au premier plan, il aperçut Kennerly, sa plus jeune fille, âgée de onze ans au plus, Soobie, deux piliers de bar et une pute du nom d'Amy Feldon. Il les servit tous, y compris ceux de la rangée de derrière. Leurs corps s'écrasaient lourdement au sol comme des épouvantails. Le sang et la cervelle jaillissaient en gerbe.

Frappés de surprise, ils s'immobilisèrent un instant, le grand visage de la masse se différenciant en figures individuelles, perplexes. Un homme décrivit en hurlant un large cercle, au pas de course. Une femme aux mains couvertes de cloques leva la tête vers le ciel et se mit à jacasser fébrilement. L'homme qu'il avait vu pour la première fois assis gravement sur les marches de l'épicerie générale lâcha soudain un impressionnant paquet dans son pantalon.

Il eut le temps de recharger un pistolet.

Puis ce fut Sylvia Pittston, fonçant sur lui, brandissant un crucifix de bois dans chaque main.

— DIABLE ! DIABLE ! DIABLE ! TUEUR D'ENFANT ! MONSTRE ! DÉTRUISEZ-LE, MES FRÈRES ET SŒURS ! DÉTRUISEZ L'INTRUS TUEUR D'ENFANT !

Il tira une balle dans chacune des traverses, faisant éclater les croix, puis il en logea quatre autres dans la tête de la femme. Elle sembla se replier en accordéon vers l'intérieur et tremblota comme une vague de chaleur.

Ils restèrent tous là à la regarder un moment, comme un tableau vivant, tandis que les doigts du Pistolero se livraient à leur tour de passe-passe et rechargeaient. Il avait le bout des doigts qui brûlait et qui grésillait. Des cercles très nets étaient imprimés dans la peau, sur chacun d'entre eux.

Ils étaient moins nombreux, à présent. Il avait taillé dans leur masse comme la lame d'une faucheuse. Il pensait qu'en voyant la femme morte, ils se seraient dispersés, au lieu de quoi l'un d'eux lança un couteau. Le manche l'atteignit juste entre les deux yeux et le renversa en arrière. Ils se précipitèrent sur lui comme un caillot malin qui s'étend. Couché au milieu de ses propres douilles, il déchargea de nouveau. Il avait mal à la tête et de grands cercles marron lui tournaient devant les yeux. Le premier coup manqua sa cible, mais il en descendit onze avec le reste.

Mais ils étaient sur lui, ceux qui restaient. Il tira les quatre balles qu'il avait pu recharger, puis il se retrouva sous les coups de poing, de pied et de poignard. Il en balança deux qui s'accrochaient à son bras gauche et roula sur le côté. Ses mains reprirent leur tour infaillible. Il reçut un coup de couteau dans l'épaule. Un autre dans le dos. On lui fracassa les côtes. On lui poignarda les fesses avec ce qui devait être un croc de boucher. Un petit garçon se jeta sur lui et lui fit la seule entaille vraiment profonde, en travers du mollet. Le Pistolero renversa la tête en arrière.

Ils se dispersaient et le Pistolero leur resservit une fournée, répliquant par le feu. Ceux qui restaient commencèrent à battre en retraite vers les bâtiments couleur sable et lézardés, et toujours ses mains poursuivaient leur œuvre, comme des chiens trop zélés qui veulent vous faire le coup de la galipette arrière, pas une fois ou deux, non, mais toute la nuit, et ses mains à lui les fauchaient en pleine course. Le dernier d'entre eux réussit à atteindre les marches de la véranda du barbier, et c'est alors que la balle du Pistolero le cueillit dans la nuque. « Youp ! », cria l'homme avant de s'écrouler. Ce fut le dernier mot de Tull sur le sujet.

Le silence s'abattit de nouveau sur les lieux, remplissant les espaces déchiquetés.

Le Pistolero saignait d'une vingtaine de blessures différentes, toutes superficielles, sauf celle au mollet. Il la banda avec un lambeau de sa chemise, puis il se redressa et passa en revue l'étendue du massacre.

Les cadavres s'étalaient en une traînée serpentant et zigzaguant comme un sentier, depuis la porte de derrière du barbier, jusqu'à l'endroit où il se tenait. Ils étaient étendus dans toutes les positions imaginables. Aucun d'eux n'avait l'air de dormir.

Il suivit la piste de la mort, comptant les corps au fur et à mesure. Dans l'épicerie, un homme était affalé à terre, enserrant tendrement de ses deux bras le pot à bonbons fêlé qu'il avait entraîné dans sa chute.

Il se retrouva à la case départ, au milieu de la rue principale déserte. Il avait abattu trente-neuf hommes, quatorze femmes et cinq enfants. Il avait tué tout Tull.

Une odeur écœurante lui vint aux narines avec le premier souffle de vent sec et vibrant. Il le suivit, leva les yeux et hocha la tête. Le corps en décomposition de Nort était déployé, les bras en croix, en haut du toit de planches de chez Sheb. Crucifié avec des chevilles en bois. Les yeux et la bouche étaient ouverts. Sur la chair de son front crasseux on avait imprimé une grosse marque violacée, celle d'un sabot fendu.

Le Pistolero sortit de la ville. Sa mule broutait dans une touffe d'herbe à une cinquantaine de mètres, le long de ce qui restait de la route de la diligence. Le Pistolero la ramena jusqu'à l'écurie de Kennerly. À l'extérieur, le vent jouait un air irrégulier. Il commença par attacher la mule et retourna au troquet. Il dénicha une échelle dans l'appentis du fond et monta sur le toit délivrer Nort. Son corps était plus léger qu'un fagot. Il le fit basculer en bas, dans le commun des mortels, ceux voués à ne mourir qu'une seule fois. Puis il retourna à l'intérieur, mangea des steaks, but trois bières tandis que la lumière déclinait et que le sable commençait à voler. Cette nuit-là, il dormit dans le lit qu'il avait partagé avec Allie. Il ne rêva pas. Le lendemain matin, le vent était tombé et le soleil avait retrouvé son éclat vif et distrait. Les corps avaient dérivé vers le sud, comme des amarantes poussées par le vent. En milieu de matinée, après avoir pansé toutes ses blessures, lui aussi changea de décor.

18

Il crut que Brown s'était endormi. Le feu n'était plus qu'une petite étincelle et l'oiseau, Zoltan, s'était mis la tête sous l'aile.

Alors qu'il était sur le point de se lever et de dérouler une paillasse dans le coin, Brown dit :

— Voilà. C'est dit. Tu te sens mieux ?

Le Pistolero sursauta.

— Pourquoi je me sentirais mal ?

— Tu es humain, paraît-il. Pas un démon. Ou alors c'est que tu m'as menti.

— Je n'ai pas menti.

Il fut bien forcé de reconnaître, à contrecœur, qu'il aimait bien Brown. Vraiment. Et il n'avait pas menti au frontalier, pas une seconde.

— Qui es-tu, Brown ? Qui es-tu vraiment, je veux dire ?

— Moi, c'est tout, répliqua-t-il, imperturbable. Pourquoi tu te crois toujours au beau milieu d'un mystère ?

Le Pistolero s'alluma une cigarette sans répondre.

— Je trouve que tu es très proche de ton homme en noir, fit Brown. Est-ce qu'il est prêt à tout ?

— Je ne sais pas.

— Et toi ?

— Pas encore, dit le Pistolero.

Il regarda Brown avec un soupçon de défi.

— Je vais là où je dois aller, je fais ce que j'ai à faire.

— C'est bien, alors, répondit Brown avant de se retourner et de s'endormir.

19

Le lendemain matin, Brown lui donna à manger et le raccompagna au bord du chemin. À la lumière du jour, il faisait un spectacle étonnant, avec sa poitrine maigre et brûlée par le soleil, ses clavicules épaisses comme des crayons, et sa tignasse rousse de fou furieux. L'oiseau était juché sur son épaule.

— Et la mule ? demanda le Pistolero.

— Je la mangerai, répondit Brown.

— D'accord.

Brown tendit la main, et le Pistolero la serra. D'un hochement de tête, le frontalier désigna le sud-ouest.

— Bonne marche. Que tes journées soient longues et tes nuits plaisantes.

— Le double du compte pour toi.

Ils se saluèrent de la tête, puis l'homme qu'Allie avait appelé Roland repartit, le corps bardé d'armes et d'eau. Il se retourna une seule fois. Brown fourrageait furieusement dans son petit plan de maïs. Le corbeau était perché sur le toit bas de sa masure, comme une gargouille.

20

Le feu s'était éteint, et les étoiles commençaient à pâlir. Le vent soufflait sans faiblir, racontant son histoire dans le vide. Le Pistolero se retourna dans son sommeil, puis redevint immobile. Il rêva, un rêve de soif. Dans la pénombre, le contour des montagnes était invisible. Toute pensée de culpabilité, tout sentiment de regret avaient disparu. Le désert les avait cuits. Il se surprit à penser de plus en plus à Cort, l'homme qui lui avait appris à tirer. Cort savait distinguer le blanc du noir.

Il remua de nouveau et se réveilla. Il cligna des yeux en regardant le feu mort, dont la forme se superposait à l'autre, plus géométrique. C'était un romantique, il le savait, et il protégeait ce savoir jalousement. C'était un secret qu'il n'avait partagé qu'avec une poignée d'élus, au fil des ans. La fille appelée Susan, la fille de Mejis, avait été l'une d'entre eux.

Ce qui, bien entendu, lui rappela de nouveau Cort. Cort était mort. À part lui, ils étaient tous morts. Le monde avait changé.

Le Pistolero balança ses armes par-dessus son épaule et changea encore une fois de décor.

LE RELAIS

1

Une comptine lui avait trotté dans la tête toute la journée, le genre de truc obsédant qui vous rend dingue, qui ignore avec dédain tout ordre du conscient lui enjoignant de cesser. Ça donnait à peu près ce qui suit :

> De pluie, plic-ploc, les plaines sont pleines
> Voici la joie, voici la peine,
> Mais de pluie, plic-ploc, les plaines sont pleines.

> Linceul du temps, vie de souillure,
> De cette vie, rien ne perdure,
> Pourtant c'est du pareil au même,
> Car que démence ou raison règne,
> La pluie, plic-ploc, remplit les plaines.

> Va dans l'amour, défie tes chaînes,
> Ou l'avion portera la haine.

Il ne savait pas ce qu'était cette *vion* dans le dernier couplet, mais il savait pourquoi cet air lui était venu, au départ. C'était ce rêve récurrent, sa chambre dans le château, sa mère, qui lui avait chanté cette chanson ; lui était couché solennellement dans son lit minuscule, près de la fenêtre de toutes les couleurs. Elle ne la chantait pas le soir, parce que tous les petits garçons nés pour le Haut Parler doivent affronter seuls le noir, mais au moment de la sieste, et il se rappelait la lumière grise et lourde de pluie qui dessinait des arcs-en-ciel tremblotants sur la courtepointe. Il sentait le froid dans la pièce et la chaleur pesante des couvertures, l'amour qu'il avait

101

pour sa mère et ses lèvres rouges, cette mélodie entêtante avec ses petites paroles absurdes, et sa voix.

Et voilà qu'elle revenait le rendre fou, comme un chien courant après sa propre queue, tournant dans son esprit tandis qu'il marchait. Il ne lui restait plus d'eau, et il savait qu'il avait tout d'un homme mort. Il n'aurait jamais cru en arriver là, et il le regrettait amèrement. Depuis midi, il ne regardait plus la route devant lui, mais ses pieds. Dans ce coin, même l'herbe du diable était devenue rabougrie et jaune. La croûte épaisse s'était désintégrée par endroits, où ne subsistaient que des gravats. Les montagnes ne s'étaient pas sensiblement espacées, bien qu'il se fût passé seize jours depuis qu'il avait quitté la cabane du dernier colon, un jeune homme mi-dément, mi-sain d'esprit, en bordure du désert. Il avait un oiseau, se rappela le Pistolero, mais il lui fut impossible de se souvenir de son nom.

Il regardait ses pieds se soulever et s'abaisser comme les navettes d'un métier à tisser, il écoutait la petite chanson absurde tourner en boucle dans son esprit en une pitoyable bouillie. Il se demanda quand il tomberait pour la première fois. Il ne voulait pas tomber, bien qu'il n'y eût personne pour le voir. C'était une question d'amour-propre. Un pistolero connaît l'amour-propre, cet os invisible qui vous tient le cou raide et la tête haute. Ce que son père ne lui avait pas transmis, c'est Cort qui le lui avait inculqué à coups de pied, professeur de maintien moral pour tous ces garçons, s'il en était. Cort, ouais, avec son gros nez rouge comme un gros oignon écarlate et sa figure balafrée.

Il s'arrêta et leva les yeux. Cela lui fit tourner la tête et, l'espace d'une seconde, tout son corps sembla flotter. Contre l'horizon lointain, les montagnes rêvassaient. Mais il y avait autre chose, au-dessus de lui, beaucoup plus près. À quoi ? Sept kilomètres à peine. Il plissa les yeux dans sa direction, mais il avait les yeux chassieux de sable et aveuglés par cette lumière blanche. Il secoua la tête et reprit sa marche. La comptine tournait et bourdonnait. Environ une heure plus tard, il tomba à terre et s'écorcha les mains. Il regarda les minuscules gouttes de sang sur sa peau desquamée avec incrédulité. Le sang n'avait pas l'air plus clair ; il ressemblait à du sang normal, mourant à l'air libre. Avec un air suffisant, aussi suffisant que le désert. Il secoua la main, éprouvant de la haine à l'état pur pour ces gouttes. Suffisant ? Pourquoi pas ? Le sang n'avait pas soif, lui. Le sang se faisait servir. Le sang se faisait offrir un sacrifice. Un sacrifice par le sang. Tout ce que le sang avait à faire, c'était couler… et couler… et couler.

Il baissa les yeux sur les éclaboussures qui avaient giclé sur la croûte dure et les regarda se faire aspirer avec une rapidité troublante. Qu'est-ce que tu dis de ça, le sang ? Qu'est-ce que ça fait, hein ?

Ô Doux Jésus, je suis mal barré.

Il se leva en se tenant la main contre la poitrine, et ce qu'il avait aperçu un peu plus tôt se trouvait en face de lui, si près qu'il en poussa un cri – un croassement enroué de poussière. C'était un bâtiment. Non, *deux* bâtiments, entourés d'une clôture écroulée. Le bois semblait vieux et fragile, sur le point de se décomposer. Du bois en train de se métamorphoser en sable. L'un des bâtiments avait été une écurie – la forme était caractéristique, impossible de se méprendre. L'autre était une maison, ou une auberge. Une gare de relais sur la ligne de diligences. La maison branlante en bois (le sable avait formé une croûte sur la charpente, jusqu'à la faire ressembler à un château de sable que le soleil avait durci à petit feu, en faisant une demeure temporaire) dessinait une ombre fine, une ombre dans laquelle quelqu'un était assis, appuyé contre le bâtiment. Et le bâtiment semblait pencher, sous le fardeau de ce poids.

Son poids à lui, donc. Enfin. L'homme en noir.

Le Pistolero se tenait debout, les mains contre la poitrine, sans avoir conscience de sa posture déclamatoire, bouche bée. Mais, au lieu de l'excitation immense à laquelle il se serait attendu (ou peut-être la peur, ou un effroi mêlé d'admiration), il ne ressentait qu'une culpabilité imprécise et atavique, causée par l'accès de haine aveugle que lui avait inspirée son propre sang quelques instants auparavant, et par cette comptine qui tournoyait sans fin dans son esprit :

… De pluie, plic-ploc,

Il avança, dégainant l'une de ses armes.

… les plaines sont pleines…

Il parcourut les trois cents derniers mètres en courant, d'une course cahotante et ramassée, sans chercher à se cacher ;

il n'y avait nulle part où se cacher. Son ombre courte essayait de le prendre de vitesse. Il n'était pas conscient de ce que son visage n'était plus qu'un masque mortuaire d'épuisement, gris et poussiéreux. Il ne voyait rien, hormis la silhouette dans l'ombre. Il ne lui vint à l'esprit que plus tard que, peut-être, cette silhouette était celle d'un mort.

Il envoya un coup de pied dans une des barrières (qui se brisa en deux sans un bruit, semblant presque s'excuser) et traversa d'un bond en avant la cour de l'écurie, baignée de silence et de lumière aveuglante, brandissant son arme.

— Tu es cerné ! Tu es cerné ! Les mains en l'air, espèce de fils de catin, tu es...

La silhouette s'agita nerveusement et se leva. Le Pistolero se dit : *Mon Dieu, il n'est plus que l'ombre de lui-même, que lui est-il arrivé ?* Car l'homme en noir avait rapetissé de soixante bons centimètres et ses cheveux avaient complètement blanchi.

Frappé de stupeur, il s'immobilisa, la tête bourdonnant d'une mélodie éraillée. Son cœur battait à un rythme des plus lunatiques, et il se dit : *Je suis en train de mourir ici...*

Il inspira, faisant s'engouffrer dans ses poumons l'air chauffé à blanc, et il baissa la tête une seconde. Lorsqu'il la releva, il se rendit compte qu'il n'avait pas devant lui l'homme en noir, mais un garçon aux cheveux décolorés par le soleil, qui le contemplait avec des yeux dans lesquels ne brillait même pas une lueur d'intérêt. Le Pistolero le dévisagea d'un air impassible, puis secoua la tête, incrédule. Mais le garçon survécut à son refus de croire ; c'était une illusion forte. Une illusion vêtue d'un jean rapiécé au genou et d'une chemise marron en toile grossière.

Le Pistolero secoua de nouveau la tête et, les yeux au sol et l'arme toujours à la main, se dirigea vers l'écurie. Il n'arrivait pas encore à penser. Il avait la tête remplie de sable et il sentait monter une énorme douleur lancinante.

À l'intérieur, l'écurie était sombre et silencieuse, et étouffante de chaleur. Les yeux exorbités et le regard brouillé, le Pistolero inspecta les alentours. Il fit volte-face en titubant et vit le garçon, debout dans l'embrasure de la porte écroulée, qui le fixait. Une lame de douleur lui transperça lentement la tête, d'une tempe à l'autre, découpant son cerveau comme une orange. Il rengaina son arme, vacilla, tendit les mains comme pour repousser des fantômes, et tomba face contre terre.

2

Lorsqu'il se réveilla, il était allongé sur le dos, un petit tas de foin inodore sous la tête. Le garçon n'avait pas été capable de le déplacer, mais il avait veillé à son confort. Et il sentait la fraîcheur. Il baissa les yeux et vit que sa chemise était sombre et humide. Il se lécha les lèvres et sentit l'eau. Il cligna des yeux. Sa langue lui parut gonfler dans sa bouche.

Le garçon était accroupi à côté de lui. Dès qu'il vit le Pistolero ouvrir les yeux, il attrapa derrière lui une boîte de conserve cabossée remplie d'eau, qu'il lui tendit. Le Pistolero la saisit de ses mains tremblantes et s'autorisa une gorgée... juste une. Dès qu'elle fut descendue et arrivée dans son estomac, il en but un peu plus. Puis il se renversa le reste sur le visage, en soufflant par saccades. Sur les lèvres ravissantes du garçon se dessina un petit sourire grave.

— Voulez-vous manger quelque chose, monsieur ?

— Pas encore, fit le Pistolero.

Il se sentait toujours comme une nausée dans le crâne, causée par l'insolation, et l'eau bougeait bizarrement dans son estomac, comme si elle ne savait pas où aller.

— Qui es-tu ?

— Mon nom est John Chambers. Vous pouvez m'appeler Jake. J'ai une amie – enfin, c'est comme une amie, elle travaille pour nous – qui m'appelle 'Bama, parfois, mais vous pouvez m'appeler Jake.

Le Pistolero se redressa, et la nausée se fit immédiatement plus prégnante. Il se pencha vers l'avant et perdit un bras de fer avec son estomac.

— Il en reste, dit Jake.

Il prit la boîte et se dirigea vers le fond de l'écurie. Il s'arrêta et adressa au Pistolero un sourire incertain. Le Pistolero hocha la tête, puis la pencha vers l'avant et se la cala sur les mains. Le garçon était bien fait, beau, âgé de dix ou onze ans. Le Pistolero avait vu passer sur son visage l'ombre de la peur, mais c'était tant mieux. Il lui aurait fait bien moins confiance s'il n'avait pas montré la moindre crainte.

Il entendit monter du fond de la grange un cognement sourd et étrange. Il releva la tête d'un mouvement alerte, les mains se posant instantanément sur la crosse de ses pistolets. Le bruit dura environ quinze secondes, puis s'arrêta. Le garçon revint avec la boîte – à nouveau pleine.

Le Pistolero but, une fois encore avec précaution, et cette fois ce fut un peu mieux. La migraine commençait à diminuer.

— Je ne savais pas quoi faire de vous, quand vous êtes tombé, dit Jake. Pendant deux-trois secondes, j'ai cru que vous alliez me tirer dessus.

— C'est possible, oui. Je t'avais pris pour quelqu'un d'autre.

— Pour le prêtre ?

Le Pistolero lui darda un regard aigu.

Le garçon l'observait, les sourcils froncés.

— Il a fait son campement dans la cour. Moi j'étais dans la maison. C'est peut-être une gare, d'ailleurs, je ne sais pas. Je l'aimais pas, alors je suis pas sorti. Il est arrivé la nuit, et il est reparti le lendemain. Je me serais bien caché quand vous êtes arrivé, mais je m'étais endormi.

Il jeta un regard sombre au-dessus de la tête du Pistolero.

— J'aime pas les gens. Ils me font chier.

— Il ressemblait à quoi ?

Le garçon haussa les épaules.

— À un prêtre. Il était tout en noir.

— Une capuche et une soutane ?

— C'est quoi, une soutane ?

— Une robe, ça ressemble à une robe.

Le garçon acquiesça.

— Oui, c'est à peu près ça.

Le Pistolero se pencha en avant, et ce qui passa sur son visage provoqua un léger mouvement de recul chez l'enfant.

— Il y a combien de temps ? Dis-le-moi, au nom de ton père.

— Je... je...

D'un ton patient, le Pistolero dit :

— Je ne te ferai pas de mal.

— Je ne sais pas. Je ne me souviens pas du temps qui passe. Tous les jours se ressemblent.

Pour la première fois, le Pistolero se demanda clairement comment ce garçon était arrivé là, perdu dans les lieues desséchées de ce désert tueur d'hommes. Mais il refusait d'en faire un problème personnel, pas encore, du moins.

— Fais de ton mieux. Il y a longtemps ?

— Non. Pas longtemps. Ça fait pas longtemps que moi je suis là.

Le feu se ralluma en lui. Il s'empara de la boîte avec des mains à peine tremblantes, et but. Une bribe de la comptine lui revint en tête, mais cette fois-ci, au lieu du visage de sa mère, il vit celui balafré d'Alice, qui avait été sa *gueuse* dans feue la ville de Tull.

— Une semaine ? Deux ? Trois ?

Le garçon le regarda d'un air distrait.

— Oui.

— Oui quoi ?

— Une semaine. Ou deux.

Il détourna le regard, rougissant légèrement.

— Il y a trois crottes de ça. C'est le seul moyen que j'aie de mesurer, maintenant. Il a pas bu une goutte. J'ai même pensé que c'était peut-être le fantôme d'un prêtre, comme dans ce film que j'avais vu, y avait que Zorro qui avait deviné que c'était pas un prêtre – ni un fantôme, d'ailleurs. C'était juste un banquier qui voulait la terre parce qu'il y avait de l'or dessus. C'est Mme Shaw qui m'avait emmené voir ce film. C'était à Times Square.

Le Pistolero ne comprenait pas un mot de ce que racontait le garçon, aussi ne fit-il aucun commentaire.

— J'avais peur, dit le garçon. J'ai eu peur presque tout le long.

Son visage frissonnait comme du cristal à une seconde de la note ultime, suraiguë, destructrice.

— Il n'a même pas fait de feu. Il est resté assis là, c'est tout. Je sais même pas s'il a dormi.

Tout près ! Plus près qu'il l'avait jamais été, par tous les dieux. Malgré son état de déshydratation extrême, il se sentait les mains légèrement moites ; poisseuses.

— Il y a de la viande séchée, suggéra le garçon.

— D'accord, fit le Pistolero. Très bien.

Le garçon se leva pour aller chercher quelque chose, les genoux craquant légèrement. Il avait une silhouette droite et longiligne. Le désert ne l'avait pas encore abîmé. Il avait les bras fins, mais sa peau, bien que bronzée, n'était ni sèche ni craquelée. *Il a de l'énergie*, pensa le Pistolero. *Peut-être bien du sable dans l'estomac, aussi, ou bien il m'aurait déjà pris un de mes pistolets pour me descendre quand j'étais à terre.*

Ou peut-être le garçon n'y avait-il tout bonnement pas pensé.

Le Pistolero but à nouveau dans la boîte de conserve.

Qu'il ait ou non du sable dans l'estomac, il n'est pas du coin.

Jake revint avec une pile de lanières de viande séchée, disposées sur ce qui ressemblait à une planche à pain décapée par le soleil. La viande était assez dure, filandreuse et salée pour faire chanter les commissures ulcérées des lèvres du Pistolero. Il mangea et but jusqu'à sentir la léthargie le gagner, et il s'adossa au mur.

Le garçon mangea peu, picorant les lambeaux noirs avec une étrange délicatesse.

Le Pistolero l'observait, et le garçon lui rendit son regard avec une certaine franchise.

— D'où viens-tu, Jake ? finit-il par lui demander.

— Je ne sais pas, fit le garçon en fronçant les sourcils. Pourtant je le *savais*. Quand je suis arrivé ici, je le savais, mais maintenant c'est tout flou, comme un cauchemar quand on se réveille. J'en fais plein, des cauchemars. Mme Shaw disait que c'était parce que je regardais trop de films d'horreur sur la onzième chaîne.

— Qu'est-ce que c'est, une chaîne ? – une idée un peu folle lui vint – C'est comme un rayon ?

— Non… c'est la télé.

— C'est quoi, la télé ?

— Je – le garçon se toucha le front – Des images.

— C'est quelqu'un qui t'a trimballé jusqu'ici ? Cette Mme Shaw, peut-être ?

— Non, dit le garçon. J'étais là, c'est tout.

— Qui est cette Mme Shaw ?

— Je ne sais pas.

— Pourquoi t'appelait-elle 'Bama ?

— Je ne me rappelle pas.

— Ça n'a aucun sens, ce que tu racontes, fit le Pistolero d'un ton catégorique.

Soudain le jeune garçon se retrouva au bord des larmes.

— J'y peux rien. J'étais ici, voilà tout. Si vous m'aviez posé des questions sur la télé et les chaînes, rien qu'hier, je vous parie que je m'en serais souvenu ! Alors que demain j'aurai probablement oublié que je m'appelle Jake... sauf si vous me le redites, et vous ne serez plus là, pas vrai ? Vous allez partir et moi je vais mourir de faim, parce que vous avez englouti presque toutes mes réserves de nourriture. J'ai pas demandé à être ici. J'aime pas ici. Ça fiche les jetons.

— Arrête de t'apitoyer sur ton sort. Fais avec.

— J'ai pas demandé à être ici, répéta le garçon avec un air de défi buté.

Le Pistolero se resservit un morceau de viande, le mâchant pour qu'il exsude son sel, avant de l'avaler. Le garçon était désormais mêlé à cette histoire, et le Pistolero était persuadé qu'il disait la vérité – il n'avait rien demandé. Lui-même... *lui* l'avait bien cherché. Mais il n'avait pas demandé à ce que le jeu se gâte à ce point. Il n'avait pas demandé à passer toute la population de Tull par les armes ; il n'avait pas demandé à abattre Allie, avec son joli visage triste, marqué les derniers temps par ce secret qu'elle avait finalement voulu se faire révéler, en prononçant ce mot, ce dix-neuf, comme une clef entrant dans un cadenas. Il n'avait pas demandé à devoir choisir entre le devoir et le meurtre pur et simple. Ce n'était pas juste, d'avoir à faire entrer en scène des spectateurs innocents et de leur faire dire des répliques étranges, qu'ils ne comprenaient pas. *Allie*, se dit-il, *Allie au moins faisait partie de ce monde, à sa manière, avec les illusions qu'elle s'était construites. Mais ce garçon... ce foutu garçon...*

— Raconte-moi ce que tu te rappelles, lui dit-il.

— Pas grand-chose. Et ça n'a plus aucun sens, maintenant.

— Raconte-moi. Peut-être que moi j'y verrai clair.

Le garçon se demanda visiblement par où commencer. Il y réfléchit très dur.

— Il y avait cet endroit… avant celui-ci. Un endroit haut, avec plein de pièces et un patio, duquel on pouvait regarder des bâtiments très hauts et de l'eau. Et dans l'eau, il y avait une statue.

— Une statue dans l'eau ?

— Oui. Une dame avec une couronne, une torche et… il me semble… un livre.

— Tu inventes, ou quoi ?

— Peut-être bien, oui, fit le garçon d'un ton désespéré. Dans les rues, il y avait des choses qui avançaient toutes seules. Des grosses et des petites. Les grosses étaient bleues et blanches. Les petites étaient jaunes. Plein de jaunes. J'allais à l'école à pied. Il y avait des sentiers en ciment à côté des rues. Des fenêtres pour regarder à l'intérieur et encore des statues, mais qui portaient des vêtements. Les statues vendaient les vêtements. Je sais que ça a l'air fou, mais c'étaient les statues qui vendaient les vêtements.

Le Pistolero secoua la tête et chercha à lire sur le visage du garçon la trace du mensonge. Il n'en vit aucune.

— J'allais à l'école à pied, répétait le garçon avec obstination. Et j'avais un – ses yeux se renversèrent et se fermèrent, et ses lèvres se mirent à tâtonner – un sac… un sac à livres… marron. J'emportais un déjeuner. Et je portais – à nouveau le tâtonnement, la torture de ce tâtonnement – une cravate.

— Une cravate ?

— Je ne sais pas.

Inconsciemment, le garçon porta la main à sa gorge, et ses doigts se crispèrent, dans ce que le Pistolero prit pour un geste de pendaison.

— Je ne sais plus. Tout a disparu, c'est tout.

Et il détourna le regard.

— Je peux te faire dormir ? demanda le Pistolero.

— Je n'ai pas sommeil.

— Je peux te donner sommeil, et faire en sorte que tu te souviennes.

— Comment vous feriez ça ? demanda Jake d'un air dubitatif.

— Avec ceci.

Le Pistolero retira une balle de son ceinturon et la fit rouler entre ses doigts. Le mouvement était habile, fluide comme de l'huile. La balle faisait la roue sans effort, tournoyant du pouce à l'index, de l'index au majeur, du majeur à l'annulaire et de l'annulaire à l'auriculaire. Elle sauta hors du champ de vision puis réapparut, sembla flotter un court instant, puis fit machine arrière. La cartouche allait et venait entre les doigts du Pistolero. Les doigts eux-mêmes semblaient marcher comme l'avaient fait ses pieds, sur les derniers kilomètres qui l'avaient mené en ce lieu. Le garçon observait la scène, et son air dubitatif initial fut remplacé par un ravissement pur, puis par une fascination à laquelle succéda une impassibilité totale, lorsqu'il céda. Ses paupières glissèrent sur ses yeux. La cartouche allait et venait, comme dans une danse. Les yeux de Jake se rouvrirent, se fixèrent un peu plus longtemps sur le mouvement régulier et limpide des doigts du Pistolero, puis ils se refermèrent. Le Pistolero continua son envoulte, mais les yeux de Jake restèrent clos. Le garçon respirait lentement, d'un souffle calme et constant. Fallait-il vraiment en passer par là ? Oui. Pas de doute. Il y avait une certaine beauté froide là-dedans, comme ces bordures en dentelle qui frangent les blocs de glace. Une fois encore, il crut entendre sa mère chanter, non plus cette absurdité sur la pluie dans les plaines, mais une absurdité plus douce, venue de très loin, tandis qu'il oscillait au bord du sommeil : *Petit oiseau, bébé adoré, amène donc ici ton panier.*

Le Pistolero sentit dans sa bouche, et ce n'était pas la première fois, ce goût plombé du mal de l'âme. La cartouche entre ses doigts, manipulée avec une telle grâce, une grâce inconnue, devint soudain atroce, comme la trace d'un monstre. Il la laissa tomber dans sa paume, ferma le poing, et serra de toutes ses forces, jusqu'à avoir mal. Si la cartouche avait explosé, sur le moment il se serait réjoui de la destruction de sa main habile, car son seul véritable talent, c'était le meurtre. Le meurtre avait toujours existé dans le monde, mais se le dire ne lui était d'aucun réconfort. Le meurtre existait, et le viol, et toutes sortes de pratiques indicibles, et toutes au nom du bien, cette saloperie de bien, cette saloperie de mythe, pour le Graal, pour la Tour. Ah, cette Tour qui se dressait partout, au cœur de toutes choses (c'est ce qu'on disait), imposant sa masse gris-noir sur fond de ciel, et dans ses oreilles décapées par le désert, le Pistolero entendait la douce mélodie étouffée, la voix de sa mère : *Va, cours, vole, et rapporte de quoi remplir ton panier.*

Il balaya la chanson hors de son esprit, elle et sa douceur.

« Où es-tu ? », demanda-t-il.

3

Jake Chambers – parfois 'Bama – descend avec son sac rempli de livres. Il y a Sciences de la Terre, il y a Géographie ; il y a un carnet, un crayon, un déjeuner que la cuisinière de sa mère, Mme Greta Shaw, a préparé pour lui dans sa cuisine en chrome et Formica, où un ventilateur ronronne en permanence, aspirant les odeurs étrangères. Dans son sac à déjeuner, il a un sandwich au beurre de cacahuètes et à la confiture ; un autre tomate-salade-oignon. Et quatre biscuits Oréo. Ses parents ne le détestent pas, on dirait simplement qu'ils ne le remarquent même plus. Ils ont abdiqué, l'ont laissé à Mme Greta Shaw, à des nounous, à un précepteur l'été et à l'École Piper (une école Privée, Agréable et surtout, Blanche) le reste du temps. Jamais ils n'ont prétendu être autre chose que ce qu'ils sont : des professionnels, les meilleurs dans leurs domaines respectifs. Personne ne l'a serré contre son sein cha-leureux, comme il arrive généralement dans les romans historiques à l'eau de rose que lit sa mère et dans lesquels Jake est allé piocher, à la recherche des « scènes chaudes ». Des romans « hystériques », comme les désigne parfois son père, « à en arracher son corsage ». « Tu peux parler », réplique sa mère avec un mépris infini dans la voix, derrière la porte close à laquelle Jake écoute. Son père travaille pour La Chaîne, et Jake pourrait le reconnaître dans une série de types maigres coiffés en brosse. Enfin, sûrement.

Jake ne sait pas qu'il hait tous ces professionnels, tous sauf Mme Shaw. Les gens l'ont toujours rendu perplexe. À commencer par sa mère, qui est maigre mais sexy et qui couche avec des amis malades. Son père parle parfois de gens de La Chaîne qui pren-nent « trop de coca » (sauf que lui, il dit « coco »). Ce jugement

s'accompagne toujours d'un rictus sans humour et d'un petit reni-
flement sur l'ongle du pouce.

À présent il est dans la rue, Jake Chambers est dans la rue, il
« bat le pavé ». Il est bien propre et bien élevé, beau à regarder,
sensible. Une fois par semaine, il joue au bowling à L'Entre-Deux-
Quilles. Il n'a pas d'amis, seulement des connaissances. Il n'a jamais
pris la peine d'y réfléchir, mais ça le fait souffrir. Il ne sait pas ou
ne comprend pas que la fréquentation à long terme de professionnels
l'a amené à copier certains de leurs traits de caractère. Mme Greta
Shaw (elle est plutôt mieux que le reste du lot, mais Bon Dieu, tu
parles d'un prix de consolation), par exemple, fait des sandwiches
très professionnels. Elle les coupe en triangle, elle retire proprement
la croûte du pain, ce qui fait que, même s'il les mange pendant la
mi-temps en cours de gym, il a l'air d'un pingouin au milieu d'un
cocktail, avec dans l'autre main une flûte plutôt qu'un roman sportif
ou de cow-boys de Clay Blaisdell emprunté à la bibliothèque de
l'école. Son père gagne beaucoup d'argent, parce que c'est lui le maître de « la Mise à Mort » – ce qui signifie placer une émission plus
forte sur sa Chaîne en face d'une émission moins forte sur une
Chaîne concurrente. Son père fume quatre paquets de cigarettes par
jour. Son père ne tousse jamais, mais il a un rictus dur, et il ne dit
pas non à ce bon vieux « coco », de temps en temps.

Descendre la rue. Sa mère lui laisse de quoi payer un taxi, mais
chaque jour il va à l'école à pied, balançant son sac de livres,
parfois même son sac de bowling (bien que, la plupart du temps,
il le laisse dans son casier), le parfait petit garçon américain, avec
ses cheveux blonds et ses yeux bleus. Les filles commencent déjà à
s'intéresser à lui (avec l'accord de leur mère) et il ne se dérobe pas
avec cette arrogance et cette coquetterie puériles qu'ont les petits
garçons. Il leur parle avec un professionnalisme inconscient qui les
laisse perplexes, et elles n'y reviennent pas. Il aime la géographie
et jouer au bowling, l'après-midi. Son père possède des parts dans
une compagnie qui fabrique des machines automatiques pour re-
dresser les quilles, mais l'Entre-Deux-Quilles n'utilise pas la marque de son père. Il ne se dit pas qu'il a pensé à ça, pourtant c'est
le cas.

En descendant la rue, il passe devant Bloomingdale's, dans la
vitrine les mannequins sont vêtus de fourrures, de costumes 1900
à six boutons, certains ne portent rien du tout ; certains sont « nus

113

tout nus ». Ceux-là, ces mannequins, sont parfaitement professionnels, et il déteste tout professionnalisme. Il est trop jeune pour avoir
encore appris à se détester lui-même, mais le ver est dans le fruit ;
avec le temps, il grossira, et fera tout pourrir.

Il arrive au coin et se plante là, son sac sur l'épaule. La circulation
ronronne – des bus bleu et blanc qui grognent, des taxis jaunes,
des Volkswagen, un gros camion. Il n'est qu'un petit garçon, mais
pas comme les autres, et du coin de l'œil il voit l'homme qui va le
tuer. C'est l'homme en noir, et il ne voit pas son visage, rien que la
robe qui tourbillonne, les mains tendues et ce sourire dur, professionnel. Il tombe sur la chaussée, les bras en croix, sans lâcher son sac
qui contient le déjeuner extrêmement professionnel de Mme Greta
Shaw. Il jette un bref regard à travers un pare-brise polarisé à un
homme d'affaires horrifié qui porte un chapeau bleu nuit dans le
rebord duquel est glissée une petite plume coquette. Quelque part
une radio hurle du rock'n'roll. Une vieille dame sur le trottoir d'en
face pousse un hurlement – elle porte un chapeau noir avec une
voilette ; on dirait une voilette de deuil. Jake ne ressent rien d'autre
que de la surprise, et cette perplexité vertigineuse dont il est coutu-
mier – c'est donc ainsi que ça se termine ? Avant même d'avoir battu
son propre record de deux/soixante-dix ? Il atterrit sur la chaussée
dure et regarde une crevasse rebouchée à l'asphalte, à quelques centimètres de ses yeux. Le sac est éjecté de sa main. Il est en train de
se demander s'il s'est écorché les genoux quand la voiture de l'homme
d'affaires au chapeau bleu à plume coquette lui roule dessus. C'est
une grosse Cadillac bleue modèle 1976, avec des pneus Firestone à
flanc blanc. La voiture est presque de la même couleur que le chapeau de l'homme d'affaires. Elle brise la colonne de Jake, lui réduit
les viscères en bouillie, et fait jaillir le sang de sa bouche en un jet
sous pression. Il tourne la tête et voit les feux arrière rougeoyants de
la Cadillac et la fumée qui fuse de sous ses roues bloquées. La voiture
a aussi écrasé son sac, le barrant d'une large traînée noire. Il tourne
la tête de l'autre côté et voit une grosse Ford grise s'immobiliser à
quelques centimètres de son corps dans les crissements stridents des
pneus. Un type noir qui vendait des bretzels et des sodas dans une
carriole accourt vers lui. Le sang s'échappe du nez de Jake, de ses
oreilles, de ses yeux, de son rectum. Ses parties génitales ont été écra-
sées. Il se demande avec irritation s'il s'est beaucoup écorché les genoux. Il se demande s'il sera en retard à l'école. À présent, c'est le

114

conducteur de la Cadillac qui arrive vers lui en courant, incapable de faire une phrase. De quelque part monte une voix calme, terrible, la voix de la fatalité, qui dit : « Laissez-moi passer, je suis prêtre. Un Acte de Contrition... ».

Il voit la robe noire et ressent une horreur soudaine. C'est lui, l'homme en noir. Jake détourne le visage avec les dernières forces qui lui restent. Quelque part une radio joue une chanson du groupe de rock Kiss. Il voit sa propre main qui gît sur le trottoir, petite, bien galbée. Il ne s'est jamais rongé les ongles.

Et, les yeux posés sur sa main, Jake meurt.

4

Accroupi, les sourcils froncés, le Pistolero était abîmé dans une intense réflexion. Il était fatigué, il avait le corps douloureux et les pensées lui venaient de plus en plus lentement. En face de lui, l'étonnant garçon dormait, les mains entre les genoux, la respiration calme. Il avait raconté son histoire sans trop d'émotion, même si sa voix avait tremblé sur la fin, quand il en était arrivé aux mots « prêtre » et « Acte de Contrition ». Bien sûr, il n'avait pas parlé au Pistolero de sa famille, ou de son propre sentiment de dichotomie et de perplexité, mais cela avait transparu malgré tout – assez pour que le Pistolero se fasse une idée. Le fait qu'il n'ait jamais existé de ville telle que la décrivait le gamin (à moins qu'il se fût agi de la ville mythique de Lud) n'était pas le point le plus troublant de son récit, mais demeurait dérangeant. La totalité était dérangeante. Le Pistolero avait peur des implications.

— Jake ?

— Hein, hein ?

— Veux-tu te souvenir de tout ça à ton réveil, ou l'oublier ?

— L'oublier, fit le garçon sans hésiter. Quand le sang m'est sorti de la bouche, il avait le goût de ma propre merde.

— D'accord. Tu vas dormir, maintenant, compris ? Dormir pour de vrai. Vas-y, allonge-toi bien, si tu veux.

Jake s'allongea, il paraissait petit, paisible et inoffensif. Le Pistolero ne le croyait pas inoffensif. Il se dégageait de lui quelque chose de mortel, un frisson implacable, la puanteur d'un nouveau piège. Il n'aimait pas ce qu'il ressentait, mais il aimait bien le garçon. Il l'aimait beaucoup.

— Jake ?

— Chuuuut. Je dors. Je veux dormir.

— Oui. Et quand tu te réveilleras, tu ne te rappelleras rien de tout ça.

— D'ac'. Bien.

Le Pistolero le regarda pendant un court instant, repensant à sa propre enfance, dont il lui semblait parfois qu'elle avait été vécue par quelqu'un d'autre – quelqu'un qui avait fait un saut à travers un objectif temporel pour devenir un autre –, mais qui à présent lui paraissait d'une proximité poignante. Il faisait très chaud dans l'écurie du relais, et il but de l'eau, avec précaution. Il se leva et se rendit au bout de la grange, s'arrêtant pour jeter un œil à l'intérieur d'une stalle. Dans le coin gisaient un petit tas de foin blanc et une couverture pliée proprement, mais ça ne sentait pas le cheval. Ça ne sentait rien, d'ailleurs. Le soleil avait saigné à blanc toute odeur et n'avait rien laissé. L'air était parfaitement neutre.

La stalle s'ouvrait au fond sur une petite réserve sombre, avec une machine en inox, au milieu. La rouille et la moisissure l'avaient épargnée. On aurait dit une baratte à beurre. À gauche saillait un embout chromé, qui se prolongeait par un tuyau ondulant sur le sol. Le Pistolero avait déjà vu des pompes de ce genre dans des lieux secs, mais jamais d'aussi grosses. Il n'arrivait pas à imaginer à quelle profondeur ils – un « ils » bien lointain – avaient dû creuser avant de tomber sur de l'eau, l'eau secrète, à jamais noire, sous le désert.

Pourquoi n'avait-on pas retiré la pompe, quand la gare avait été désaffectée ?

À cause des démons, peut-être.

Il frissonna violemment, comme une torsion abrupte de la colonne vertébrale. Une chair de poule brûlante lui parcourut la peau, avant de se résorber progressivement. Il s'approcha de l'interrupteur de commande et appuya sur MARCHE. La machine se mit à ronfler. Au bout de trente secondes environ, l'embout éructa un jet d'eau claire et fraîche, qui coula dans le tuyau chargé de la diffuser. Il en coula peut-être dix litres, jusqu'à ce que la pompe s'arrête d'elle-même, dans un « clic » final. Cette machine était aussi déplacée dans cet espace-temps que le grand amour, et pourtant elle était aussi concrète qu'un Jugement, un rappel silencieux du temps où le monde n'avait pas encore changé. Elle fonctionnait proba-blement sur générateur atomique, vu qu'il n'y avait pas d'élec-tricité à mille cinq cents kilomètres à la ronde et que des piles sèches n'auraient pas tenu aussi longtemps. La machine avait été fabriquée par une firme du nom de North Central Posi-tronics. Le Pistolero n'aimait pas ça.

Il retourna s'asseoir auprès du garçon, qui avait placé une de ses mains sous sa joue. Bien joli, ce garçon. Le Pistolero rebut un peu d'eau et croisa les jambes, s'asseyant en tailleur. Tout comme le frontalier au bord du désert, celui avec son oiseau (Zoltan, le nom revint brutalement au Pistolero, l'oiseau s'appelait Zoltan), le garçon avait perdu toute notion du temps, mais il semblait indubitable qu'il s'approchait de l'homme en noir. Le Pistolero se demanda, et ça n'était pas la première fois, si, pour une raison connue de lui seul, cet homme ne se laissait pas rattraper. Peut-être le Pistolero jouait-il le jeu de l'homme en noir. Il tenta d'imaginer à quoi ressemblerait leur confrontation, et rien ne lui vint.

Il avait très chaud, mais il n'avait plus de nausées. La comp-tine lui revint en tête mais cette fois-ci, au lieu de penser à sa mère, il pensa à Cort – Cort, cet homme sans âge, une véritable locomotive, le visage zébré de cicatrices laissées par les coups, les balles et les lames émoussées. Les cicatrices de la guerre, et de l'instruction des arts de la guerre. Il se de-manda si Cort avait jamais ressenti un amour capable de laisser des cicatrices comparables à celles-là. Il pensa à Susan, à sa mère et à Marten, l'enchanteur inachevé.

Le Pistolero n'était pas homme à s'appesantir sur le passé ; sans cette vague conception de l'avenir et de son pro-pre tempérament affectif, il aurait été un homme sans ima-gination, un dangereux nullard. Par conséquent, l'état présent de sa réflexion le surprenait grandement. Chaque nom en appelait d'autres – Cuthbert, Alain, le vieux Jonas avec sa voix chevrotante. Et encore Susan, la ravissante jeune fille à sa fenêtre. Les pensées de ce genre le ramenaient toujours vers Susan, et à cette immense plaine vallonnée connue sous le nom de l'Aplomb, et aux pêcheurs qui jetaient leurs filets dans les baies de la Mer Limpide.

Le pianiste de Tull (mort lui aussi, tous morts à Tull, et de sa main) connaissait ces lieux, même si lui et le Pistolero ne les avaient évoqués que cette unique fois. Sheb aimait les vieilles chansons, il les avait jouées autrefois dans un saloon appelé le Repos du Voyageur, et c'était l'une d'elles que le Pistolero fredonnait doucement :

> *L'amour, ô l'amour, l'amour insouciant,*
> *Vois ce qu'amour a fait, négligemment.*

Perplexe, le Pistolero eut un petit rire. *Je suis le dernier de ce monde verdoyant et chamarré.* Et malgré toute sa nostalgie, il ne s'apitoyait pas sur son sort. Le monde avait changé sans pitié, mais ses jambes à lui n'avaient pas vieilli, et l'homme en noir n'était plus très loin. Le Pistolero hocha la tête, satisfait.

5

Lorsqu'il s'éveilla, il faisait presque noir et le garçon avait disparu.

Le Pistolero se leva, entendit ses articulations craquer, et se dirigea vers la porte de l'écurie. Sous le porche de l'auberge, une petite flamme dansait dans la pénombre. Il se laissa guider par elle, et son ombre longue et noire s'étira dans la lumière rougeâtre et ocre du coucher de soleil.

Jake était assis près d'une lampe à pétrole.

— Il y avait de l'huile dans un bidon, dit-il, mais j'avais peur d'en faire brûler dans la maison. Tout est tellement sec…

— Tu as fait ce qu'il fallait.

Le Pistolero s'assit, voyant sans y penser la poussière des années se soulever autour de son derrière. Il se dit que c'était un miracle que le porche ne se soit pas tout bonnement écroulé sous le poids conjugué de leurs deux corps. La flamme de la lampe dessinait sur le visage du garçon des ombres délicates. Le Pistolero sortit sa tabatière et se roula une cigarette.

— Il faut qu'on palabre, fit-il.

Jake acquiesça de la tête, et le choix de ce mot le fit sourire légèrement.

— Tu dois savoir que je suis à la poursuite de cet homme que tu as vu.

— Vous allez le tuer ?

— Je ne sais pas. Il y a une chose qu'il faut qu'il me dise. Il faudra peut-être que je l'oblige à m'emmener quelque part.

— Où ça ?

— Trouver une tour, répondit le Pistolero.

Il plaça sa cigarette au-dessus du verre de la lampe et tira dessus. La fumée s'éleva et fut emportée par la brise nocturne. Jake la regarda s'éloigner. Son visage ne trahissait ni peur ni curiosité, encore moins de l'enthousiasme.

— Alors je pars demain, reprit le Pistolero. Il va falloir que tu me suives. Combien reste-t-il de cette viande ?

— Un petit peu, c'est tout.

— Et de maïs ?

— Un peu plus.

Le Pistolero hocha la tête.

— Il y a une cave ?

— Oui.

Jake posa les yeux sur lui. Ses pupilles s'étaient élargies, devenant énormes et fragiles.

— Il faut tirer un anneau par terre, mais je ne suis pas descendu. J'avais peur que l'échelle craque et que je ne puisse pas remonter. Et puis ça sent mauvais. C'est le seul endroit par ici qui sente quelque chose.

— On se lèvera tôt pour voir s'il y a quelque chose qui vaille la peine d'être emporté. Et puis on partira.

— D'accord.

Le garçon marqua une pause, puis reprit :

— Je suis content de ne pas vous avoir tué pendant votre sommeil. J'avais une fourche et j'y ai pensé. Mais je ne l'ai pas fait, et maintenant je n'aurai plus peur de m'endormir.

— De quoi aurais-tu peur ?

Le garçon lui jeta un regard inquiétant.

— Des revenants. Que *lui* revienne.

— L'homme en noir, compléta le Pistolero.

Ce n'était pas une question.

— Oui. C'est un homme mauvais ?

— Je dirais que ça dépend d'où on se place, répondit distraitement le Pistolero.

Il se leva et lança son mégot au loin.

— Je vais me coucher.

Le garçon lui adressa un regard timide.

— Je peux dormir dans l'écurie avec vous ?

— Bien sûr.

Le Pistolero resta debout sur les marches, à regarder en l'air, et le garçon se joignit à lui. Le Vieil Astre était bien là-haut, ainsi que La Vieille Mère. Il lui semblait que, s'il fermait les yeux, il entendrait les coassements des premiers quinquets de printemps, qu'il sentirait l'odeur verte, quasi estivale, des pelouses qu'on vient de tondre (et qu'il entendrait aussi, peut-être, le claquement indolent des balles en bois quand les dames de l'aile est, déjà en chemise dans les miroitements du crépuscule qui tendait vers la pénombre, jouaient aux Points), il voyait presque Cuthbert et Jamie se glisser par les trous de la haie, l'invitant à faire une virée avec eux…

Ça ne lui ressemblait pas de penser autant au passé.

Il se détourna et saisit la lampe.

— Allons dormir, dit-il.

Ensemble, ils regagnèrent la grange.

6

Le lendemain matin, il partit explorer la cave.

Jake avait dit vrai : ça sentait mauvais. Une puanteur humide de marécage, qui donna la nausée au Pistolero et l'étourdit un peu après l'air aseptisé et inodore du désert et de l'écurie. La cave sentait le chou, le navet et la pomme de terre, avec leurs longs yeux aveugles, livrés à la pourriture éternelle. L'échelle, cependant, paraissait tout à fait robuste, aussi descendit-il.

Le sol était en terre battue, et de la tête il touchait presque les poutres du plafond. Il y avait encore des araignées vivantes là-dedans, d'une grosseur dérangeante, avec un corps gris moucheté. La plupart étaient des mutantes, sans plus grand-chose à voir avec l'espèce d'origine. Certaines avaient des yeux au bout d'antennes, d'autres pas loin de seize pattes.

Le Pistolero jeta un coup d'œil circulaire et attendit que ses yeux s'accommodent à l'obscurité.

— Ça va ? fit la voix nerveuse de Jake, du dessus.

— Oui.

Il fit la mise au point sur le coin de la pièce.

— Il y a des boîtes de conserve. Attends.

Il se dirigea vers le coin avec précaution, rentrant la tête dans les épaules. Il aperçut un vieux carton, dont l'un des battants était replié vers le bas. C'étaient des boîtes de légumes – haricots verts, haricots beurre – et trois de corned-beef.

Il en ramassa autant qu'il pouvait en porter dans les bras et retourna vers l'échelle. Il grimpa jusqu'à mi-hauteur et tendit son chargement à Jake, qui s'agenouilla pour le réceptionner. Il redescendit faire le plein.

C'est au troisième voyage qu'il entendit le grognement secouer les fondations.

Il se retourna, scrutant l'obscurité, et sentit une vague d'horreur irréelle le balayer, un sentiment à la fois languissant et abject.

Les fondations étaient constituées d'énormes blocs de grès qui devaient être réguliers au moment de la construction du relais, mais qui formaient à présent des zigzags et des angles tordus. On aurait dit que le mur était gravé d'étranges hiéroglyphes sinueux. Et à la jonction entre deux de ces blocs au sens abstrus, un mince filet de sable s'écoulait, comme si de l'autre côté quelque chose était en train de se creuser un passage avec une urgence déchirante et bornée.

Le grognement montait et descendait, devenant plus fort, jusqu'à ce que la cave tout entière résonne de ce bruit abstrait de douleur formidable et d'effort atroce.

— Remontez ! hurla Jake. Oh, doux Jésus, monsieur, re-montez !

— Va-t'en, lui dit calmement le Pistolero. Attends dehors. Si je ne suis pas revenu quand tu auras compté jusqu'à deux… non, trois cents, alors tire-toi de là.

— *Remontez !* hurla de nouveau Jake.

Le Pistolero ne répondit pas. De sa main droite il tâta le cuir.

À présent, il y avait dans le mur un trou gros comme une pièce de monnaie. À travers l'écran de sa propre terreur, il entendait sur le sol les pieds de l'enfant qui courait. Soudain la coulée de sable cessa. Le grognement se tut, mais on entendait une respiration régulière et pénible.

— Qui êtes-vous ? demanda le Pistolero.

Pas de réponse.

Et dans le Haut Parler, gorgeant sa voix du vieux tonnerre de l'ordre, Roland exigea :

— Qui es-tu, Démon ? Parle, s'il te sied te parler. Mon temps est précieux ; ma patience plus chère encore.

— Va lentement, répondit une voix traînante et épaisse venue du mur. Et le Pistolero sentit la terreur irréelle, comme issue d'un rêve, monter en lui jusqu'à en être presque compacte. C'était la voix d'Alice, la femme avec laquelle il était resté dans la ville de Tull. Mais elle était morte ; il l'avait vue tomber lui-même, une balle entre les deux yeux. Des formes semblaient danser devant ses yeux, venues d'en haut.

— Va lentement, pistolero, passés les monts des Drawers. Prends garde au tahine. Aussi longtemps que tu voyageras avec ce garçon, l'homme en noir voyagera avec ton âme dans sa poche.

— Que veux-tu dire ? Parle !

Mais le souffle s'était tu.

Le Pistolero resta un moment immobile, pétrifié, puis l'une de ces énormes araignées lui tomba sur le bras et remonta frénétiquement jusqu'à son épaule. Avec un grognement involontaire, il la balaya de la main et finit par bouger les pieds. Il ne voulait pas passer à l'étape suivante, pourtant la coutume était stricte, inviolable. Ramenez les morts d'entre les morts, disait le vieux proverbe ; seul un cadavre a le don de prophétie. Il s'approcha du trou et donna un coup de poing dans la paroi. Le grès s'émietta facilement sur les bords et, avec un raidissement des muscles, le Pistolero enfonça la main à travers le mur.

Où elle rencontra une masse solide, avec des protubérances et des contours bien nets. Il la tira à lui. Il tenait une mâchoire, pourrie à son extrémité. Les dents penchaient de part et d'autre.

— Très bien, dit-il doucement.

Il la fourra brutalement dans sa poche arrière et remonta l'échelle, en transportant tant bien que mal les dernières boîtes de conserve. Il laissa la trappe ouverte. En entrant, le soleil tuerait les araignées mutantes.

Jake était au milieu de la cour de l'écurie, recroquevillé sur le sol crevassé et jonché de gravats. En apercevant le Pistolero, il poussa un cri, recula de quelques pas, puis courut vers lui en pleurant.

— J'ai cru qu'il vous avait eu, qu'il vous avait eu. J'ai cru...

— Il ne m'a pas eu. Rien ne m'a eu.

Il prit le garçon contre lui, sentant son visage, chaud contre sa poitrine, et ses mains, sèches contre sa cage thoracique. Il sentait les pulsations rapides du cœur du garçon. Plus tard, il comprit que c'était à ce moment qu'il avait commencé à l'aimer – ce qui était sans doute ce que l'homme en noir avait prévu depuis le début. Y avait-il jamais eu piège plus efficace que le piège de l'amour ?

— C'était un démon ? demanda la voix étouffée.

— Oui. Un démon qui Parle. On n'a plus rien à faire ici. Allez. Il est temps de frapper le chemin.

Ils se rendirent à l'écurie, et le Pistolero emballa grossièrement la couverture sous laquelle il avait dormi – elle était chaude et pleine de piquants, mais c'était tout ce qu'il y avait. Ensuite, il remplit ses outres à la pompe.

— Tu porteras une des outres. Autour des épaules... tu vois ?

— Oui.

Le garçon leva vers lui des yeux pleins de vénération, qu'il dissimula vivement. Il balança l'un des sacs par-dessus son épaule.

— Est-ce que c'est trop lourd ?

— Non, ça va.

— Dis-moi la vérité dès maintenant. Je ne pourrai pas te porter, si tu as une insolation.

— Je n'aurai pas d'insolation. Ça va aller.

Le Pistolero hocha la tête.

— On va dans les montagnes, n'est-ce pas ?

— Oui.

Ils se mirent en route, sous le martèlement continu du soleil. Jake, dont la tête atteignait les coudes du Pistolero qui se balançaient, marchait à sa droite, légèrement devant ; les extrémités ourlées de cuir brut de l'outre lui battaient quasiment les tibias. Le Pistolero avait croisé deux autres outres en travers de son torse et portait la nourriture au bout d'une courroie, au creux de l'aisselle, en la maintenant contre lui du bras gauche. Dans la main droite, il tenait son sac, sa tabatière et le reste de son *gunna*.

Ils franchirent le portail extérieur du relais et retrouvèrent les ornières estompées de la piste de la diligence. Ils devaient marcher depuis une quinzaine de minutes, lorsque Jake se retourna pour faire un signe d'adieu aux deux bâtiments. Ils semblaient se blottir dans l'espace titanesque du désert.

— Adieu ! cria Jake. Adieu !

Puis il se tourna vers le Pistolero, l'air troublé.

— J'ai l'impression que quelque chose nous observe.

— Quelque chose ou quelqu'un, acquiesça le Pistolero.

— Quelqu'un qui se cachait là-bas ? Caché tout du long ?

— Je ne sais pas. Je ne crois pas.

— Vous pensez qu'il faut y retourner ? Y retourner pour…

— Non. On en a fini avec cet endroit.

— Très bien, fit Jake avec ferveur.

Ils marchèrent. La piste de la diligence passa au sommet d'un promontoire de sable figé, et, lorsque le Pistolero jeta un regard circulaire, le relais avait disparu. Une fois encore, il n'y avait plus que le désert, et rien que le désert.

7

Ils avaient quitté le relais depuis trois jours ; les montagnes paraissaient à présent plus nettes, mais il ne fallait pas s'y fier. Ils voyaient le désert monter progressivement, en douceur, se fondre aux contreforts, aux premiers versants nus, le soubassement perçant à travers l'écorce terrestre, triomphal et menaçant, le triomphe de l'érosion. Plus haut, la terre s'aplanissait à nouveau sur une courte distance, et pour la première fois depuis des mois, voire des années, le Pistolero vit de la vraie verdure, vivante. De l'herbe, des épicéas miniatures, peut-être même des saules, tous nourris par l'écoulement de la neige située plus en amont. Au-delà, la roche reprenait ses droits, en monticules cyclopéens, dans sa splendeur effondrée, jusqu'à la calotte aveuglante de neige. Plus à gauche, une gigantesque crevasse ouvrait la voie vers les falaises de grès, plus petites et érodées, les plateaux et les buttes, voilés par l'écran gris des averses quasiment ininterrompues. La nuit, Jake restait assis pendant plusieurs minutes avant de tomber de sommeil, fasciné par les coups de sabre éclatants de la foudre lointaine, blanche et mauve, zébrant la limpidité de l'air nocturne.

Le garçon tenait bien la piste. Il était robuste, mais plus important encore, il semblait combattre l'épuisement avec une réserve de calme et de volonté que le Pistolero appréciait et admirait. Il parlait peu et ne posait pas de questions, pas même concernant la mâchoire que le Pistolero tournait et retournait entre ses mains en fumant sa cigarette du soir. Le Pistolero percevait que le garçon se sentait très flatté par sa compagnie – peut-être même exalté – et cela le perturbait. Ce garçon s'était trouvé sur son chemin – *aussi longtemps que tu voyageras avec ce garçon, l'homme en noir voyagera avec ton âme dans sa poche* – et le fait que Jake ne le ralentît pas ne faisait qu'ouvrir des perspectives plus sinistres encore.

Ils croisaient à intervalles réguliers les restes symétriques des feux de camp de l'homme en noir, et il semblait au Pistolero que ces restes étaient à présent beaucoup plus récents. Le soir du troisième jour, le Pistolero fut certain d'avoir aperçu au loin la lueur d'un autre feu de camp, quelque part dans les premières pentes des contreforts. Mais il n'en tira pas le plaisir qu'il aurait attendu auparavant. L'une des devises de Cort lui revint à l'esprit : « *Faut se méfier de l'homme qui fait semblant de boiter* ».

Le quatrième jour après leur départ du relais, peu avant deux heures, Jake trébucha et faillit bien tomber.

— Là, assieds-toi, dit le Pistolero.

— Non, ça va.

— Assieds-toi.

Le garçon obéit. Le Pistolero s'agenouilla à côté de lui, afin de le faire profiter de son ombre.

— Bois.

— Ce n'est pas ce qui est convenu, je ne dois pas, pas avant…

— Bois.

Le garçon but, trois gorgées. Le Pistolero humidifia le coin de la couverture, beaucoup moins chargée à présent, et apposa le tissu mouillé sur les poignets et le front du garçon, qui étaient brûlants de fièvre.

— À partir de maintenant, nous nous reposerons chaque après-midi, à cette heure-ci. Quinze minutes. Tu veux dormir ?

— Non.

Le garçon lui adressa un regard honteux, auquel le Pistolero répondit par un air impassible. Distraitement, il extirpa une balle de son ceinturon et se mit à la faire danser entre ses doigts, amorçant une envoulte. Le garçon l'observait, fasciné.

— C'est chouette, fit-il.

Le Pistolero acquiesça.

— Ça c'est vrai !

Et, après une pause :

— Quand j'avais ton âge, je vivais dans une ville fortifiée, je te l'ai déjà dit ?

Somnolent, le garçon fit non de la tête.

— Eh bien ! c'est fait. Et il y avait un homme mauvais…

— Le prêtre ?

126

— Disons que parfois je me le demande, pour tout te dire. Je me demande s'ils n'étaient pas *deux*. Je crois maintenant que c'étaient des frères. Peut-être même des jumeaux. Mais est-ce que je les ai déjà vus tous les deux ensemble ? Non, jamais. Cet homme mauvais… ce Marten…c'était un magicien. Comme Merlin. On connaît Merlin, là d'où tu viens ?

— Merlin, et Arthur, et les Chevaliers de la Table Ronde, répondit Jake d'un air rêveur.

Le Pistolero sentit une pulsion ignoble le traverser.

— Oui, Arthur l'Aîné, tu dis vrai, sois-en remercié. J'étais très jeune…

Mais le garçon dormait assis, les mains proprement posées sur les genoux.

— Jake.

— Oui-là !

L'irruption de ce mot dans la bouche du garçon le fit méchamment sursauter, mais il ne laissa pas sa voix le trahir.

— Lorsque je claquerai des doigts, tu te réveilleras. Tu te sentiras frais et reposé. Tu as bien intuité ?

— Oui.

— Alors allonge-toi.

Le Pistolero plongea la main dans son sac et en retira de quoi se rouler une cigarette. Il manquait quelque chose. Il chercha à sa manière minutieuse et appliquée et le trouva. L'élément manquant, c'était cet exaspérant sentiment d'urgence, ce sentiment d'être à tout moment sur le point de se faire distancer, comme si la piste allait se tarir, ne lui abandonnant qu'une trace de pas à demi effacée. Tout cela avait disparu, et le Pistolero était de plus en plus persuadé que l'homme en noir voulait se faire prendre. « *Faut se méfier de l'homme qui fait semblant de boiter.* »

Que se passerait-il ensuite ?

La question était trop vague pour retenir son attention. Cuthbert y aurait vu un intérêt, un intérêt plein d'entrain (il en aurait probablement tiré une blague), mais Cuthbert avait disparu, aussi sûrement que le Cor de Deschain, et le Pistolero ne pouvait qu'avancer dans la voie qu'il connaissait.

Tout en fumant, il observa le garçon, et son esprit revint sur Cuthbert, qui riait toujours (même à la mort, il était allé en riant) et sur Cort, qui ne riait jamais, et sur Marten, qui souriait parfois – d'un sourire mince et silencieux, qui brillait d'un éclat dérangeant, qui lui était propre… comme un œil qui s'ouvrirait dans le noir, et dans lequel il y aurait du sang. Et il y avait le faucon, bien entendu. Le faucon s'appelait David, un nom inspiré par la légende du garçon à la fronde. Il était certain que David ne connaissait rien d'autre que le besoin de tuer, de déchirer et de terroriser. Comme le Pistolero lui-même. David n'était pas un dilettante ; il n'hésitait pas à monter au combat.

Sauf peut-être à la fin.

Le Pistolero avait l'impression douloureuse que son estomac remontait contre son cœur, mais rien ne se lut sur son visage. Il regardait la fumée de sa cigarette monter dans l'air brûlant du désert et disparaître, et son esprit s'attarda en arrière.

8

Le ciel était blanc, d'un blanc parfait, et l'odeur de la pluie imprégnait l'air. L'odeur des haies et des jeunes plantes était douce. On était au cœur du printemps, ce que d'aucuns appelaient la Nouvelle Terre.

Sur le bras de Cuthbert était posé David, petit moteur de destruction aux yeux vifs et dorés qui rayonnaient sur le néant. La sangle de cuir brut attachée à ses pattes formait une boucle lâche autour du bras de Bert.

Cort se tenait près des deux garçons, silhouette silencieuse en pantalon de cuir rapiécé et chemise de coton vert, sanglée haut par sa vieille et large ceinture d'infanterie. Le vert de sa chemise se fondait dans celui des haies et des pentes gazonnées des Courts Arrières, où les dames n'avaient pas encore commencé à jouer aux Points.

— Tiens-toi prêt, murmura Roland à Cuthbert.

— On est prêts, répondit Cuthbert avec assurance. Pas vrai, Davey ?

Ils utilisaient le bas parler, le langage à la fois des marmitons et des écuyers ; le jour où ils seraient autorisés à employer leur propre langue en présence d'étrangers n'était pas arrivé.

— C'est la journée parfaite pour ça. Tu sens la pluie ? C'est…

Cort leva brusquement le piège dans ses mains et fit tomber la trappe latérale. La colombe sortit en flèche et s'envola vers le ciel en battant frénétiquement des ailes. Cuthbert tira sur la sangle, mais il fut trop lent. Le rapace était déjà parti, décollant avec maladresse. Il se rétablit d'un brusque coup d'aile. Il monta en prenant appui sur l'air, gagnant de l'altitude, dépassa la colombe à la vitesse d'une balle.

Cort rejoignit les garçons d'un air désinvolte, et balança son poing énorme et tordu dans l'oreille de Cuthbert. Le garçon bascula par terre sans un mot, mais ses lèvres se retroussèrent et lui découvrirent les gencives. Un filet de sang s'écoula lentement de son oreille sur l'herbe verte et grasse.

— Trop lent, l'asticot, fit-il.

Cuthbert tenta de se remettre debout.

— J'implore votre pardon, Cort. C'est juste que je…

Cort frappa de nouveau et Cuthbert retomba à terre. Le sang se mit à couler plus vite.

— Utilise le Haut Parler, dit-il doucement.

Sa voix était monocorde, avec une légère lenteur due à l'alcool.

— Énonce ton Acte de Contrition dans le langage de la civilisation pour laquelle sont morts des hommes bien plus valeureux que toi, l'asticot.

Cuthbert se relevait de nouveau. Les larmes brillaient vivement dans ses yeux, mais il serrait les lèvres en une mince ligne de haine qui ne vacillait pas.

— Je suis en peine, dit Cuthbert d'une voix où l'essoufflement était parfaitement maîtrisé. J'ai oublié le visage de mon père, dont j'espère un jour porter les armes.

— Bien dit, sale gosse, répliqua Cort. Tu vas réfléchir à ton erreur, et la faim aiguisera ta réflexion. Pas de souper. Pas de petit déjeuner.

— Regardez ! cria Roland en tendant le doigt vers le ciel.

Le faucon avait dépassé la colombe en plein essor. Il plana un court instant, ses ailes courtaudes déployées et totalement immobiles dans l'air printanier, blanc et suspendu. Puis il replia les ailes et tomba comme une pierre. Les deux corps se mélangèrent, et, l'espace d'une seconde, Roland crut voir du sang voler. Le rapace poussa un bref cri de triomphe. La colombe virevolta, se tordit et plongea au sol, et Roland se précipita vers l'oiseau, laissant derrière lui Cort et un Cuthbert assagi.

Le faucon s'était posé à côté de sa proie, dont il déchirait d'un air suffisant le poitrail blanc et rebondi. Quelques plumes descendaient lentement en se balançant dans l'air.

— David ! cria le garçon en lançant au faucon un morceau de chair de lapin sorti de son sac.

L'oiseau l'attrapa au vol, l'avala entier avec une torsion du dos et de la gorge et Roland entreprit de le remettre à l'entrave.

Le rapace tournoya, presque distraitement, et vint dessiner une estafilade sur le bras de Roland, soulevant un long lambeau de peau. Puis il retourna à son repas.

En grognant, Roland enroula la sangle, cette fois en interceptant le bec acéré de David dans son gantelet de cuir. Il donna à l'oiseau un autre morceau de viande, puis l'enchaperonna. Docilement, David grimpa sur son poing.

Il se releva fièrement, le faucon au bras.

— C'est quoi, ça, tu peux me le dire ? demanda Cort en désignant l'avant-bras de Roland et l'entaille qui gouttait.

Le garçon se positionna pour recevoir le coup, verrouillant sa gorge pour éviter de crier, mais aucun coup de tomba.

— Il m'a attaqué, dit Roland.

— C'est toi qui l'as cherché, dit Cort. Le faucon ne te craint pas, gamin, et jamais il ne te craindra. Ce faucon est le pistolero de Dieu.

Roland se contenta de regarder Cort. Ce n'était pas un garçon très imaginatif, aussi, si Cort avait glissé une morale dans sa remarque, elle lui avait échappé. Il alla même jusqu'à croire que c'était là une des quelques maximes stupides qu'il avait déjà entendu Cort énoncer.

Cuthbert les rejoignit par-derrière et tira la langue à Cort, en veillant à ne pas être vu. Roland ne sourit pas, mais lui adressa un signe de tête.

— Rentre, maintenant, fit Cort en reprenant le rapace.

Il se retourna et pointa le doigt vers Cuthbert.

— Mais souviens-toi que tu dois réfléchir, l'asticot. Et jeûner, aussi. Ce soir et demain matin.

— Oui, répondit Cuthbert, d'un ton guindé. Merci pour cette journée instructive.

— Tu sais apprendre, lança Cort, mais ta langue a la mauvaise habitude de pendre de ta bouche stupide quand ton instructeur a le dos tourné. Peut-être le jour viendra-t-il où toi et ta langue apprendrez à tenir vos places respectives.

Il frappa Cuthbert de nouveau, cette fois-ci droit entre les yeux, un coup vigoureux, au point que Roland entendit un bruit sourd – le bruit que ferait le maillet d'une fille de cuisine en perçant un tonnelet de bière. Cuthbert tomba en arrière sur l'herbe, les yeux embrumés. Puis ils redevinrent clairs et lancèrent à Cort un regard brûlant par en dessous ; oublié l'habituel sourire paisible, ne perçait que la haine à l'état pur, au cœur de chaque œil, une pointe d'épingle aussi vive que le sang de la colombe. Il hocha la tête et entrouvrit les lèvres, en un rictus semblable à une scarification, un rictus que Roland ne lui avait jamais vu.

— Alors il y a de l'espoir pour toi, dit Cort. Quand tu penseras être prêt, viens me chercher, l'asticot.

— Comment avez-vous su ? demanda Cuthbert entre ses dents.

Cort se tourna vers Roland avec une telle rapidité que ce dernier bascula presque en arrière – et ils se seraient retrouvés à deux sur le gazon, à décorer la verdure de leur sang.

— J'ai vu le reflet dans ses yeux d'asticot. Rappelle-toi, Cuthbert Allgood. La leçon est finie pour aujourd'hui.

Cuthbert hocha de nouveau la tête, le même rictus inquiétant sur les lèvres.

— Je suis en peine. J'ai oublié le visage…

— Arrête-moi ces conneries, lança Cort, lassé.

Il se tourna vers Roland.

— Filez, maintenant. Tous les deux. Si j'ai vos deux faces d'asticots sous les yeux plus longtemps, je vais gerber tripes et boyaux et gâcher un bon dîner.

— Viens, fit Roland.

Cuthbert secoua la tête pour s'éclaircir les idées et se remit sur pied. Cort descendait déjà la colline de sa démarche trapue, les jambes arquées, ce qui lui donnait un air puissant et quelque peu préhistorique. La partie rasée et grisonnante de son crâne luisait.

— Je le tuerai, ce fils de pute, dit Cuthbert en souriant toujours.

Un gros œuf, violacé et noueux, lui poussait sur le front dans un élan presque magique.

— Ni toi, ni moi, fit Roland, donnant brusquement lui aussi dans le large sourire. Tu n'as qu'à venir dîner dans les cuisines de l'aile ouest avec moi. Le cuisinier nous donnera quelque chose.

— Il le dira à Cort.

— Il n'est pas copain avec Cort, dit Roland ; puis, haussant les épaules : et puis même ?

Cuthbert lui rendit son sourire.

— Ouais, tu as raison. J'ai toujours eu envie de savoir à quoi ressemblait le monde, avec la tête dévissée.

Et ils partirent tous deux sur les pelouses verdoyantes, dessinant des ombres dans la splendide lumière blanche et printanière.

9

Le cuisinier de l'aile ouest se nommait Hax. Gigantesque dans son tablier blanc souillé de nourriture, il avait un teint huileux, dont les origines étaient pour un quart noires, pour un quart jaunes, pour un quart d'îles Méridionales désormais presque oubliées aujourd'hui (le monde avait changé), et Dieu seul savait d'où venait le dernier quart. Il allait et venait dans ses trois pièces embuées de vapeur, sous les hauts plafonds, comme un tracteur au ralenti, avec aux pieds d'énormes babouches de calife. Il faisait partie de ces rares adultes qui communiquent facilement avec les enfants, et qui les aiment tous objectivement – pas de manière sirupeuse, mais d'égal à égal, pouvant parfois aller jusqu'à les prendre dans leurs bras, tout comme on conclut une grosse affaire par une bonne poignée de mains. Il aimait même les garçons qui avaient commencé l'Apprentissage, bien qu'ils fussent différents des autres enfants – peu démonstratifs, toujours un peu dangereux, non pas comme le serait un adulte, mais plutôt comme des enfants ordinaires avec une légère pointe de folie en eux – et Bert n'était pas le premier des élèves de Cort qu'il nourrissait en douce. Pour l'heure, ils le trouvèrent face à son immense poêle électrique – l'un des six appareils à fonctionner encore sur tout le domaine. C'était son monde à lui, et, debout au milieu de ce monde, il regarda les deux garçons engloutir les lambeaux de viande en sauce qu'il leur avait donnés. Devant, derrière, tout autour, des grouillots, des filles de cuisine et toutes sortes d'employés subalternes s'affairaient dans l'air humide et opaque de vapeur, cognant les casseroles, touillant le ragoût, trimant à éplucher des pommes de terre et des légumes en coulisses. Dans l'alcôve mal éclairée de l'office, une lavandière au teint terreux et à l'air malheureux, les cheveux enroulés dans un chiffon, passait la serpillière sur le sol.

L'un des garçons de cuisine se précipita, un soldat de la Garde sur les talons.

— Y a un type qui t'demande, Hax.

— D'accord, fit Hax avec un signe de tête à l'attention du visiteur. Les garçons, allez voir Maggie, elle vous donnera de la tarte. Et puis déguerpissez. Ne me faites pas d'ennuis.

Plus tard, ils devaient tous les deux se souvenir de ces paroles : *Ne me faites pas d'ennuis.*

Ils acquiescèrent et allèrent trouver Maggie, qui leur donna des parts énormes de tarte sur de grandes assiettes – mais avec précaution, comme s'ils étaient des chiens errants sur le point de la mordre.

— Allons manger ça sous la cage d'escalier, proposa Cuthbert.

— D'accord.

Ils s'assirent derrière une énorme colonnade en pierre poisseuse de vapeur, hors de vue de la cuisine, et engouffrèrent leur tarte avec les doigts. Ce n'est que plus tard qu'ils virent les ombres se dessiner sur la courbure du grand escalier. Roland attrapa Cuthbert par le bras.

— Viens, il y a quelqu'un.

Cuthbert, l'air surpris et le visage maculé de jus de baies, leva les yeux vers lui.

Mais les ombres s'immobilisèrent, toujours hors de leur vue. Il s'agissait d'Hax et du soldat de la Garde. Les garçons restèrent assis où ils étaient. Au moindre mouvement, ils risquaient d'être entendus.

— … l'Homme de Bien, disait le Garde.

— Farson ?

— Dans deux semaines, répondit le Garde. Peut-être trois. Il faut que tu viennes avec nous. Il y a une cargaison au dépôt…

Un fracas particulièrement violent de vaisselle et de casseroles et une salve de sifflets dirigés contre le malheureux marmiton qui les avait lâchées masqua une partie de la suite du dialogue. Puis les garçons entendirent la fin de la réponse du garde.

— … de la viande empoisonnée.

— Risqué.

— Demande-toi non pas ce que l'Homme de Bien peut faire pour toi…, commença le Garde.

— Mais ce que tu peux faire pour lui, soupira Hax. Soldat, ne pose pas de questions.

— Tu sais ce que ça implique, fit doucement le garde.

— Oui-là. Et je sais quelles sont mes responsabilités envers lui. Pas besoin de me faire la leçon. Je l'aime au moins autant que toi. Je le suivrais dans la mer, s'il me le demandait. Ça oui.

— Très bien. La viande sera marquée pour un stockage de courte durée dans tes chambres froides. Mais il te faudra faire vite. Il faut que tu comprennes bien ça.

— Il y a des enfants, à Taunton ? demanda le cuisinier.

Il ne s'agissait pas d'une véritable question.

— Des enfants, partout, dit le garde avec douceur. Ce sont les enfants qui nous importent… et qui lui importent à lui.

— De la viande empoisonnée. C'est là une drôle de façon de prouver son amour à des enfants.

Hax lâcha un profond soupir sifflant.

— Est-ce qu'ils vont se tordre de douleur en se tenant le ventre, et appeler leur maman en pleurant ? Je me doute que oui.

— Ce sera comme s'ils s'endormaient, dit le garde, mais d'un ton trop confiant et trop raisonnable.

— Bien sûr, fit Hax en riant.

— Tu l'as dit toi-même. Soldat, ne pose pas de questions. Tu aimes ça, voir des enfants sous la loi du fusil, alors qu'ils pourraient être dans ses mains à lui, prêts à construire un nouveau monde ?

Hax ne répondit pas.

— Je dois reprendre ma garde dans vingt minutes, annonça le garde d'une voix redevenue calme. Sers-moi un gigot de mouton, et puis je vais taquiner une de tes filles, pour la faire glousser. Quand je partirai…

— Mon mouton ne te donnera pas de crampes d'estomac, Robeson.

— Pourrais-tu…

Mais les ombres s'éloignèrent et les voix se perdirent.

J'aurais pu les tuer, pensa Roland, pétrifié et fasciné. *J'aurais pu les tuer tous les deux avec ma lame, les égorger comme des porcs.* Il regarda ses mains, souillées de sauce et de baies, et aussi de la crasse des exercices de la journée.

— Roland.

Il se tourna vers Cuthbert. Ils se regardèrent longuement dans la semi-pénombre odorante, et Roland sentit monter dans sa gorge un arrière-goût de désespoir brûlant. Ce qu'il ressentait pouvait s'apparenter à une forme de mort… aussi brutale et définitive que la mort de la colombe dans le ciel blanc, au-dessus du terrain de jeu. *Hax ?* se répéta-t-il, abasourdi. *Ce même Hax qui m'avait posé un cataplasme à la jambe ?* Puis son esprit se verrouilla en une seconde, coupant court à ses réflexions.

Et il ne voyait plus rien – même sur le visage plein d'humour et d'intelligence de Cuthbert – rien du tout. Les yeux de Cuthbert s'étaient éteints avec la condamnation de Hax. Dans les yeux de Cuthbert, les choses s'étaient déjà produites. Il leur avait donné à manger, ils étaient descendus et alors Hax avait entraîné ce garde nommé Robeson dans le mauvais coin pour leur petit tête-à-tête. Le *ka* avait fait irruption comme cela arrivait parfois, comme un énorme rocher qui dévale une pente. Point final.

Les yeux de Cuthbert étaient ceux d'un pistolero.

10

Le père de Roland venait juste de rentrer des hautes terres, et il paraissait déplacé, au milieu des tentures et des fanfreluches en mousseline du grand hall de réception dans lequel le jeune garçon n'avait été que récemment admis, comme signe de son état d'apprenti.

Steven Deschain était vêtu d'un jean noir et d'une chemise de travail bleue. Sa grande cape, poussiéreuse et zébrée de crasse, déchirée à la doublure dans un coin, était jetée négligemment sur l'épaule, sans aucune considération pour le contraste qu'elle et son propriétaire marquaient avec l'élégance de la pièce. Il était d'une maigreur désespérante et sa grosse moustache en guidon de vélo semblait alourdir encore son visage lorsqu'il le baissa vers son fils. Les pistolets lui ceignaient les hanches en un angle idéalement pensé pour ses mains, et les crosses en bois de santal paraissaient mornes et amorphes sous cette lumière d'intérieur languissante.

— Le chef cuisinier, dit son père doucement. Ça alors ! Les rails qu'on a fait sauter en tête de ligne, sur le plateau. Le bétail mort à Hendrickson. Et peut-être même... Ça alors ! Incroyable !

Il posa sur son fils un regard plus attentif.

— Tu es en proie à la tourmente.

— Une proie, comme pour le faucon, répondit Roland.

Il rit, non pas devant la légèreté de la situation, mais devant l'incongruité flagrante de cette image.

Son père sourit.

— Oui, fit Roland. J'imagine que je suis en proie à la tourmente.

— Cuthbert était avec toi, reprit son père. À l'heure qu'il est, il doit en avoir parlé à son père.

— Oui.

— Il vous a donné à manger à tous les deux quand Cort...

— Oui.

— Et Cuthbert, tu penses qu'il est en proie à la tourmente, lui aussi ?

— Je ne sais pas.

Il s'en moquait. Peu lui importaient les comparaisons entre ses sentiments et ceux des autres.

— Cela te tourmente car tu as l'impression d'avoir causé la mort d'un homme ?

Roland haussa malgré lui les épaules, peu satisfait de cette introspection forcée.

— Pourtant tu as parlé. Pourquoi ?

Les yeux du garçon s'écarquillèrent.

— Comment aurais-je pu faire autrement ? La trahison est...

Son père le fit taire d'un geste brusque de la main.

— Si tu l'as fait dans le souci bien bas de suivre ton manuel, dans ce cas tu as agi indignement. J'aimerais mieux voir tout Taunton empoisonné.

— Ce n'est pas ce que j'ai fait !

Les mots jaillissaient violemment de sa bouche.

— Je voulais le tuer... les tuer tous les deux ! Menteurs ! Menteurs *noirs* ! Serpents ! Ils...

— Continue.

— Ils m'ont fait mal, poursuivit-il d'un air de défi. Ils ont changé quelque chose, et ça fait mal. C'est pour cette raison que je voulais les tuer. Les tuer là, sur-le-champ.

Son père hocha la tête.

— Voilà qui est grossier, Roland, mais pas indigne. Ni moral, d'ailleurs, mais la morale n'a rien à faire ici. En fait...

Il scruta le visage de son fils.

— La morale te dépassera sans doute toujours. Tu n'es pas rapide, comme Cuthbert ou le garçon de Vannay. Mais c'est bien comme cela. Tu n'en seras que plus redoutable.

Le garçon se sentit à la fois content et troublé par ces paroles.

— On va le...

— Le pendre, oui.

Le garçon acquiesça.

— Je veux y assister.

L'aîné des Deschain balança la tête en arrière et partit d'un grand éclat de rire.

— Pas aussi redoutable que je le pensais... ou peut-être seulement stupide.

Il referma brusquement la bouche. Un bras jaillit et vint saisir celui du garçon avec violence. Roland grimaça mais ne recula pas. Son père l'observa attentivement ; le fils lui rendit son regard, bien que cela fût plus difficile que d'enchaperonner le faucon.

— Très bien, dit-il, tu le pourras.

Il fit volte-face pour s'en aller.

— Père ?

— Oui ?

— Savez-vous de qui ils parlaient ? Savez-vous qui est l'Homme de Bien ?

Le père se retourna et lui lança un regard inquisiteur.

— Oui, je le crois.

— Si vous l'attrapiez, hasarda Roland d'un ton appliqué et presque lourdaud, on n'aurait plus à faire sauter le cou du cuisinier, ni de personne d'autre.

Son père eut un petit sourire.

— Pour un temps, peut-être pas. Mais il faut toujours que quelqu'un finisse par se faire sauter le cou, comme tu l'as dit de manière si pittoresque. C'est le peuple qui l'exige. Tôt ou tard, si l'on ne trouve pas de renégat, le peuple s'en crée un.

— Oui, répondit Roland, saisissant immédiatement le concept – un de ceux qu'il n'oublia jamais, par la suite, mais si on attrapait l'Homme de Bien...

— Non, fit son père sur un ton catégorique.

— Pourquoi ? Pourquoi ça ne mettrait pas fin à tout ça ?

Pendant un instant, son père sembla sur le point de lui révéler pourquoi, puis il secoua la tête.

— Nous avons assez parlé pour le moment, il me semble. Retire-toi.

Il aurait voulu rappeler à son père de ne pas oublier sa promesse quand viendrait l'heure pour Hax de passer à la trappe, mais il était sensible aux sautes d'humeur de son père. Il porta le poing à son front, croisa les pieds et s'inclina devant lui. Puis il sortit en fermant rapidement la porte. Il soupçonnait son père d'avoir surtout envie de baiser, pour le moment. Il avait conscience que son père et sa mère le faisaient, et il était raisonnablement informé sur la façon dont cela se pratiquait, mais l'image mentale qui accompagnait toujours cette pensée lui laissait une impression de malaise et, bizarrement, de culpabilité. Quelques années plus tard, Susan devait lui raconter l'histoire d'Œdipe, qu'il allait assimiler en silence, en repensant avec gravité à cet étrange triangle maudit formé par son père, sa mère et Marten – ce dernier connu dans certaines zones sous le nom de Farson, l'Homme de Bien. Ou peut-être s'agissait-il d'un rectangle, si quiconque désirait y prendre place.

11

La Colline aux Potences se situait sur la Route de Taunton – ce qui signifiait « torture », dans un des dialectes à l'origine du Haut Parler. Très poétique, vraiment. Cuthbert aurait sans doute apprécié ce ravissant effet, mais pas Roland. Il apprécia en revanche la splendeur funeste de l'échafaud se dressant sur fond de ciel bleu cobalt, silhouette anguleuse surplombant d'un air menaçant la piste de la diligence.

Les deux garçons avaient été dispensés de leurs Exercices du Matin – Cort avait lu laborieusement le mot écrit par leurs pères, bougeant les lèvres, hochant la tête çà et là. Une fois sa lecture terminée, il avait soigneusement remisé les papiers dans sa poche. Même ici, à Gilead, le papier devenait rapidement aussi précieux que de l'or. Après avoir mis ces deux feuilles en lieu sûr, il avait levé le nez vers l'aube bleu violacé et avait de nouveau hoché la tête.

— Attendez ici, avait-il dit en se dirigeant vers la cabane de pierre penchée qui lui servait de quartiers.

Il en était revenu avec une tranche de gros pain azyme, qu'il avait cassée en deux pour en donner une moitié à chacun d'eux.

— Quand ce sera fini, vous émietterez ça sous ses chaussures. Prenez garde à bien faire ce que je vous dis, ou bien vous aurez affaire à moi la semaine prochaine.

Ils n'avaient pas compris avant d'arriver là-bas, à deux sur le hongre de Cuthbert. Ils étaient les premiers sur les lieux, deux bonnes heures avant tout le monde, quatre heures avant la pendaison elle-même, aussi La Colline aux Potences était-elle déserte – hormis les freux et les corbeaux. Il y avait des oiseaux partout. Ils s'étaient juchés sur la barre dure et saillante qui surplombait la trappe – cette armature de mort. Alignés sur le bord de la plate-forme, ils se bousculaient bruyamment pour prendre place sur l'escalier de bois.

— On laisse les cadavres, murmura Cuthbert. Pour les oiseaux.

— Montons voir, dit Roland.

Cuthbert le regarda avec dans les yeux ce qui ressemblait à de l'horreur.

— Quoi, *là-haut* ? Tu penses que...

Roland l'interrompit d'un geste de la main.

— On a des *années* d'avance. Il ne viendra personne.

— D'accord.

Ils montèrent lentement vers le gibet, faisant s'envoler les oiseaux, qui croassaient et décrivaient des cercles comme une foule de paysans expropriés en colère. Leurs corps étaient d'un noir implacable et se découpaient sur l'aube pure, dont les lueurs inondaient le ciel du Monde de l'Intérieur.

Pour la première fois, Roland ressentit l'ampleur énorme de sa responsabilité dans cette affaire : ce bois n'avait rien de noble, ne faisait pas partie de la machine terrifiante de la Civilisation, ce n'était là que du pin gauchi issu de la Forêt de la Baronnie, maculé de fientes blanches. Tout le bois en était éclaboussé – l'escalier, la rambarde, la plate-forme – et ça puait.

Le garçon se tourna vers Cuthbert avec des yeux alarmés et terrifiés, pour constater que ce dernier le regardait avec la même expression.

— Je peux pas, murmura Cuthbert. Ro', je peux pas regarder.

Roland secoua lentement la tête. Il y avait une leçon à apprendre, il s'en rendait compte, non pas quelque chose de flamboyant, mais quelque chose de vieux et de rouillé, de mal taillé. C'était la raison pour laquelle leurs pères les avaient laissés venir. Et avec son obstination habituelle, son entêtement brouillon, Roland en prit mentalement possession.

— Tu le peux, Bert.

— Je ne fermerai pas l'œil de la nuit, si je regarde.

— Eh bien ! tant pis, fit Roland, sans bien comprendre quel rapport il y avait entre les deux.

Cuthbert saisit brusquement la main de Roland et le regarda avec des yeux remplis d'un tel martyre muet que les doutes de Roland resurgirent et qu'il regretta avec une montée de nausée d'avoir même pénétré dans les cuisines de l'aile ouest, ce soir-là. Son père avait raison. Il valait mieux ne pas savoir. Mieux valait voir chaque homme, chaque femme et chaque enfant que comptait Taunton réduits à l'état de cadavres puants plutôt que ça.

Mais pourtant. Pourtant. Quelle que fût la leçon, quelle que fût cette chose rouillée aux bords tranchants, à demi enterrée, il était bien décidé à ne pas la laisser lui échapper.

— Pas la peine de monter, dit Cuthbert. On a tout vu, déjà.

Roland acquiesça à contrecœur, sentant son emprise sur cette chose – quelle qu'elle fût – faiblir. Il savait que Cort les aurait frappés tous deux, les aurait fait ramper avant de les forcer à monter sur la plate-forme, une maudite marche après l'autre… il leur aurait fait renifler le sang frais, pour qu'il leur remonte dans les narines, le long de la gorge, comme une confiture salée. Cort aurait sans doute fait passer une nouvelle boucle de chanvre au bout de la vergue, il leur aurait passé le nœud autour du cou à tour de rôle, il les aurait placés sur la trappe ; et Cort se serait tenu prêt à les frapper une nouvelle fois s'ils avaient pleuré, ou perdu le contrôle de leur vessie. Et Cort, bien sûr, aurait eu raison. Pour la première fois de sa vie, Roland se surprit à haïr sa propre enfance. Il se mit à appeler de ses souhaits le grand âge.

Il arracha volontairement un éclat de la rambarde et le glissa dans sa poche de chemise, avant de tourner les talons.

— Pourquoi as-tu fait ça ? demanda Cuthbert.

Il aurait voulu répondre une fanfaronnade du genre : *Oh, ces potences, ça porte bonheur*…, mais il ne sut que fixer Cuthbert en secouant la tête.

— Pour l'avoir, c'est tout. L'avoir toujours sur moi.

Ils allèrent s'asseoir à l'écart du gibet et attendirent. Au bout d'une heure environ, les premiers habitants de la ville commencèrent à se réunir, pour la plupart des familles venues dans des chariots défoncés et des *buckas* bousillés, leur petit déjeuner sous le bras – des bourriches de crêpes froides repliées sur une couche de confiture de maquereines sauvages. Roland sentit son estomac se tordre de faim et se demanda une nouvelle fois, avec désespoir, où étaient l'honneur et la noblesse, dans tout ça. On lui avait appris ces choses-là, et il était à présent contraint à se demander si on lui avait menti tout le long, ou bien s'il s'agissait de trésors enfouis profondément par les sages. Il *voulait* croire cela, mais il lui semblait que Hax, dans son tablier sale, allant et venant dans sa cuisine souterraine et fumante en hurlant après ses marmitons, avait plus d'honneur que ça. Il fit jouer entre ses doigts l'écharde arrachée à l'arbre de potence, le cœur malade de perplexité. Cuthbert était étendu à côté de lui, le visage redevenu impassible.

12

Finalement, ce ne fut pas une telle histoire, et Roland en fut heureux. On amena Hax dans un chariot découvert, mais seul son gabarit permettait de le reconnaître. On lui avait bandé les yeux au moyen d'un large tissu noir qui lui tombait devant le visage. Quelques-uns lancèrent des pierres, mais la plupart poursuivirent leur repas tout en regardant.

Un pistolero que Roland ne connaissait que de vue (il se réjouissait que son père n'ait pas été désigné par la pierre noire) mena le gras cuisinier en haut des marches, avec précaution. Deux Gardes du Guet avaient pris les devants et se tenaient de part et d'autre de la trappe. Lorsque Hax et le pistolero atteignirent la plate-forme, l'homme balança la corde par-dessus la hampe, puis la passa autour du cou du cuisinier, laissant glisser le nœud jusqu'à ce qu'il soit juste au-dessus de son oreille gauche. Les oiseaux s'étaient tous envolés, mais Roland savait qu'ils attendaient leur heure.

— Souhaitez-vous vous confesser ? demanda le pistolero.

— Je n'ai rien à confesser, dit Hax.

Ses paroles portaient loin, sa voix était empreinte d'une dignité étrange, en dépit de l'étoffe qui lui masquait les lèvres et étouffait sa réponse. Le tissu tremblotait légèrement dans la douce brise qui s'était levée.

— Je n'ai pas oublié le visage de mon père. Il m'a accompagné tout du long.

Roland lança un regard acéré à la foule et ce qu'il vit le perturba – était-ce un élan de compassion ? De l'admiration, peut-être ? Il faudrait qu'il demande à son père. Lorsqu'on donne aux traîtres le nom de héros (ou aux héros le nom de traîtres, se dit-il avec son air sombre habituel), c'était le signe que les ténèbres étaient là. Les ténèbres, en effet. Il regrettait de ne pas mieux comprendre. Son esprit revint soudain sur Cort et sur le pain qu'il leur avait donné. Il ressentit du mépris : le jour viendrait où Cort serait son serviteur. Peut-être pas celui de Cuthbert. Peut-être Bert resterait-il sous le feu stable de Cort, pour ne devenir qu'un page ou un écuyer (voire infiniment pire : un diplomate parfumé, badinant dans les antichambres ou scrutant des boules de cristal d'opérette pour leurrer des rois et des princes gâteux), mais lui non. Il le savait. Il était fait pour les grands espaces et les longues chevauchées. Que cela lui semblât ou non une *bonne* destinée, voilà qui plus tard le ferait beaucoup réfléchir, dans ses heures de solitude.

— Roland ?

— Je suis là.

Il prit la main de Cuthbert, et leurs doigts se serrèrent comme un verrou de fer.

— Les chefs d'accusation sont : meurtre et sédition, dit le pistolero. Vous avez trahi le blanc et moi, Charles, fils de Charles, je vous remets au noir, à jamais.

Un murmure passa sur la foule, ainsi que quelques protestations.

— Je n'ai jamais…

— Tu raconteras ton histoire aux enfers, l'asticot, dit Charles, fils de Charles, avant de tirer d'un coup sec sur le levier, de ses deux mains gantées de jaune.

La trappe s'ouvrit. Hax piqua vers le bas, essayant toujours de parler. Jamais Roland ne devait oublier cette vision. Le cuisinier s'enfonça *en essayant toujours de parler*. Et où devait-il finir la dernière phrase qu'il avait commencée sur cette terre ? Ses paroles furent closes par le fracas que ferait une pomme de pin qui explose dans le brasier, par une noire nuit d'hiver.

Mais il trouva qu'on en faisait finalement toute une affaire. Les jambes du cuisinier battirent l'air une fois, formant un grand Y. La foule lâcha un sifflet de satisfaction. Les Gardes du Guet abandonnèrent leur pose militaire et se mirent non-chalamment à tout ranger. Charles fils de Charles redescendit lentement les marches, monta en selle et s'éloigna, traçant dans le vif d'un troupeau de pique-niqueurs, cravachant au passage quelques-uns des lambins, les faisant détaler.

Après quoi la foule se dispersa rapidement, et, quelque quarante minutes plus tard, les deux garçons se retrouvèrent seuls sur la petite colline qu'ils avaient choisie pour assister à l'exécution. Les oiseaux étaient de retour, pour inspecter leur nouvelle prise. L'un d'eux se posa sur l'épaule de Hax avec bonhomie et entreprit de piquer du bec l'anneau brillant que le cuisinier portait depuis toujours à l'oreille droite.

— On ne dirait pas du tout que c'est lui, dit Cuthbert.

— Oh si, c'est bien lui, répondit Roland avec assurance, tandis qu'ils se dirigeaient vers la potence, leur pain à la main.

Bert paraissait confus.

Ils s'arrêtèrent sous la hampe et levèrent les yeux vers le cadavre qui pendait en tournant. Cuthbert tendit le bras pour toucher d'un air méfiant l'une des chevilles poilues. Le corps se remit à se balancer.

Puis, sans perdre de temps, ils émiettèrent grossièrement le pain et le dispersèrent sous les pieds suspendus. Tandis qu'ils quittaient les lieux, Roland se retourna, une seule fois. À présent, il y avait des milliers d'oiseaux. Le pain était donc symbolique – il le perçut obscurément.

— C'était bien, fit soudain Cuthbert. C'est… je… j'ai aimé ça. Vraiment.

Roland ne fut pas choqué, même si pour sa part il n'avait pas particulièrement apprécié la scène. Mais il entrevoyait qu'il pouvait comprendre ce que ressentait Bert. Peut-être ne finirait-il pas en diplomate, après tout, malgré ses blagues et ses bons mots faciles.

— Je ne sais pas si c'était bien, mais en tout cas c'était quelque chose. Ça c'est sûr.

La terre ne tomba pas aux mains de l'Homme de Bien avant cinq années, mais entre-temps Roland était devenu pistolero, son père était mort, lui-même était un matricide... et le monde avait changé.

L'heure des grands espaces et des longues chevauchées était venue.

13

— Regardez, dit Jake en tendant la main vers le ciel.

Le Pistolero leva la tête et sentit un élancement dans sa hanche droite. Il grimaça. Cela faisait maintenant deux jours qu'ils étaient dans les contreforts, et, bien que les outres fussent à nouveau presque vides, cela n'avait plus d'importance. Ils trouveraient bientôt plus d'eau qu'ils ne pourraient en boire.

Il suivit du regard le vecteur dessiné par le doigt de Jake, au-delà de la pente verte de la plaine, en passant sur les falaises et les gorges nues et étincelantes... jusqu'à la calotte de neige elle-même.

Flou et lointain, pas plus qu'un point minuscule (il aurait pu s'agir d'une de ces petites particules qu'on voit danser constamment devant son œil, à la différence près que ce point-là ne voulait pas disparaître), le Pistolero aperçut l'homme en noir, qui gravissait les pentes avec une régularité implacable, mouche microscopique sur un énorme mur de granit.

— Est-ce que c'est lui ? demanda Jake.

Le Pistolero fixa la particule désincarnée et ses acrobaties lointaines, et il ne ressentit rien d'autre que la prémonition du chagrin à venir.

— C'est lui, Jake.

— Vous croyez qu'on va le rattraper ?

— Pas de ce côté-ci. De l'autre. Et sûrement pas si on reste ici à en discuter.

— Mais c'est tellement haut. Qu'y a-t-il, de l'autre côté ?

— Je ne sais pas. Je crois que personne ne le sait. Peut-être autrefois, mais plus maintenant. Allons-y, mon garçon.

Ils reprirent leur ascension, faisant glisser de petites rigoles de cailloux et de sable vers le désert, qui s'étendait derrière eux comme une plaque de tôle uniforme, qui semblait ne jamais finir. Au-dessus, loin au-dessus d'eux, l'homme en noir grimpait, encore et toujours. Impossible de savoir s'il regardait en arrière ou pas. Il paraissait enjamber d'un bond des gouffres infranchissables, ou escalader des parois à pic. Une fois ou deux il disparut, mais ils le virent toujours réapparaître, jusqu'à ce que le voile violet du crépuscule le dérobe à leur regard. Lorsqu'ils établirent leur campement pour la nuit, le garçon parla peu, et le Pistolero se demanda s'il savait ce dont lui-même avait déjà l'intuition. Il repensa au visage de Cuthbert, brûlant, consterné et plein d'excitation. Il repensa au pain. Il repensa aux oiseaux. C'est ainsi que ça finit, se dit-il. C'est ainsi que ça finit, toujours. Il est des quêtes et des routes qui mènent toujours plus avant, et toutes s'achèvent au même endroit... dans le charnier.

Sauf, peut-être, la route menant à la Tour. Là, le *ka* pourrait bien montrer son vrai visage.

Le garçon, le sacrifice, son visage innocent et si jeune dans la lumière de leur feu minuscule, s'était endormi sur ses haricots. Le Pistolero le recouvrit de la couverture du cheval et se roula lui aussi en boule.

L'ORACLE
ET LES MONTAGNES

1

L e garçon trouva l'oracle, et l'oracle faillit le détruire.

Un vague instinct tira le Pistolero de son sommeil, dans la pénombre de velours qui était tombée sur eux après le coucher du soleil. C'était au moment où Jake et lui avaient atteint l'oasis luxuriante et presque plane, le premier palier au-dessus des contreforts effondrés. Même dans le paysage misérable du dessous, quand ils avaient peiné et bataillé pas après pas sous le soleil assassin, ils entendaient le son des criquets frottant leurs pattes l'une contre l'autre de façon suggestive, dans le vert éternel des bosquets de saules, au-dessous d'eux. Le Pistolero était resté calme d'esprit, et le garçon en avait maintenu au moins l'apparence, en façade, et le Pistolero s'en était senti fier. Mais Jake n'avait pas pu dissimuler cette sauvagerie dans ses yeux, ses yeux blancs et fixes, les yeux d'un cheval qui sent l'eau et qui n'est retenu de s'emballer que par la chaîne ténue de l'esprit de son maître. Comme un cheval, à cet instant où seule la compréhension, et non la cravache, peut le maintenir calme. Le Pistolero mesurait bien en Jake ce besoin, il le sentait à la folie que paraissait insuffler dans son propre corps le bruit des criquets. Ses bras semblaient chercher désespérément l'argile, pour l'érafler, et ses genoux l'imploraient de les déchiqueter, en balafres minuscules, salées et exaspérantes.

Tout le long du chemin, le soleil les piétina. Même au crépuscule, lorsqu'il gonflait et virait au rouge fiévreux, il brillait d'un feu pervers à travers les entailles dans les contreforts à leur gauche, les aveuglant et transformant chaque larme de sueur en prisme de torture.

Puis la végétation était apparue : d'abord, rien que des buissons de crin jaune, s'accrochant avec une vitalité effarante au sol nu, au bord du ruissellement de l'eau. Plus haut, c'était le royaume de l'herbe de la sorcière, d'abord éparse, puis s'étalant en vastes plans verts et luxuriants... puis la douce odeur de l'herbe, la vraie, mêlée à celle de la fléole des prés, dans l'ombre des premiers pins nains. C'était là que le Pistolero avait vu fuser un éclair fauve, parmi les ombres. Il avait dégainé, tiré, et abattu le lapin avant même que Jake ait eu le temps de pousser un cri de surprise. La seconde d'après, il avait rengainé son arme.

— Ici, fit le Pistolero. Plus haut, l'herbe devenait plus dense, s'enfonçait dans un bosquet de saules verts dont la luxuriance donnait le vertige, après l'interminable cuvette stérile et desséchée. Il devait y avoir une source, voire plusieurs, et il y ferait même plus frais ; mais ils étaient mieux ici, à ciel ouvert. Le garçon avait marché aussi longtemps qu'il avait pu, repoussant ses limites, et il y avait peut-être des chauves-souris vampires dans le bosquet. Elles viendraient troubler le sommeil du garçon, même lourd, et si c'étaient bien des suceuses de sang, il était à craindre qu'aucun d'eux deux ne se réveillât... du moins pas dans ce monde-ci.

— Je vais chercher du bois, dit le garçon.

Le Pistolero sourit.

— Non, tu ne vas pas chercher du bois. Assieds-toi, prends place, Jake.

D'où venait cette expression ? Une expression de femme. De Susan ? Il ne se rappelait pas. *Le temps est un voleur de mémoire* : celle-là, il la tenait de Vannay, il le savait.

Le garçon s'assit. Lorsque le Pistolero revint, Jake dormait dans l'herbe. Une grosse mante religieuse se livrait à ses ablutions sur la mèche souple qui retombait sur le front du garçon. Le Pistolero s'étrangla de rire – pour la première fois depuis une éternité –, puis il alluma le feu et alla chercher de l'eau.

La jungle de saules était plus épaisse qu'il ne l'aurait cru, et le manque de lumière ajoutait à la confusion de l'ambiance. Mais il dégotta une source, copieusement gardée par les grenouilles et les quinquets. Il remplit une de leurs outres… et marqua une pause. Les sons qui emplissaient la nuit réveillaient en lui une sensualité anxieuse, un sentiment que même Allie, la femme avec laquelle il avait couché à Tull, n'avait pas réussi à susciter – la majorité du temps passé avec Allie l'avait été pour les affaires. Il mit ça sur le compte du changement brusque de luminosité entre le désert et le bosquet. Après tous ces kilomètres aveuglants et désolés, la douceur de la pénombre semblait presque décadente.

Il retourna au campement et dépouilla le lapin, tandis que l'eau bouillait sur le feu. Mélangé à leur dernière boîte de légumes, le lapin fit un excellent ragoût. Il réveilla Jake et le regarda manger, fatigué mais vorace.

— On restera ici demain, dit le Pistolero.

— Mais cet homme que vous suivez… ce prêtre…

— Il n'est pas prêtre. Et ne t'inquiète pas. Il attendra.

— Comment vous le savez ?

Le Pistolero ne put que secouer la tête. Son intuition était forte…, mais ce n'était pas une bonne intuition.

Après le repas, il rinça les boîtes dans lesquelles ils avaient mangé (en s'émerveillant une nouvelle fois de toute cette eau qu'il gaspillait) et, lorsqu'il se retourna, Jake s'était rendormi. Le Pistolero posa la main sur la poitrine de Jake, la sentant se soulever et redescendre, et cette sensation qui lui était devenue familière faisait toujours resurgir le souvenir de Cuthbert. Cuthbert avait l'âge de Roland alors, mais il paraissait tellement plus jeune.

Sa cigarette s'obstinait à s'affaisser au coin de ses lèvres, aussi la jeta-t-il dans le feu. Il observa l'incandescence jaune, si différente, tellement plus propre que celle de l'herbe du diable lorsqu'elle brûlait. L'air était d'une douceur extraordinaire, et il s'allongea en tournant le dos au feu.

Au loin, à travers le défilé qui menait à l'intérieur des montagnes, il entendit la voix sourde du tonnerre perpétuel. Il dormit. Il rêva.

2

Susan Delgado, sa bien-aimée, était en train de mourir sous ses yeux.

Il devait assister à ce spectacle, immobilisé par les deux villageois qui le retenaient par les bras, de chaque côté, le cou prisonnier d'un énorme collier rigide en fer rouillé. Ce n'était pas comme ça que ça s'était vraiment passé – il n'était même pas là –, mais les rêves avaient leur propre logique, n'est-ce pas ?

Elle était en train de mourir. Il sentait l'odeur de ses cheveux qui brûlaient, il les entendait crier charyou tri. Et il voyait la couleur de sa propre folie. Susan, ravissante jeune fille à sa fenêtre, fille du meneur de chevaux. Comme elle avait volé à travers l'Aplomb, son ombre mêlée à celle de sa monture, créature fabuleuse tout droit sortie de la légende, une créature sauvage et libre ! Comme ils avaient volé tous les deux, à travers le maïs ! À présent on lui lançait des enveloppes de maïs, lesquelles prenaient feu avant même de s'accrocher dans ses cheveux. Charyou tri, charyou tri, hurlaient-ils, ces ennemis de la lumière et de l'amour, et quelque part gloussait la sorcière. Rhéa, c'était le nom de la sorcière, et Susan noircissait dans les flammes, sa peau se craquelait et s'ouvrait, et…

Et que criait-elle ?

« Le garçon ! Roland, le garçon ! »

Il avait bondi, entraînant ses ravisseurs avec lui. Le joug lui déchirait le cou et il entendait les sons étranglés et déchirants jaillir de sa propre gorge. Il flottait dans l'air une odeur douce et écœurante de viande grillée.

Le garçon le regardait du haut d'une fenêtre située bien au-dessus du bûcher funéraire, cette même fenêtre où Susan, qui lui avait appris à devenir un homme, s'était assise autrefois pour chanter de vieux airs : « Hey Jude », « Chanter en cheminant » et « Amour insouciant ». Il regardait par la fenêtre la statue d'albâtre d'un saint dans une cathédrale. Ses yeux étaient de marbre. Le front de Jake avait été transpercé d'une pique.

Le Pistolero sentit un hurlement fabuleux lui étrangler la gorge, ce hurlement qui signalait que sa folie remontait des confins de son ventre. « Nnnnnnnnnnn… »

Roland émit un grognement bruyant en sentant le feu le brûler. Il se redressa tout droit dans le noir, sentant encore autour de lui le rêve de Mejis qui l'étranglait, comme le joug de fer qu'il portait. À force de se tourner et de se retourner, il avait projeté la main dans les braises mourantes du feu. Il la porta à son visage, sentant le rêve s'enfuir, ne laissant que l'image dure de Jake, livide, celle d'un saint livré aux démons.

— *Nnnnnnn...*

Il regarda autour de lui la pénombre mystique du bosquet de saules, les deux pistolets sortis, fin prêts. Ses yeux dessinaient deux meurtrières rouges dans les dernières lueurs du feu.

— *Nnnnnnnn...*

Jake.

Le Pistolero se leva d'un bond et se mit à courir. Un amer disque de lune s'était levé et il pouvait suivre la piste du garçon dans la rosée. Il se baissa pour esquiver le premier saule, fit gicler l'eau de la source, sauta de l'autre côté en dérapant sur la berge humide (même maintenant, son corps savourait encore le contact de l'eau). Les branches lui giflaient le visage. La forêt se faisait plus dense, masquant l'éclat de la lune. L'herbe, qui lui arrivait maintenant aux genoux, le caressait, comme pour l'implorer de ralentir, de profiter de la douceur. De profiter de la vie. Des branches mortes à moitié pourries lui battaient les tibias, les *cojones*. Il fit une courte pause, levant la tête pour renifler l'air. Un fantôme de brise lui vint en aide. Le garçon ne sentait pas bon, bien sûr ; lui non plus, d'ailleurs. Les narines du Pistolero se dilatèrent comme celles d'un singe. L'odeur plus légère et plus jeune de la sueur du garçon était diffuse, huileuse, impossible à manquer. Le Pistolero trébucha sur un amas d'herbe, de ronces et de branches mortes, fonça à travers un tunnel de saules pleureurs et de sumacs. La mousse lui battait les épaules comme des mains flasques de cadavres. Des vrilles grises s'accrochaient à lui en gémissant.

À coups de griffes, il se fraya un passage à travers une dernière barricade et déboucha sur une clairière qui ouvrait sur les étoiles et sur le plus haut pic de la chaîne, dont le sommet blanc comme un crâne luisait à une altitude impossible.

Il vit un anneau de pierres noires debout, qui, au clair de lune, faisait penser à une sorte de piège surréaliste. Au centre se dressait une table de pierre… un autel. Très ancien, jaillissant du sol sur un épais pied de basalte.

Le garçon se tenait debout devant l'autel, tremblant et se balançant d'avant en arrière. Le long de son corps, ses mains s'agitaient, comme traversées par un courant d'électricité statique. Le Pistolero l'interpella d'un ton brusque, et Jake répondit par un son de négation inarticulé. Son visage, tache pâle dans le noir, était presque complètement dissimulé par son épaule gauche ; on y lisait un mélange de terreur et d'exaltation. Et autre chose, aussi.

Le Pistolero pénétra dans le cercle et Jake se mit à hurler avec un mouvement de recul, lançant les bras vers le haut. À présent son visage était visible. Le Pistolero le vit en proie à une terreur panique, laquelle se mêlait à la lueur d'un plaisir insoutenable.

Le Pistolero sentit son influence l'atteindre – l'esprit de l'oracle, le succube. Son bas-ventre se remplit soudain de lumière, une lumière douce et pourtant dure. Il sentit sa tête tourner et sa langue gonfler, devenant sensible à la salive même qui la recouvrait.

Sans réfléchir à ce qu'il faisait, il extirpa la mâchoire à demi pourrie de la poche où il l'avait gardée depuis qu'il l'avait trouvée dans le repaire du Démon qui Parle, au relais. Sans réfléchir, mais agir par instinct pur ne lui avait jamais fait peur. Ç'avait toujours été la voie la meilleure et la plus honnête, pour lui. Il brandit le rictus figé et préhistorique de la mâchoire à hauteur de ses yeux, tendant son autre bras sur le côté, le pouce et l'auriculaire dressés dans le signe ancestral de la fourche, pour se protéger du mauvais œil.

Le courant de sensualité s'écarta devant lui comme une tenture.

Jake hurla à nouveau.

Le Pistolero se dirigea vers lui et plaça la mâchoire devant ses yeux en proie à leur lutte intérieure.

— Regarde, Jake… regarde bien.

En réponse, il entendit un gémissement humide d'angoisse infinie. Le garçon essayait de détourner le regard, mais en vain. L'espace d'un instant, il parut sur le point de se faire écarteler, sinon physiquement, mentalement. Puis, soudain, ses deux yeux roulèrent vers l'arrière, tournant au blanc. Jake s'évanouit. Son corps heurta le sol mollement, et d'une main il toucha presque le gros pied de basalte de l'autel. Le Pistolero mit un genou en terre et prit le garçon dans ses bras. Il était étonnamment léger, aussi déshydraté qu'une feuille de novembre par leur longue marche dans le désert.

Autour de lui, Roland sentait la présence qui habitait ce cercle de pierres ronronner d'une colère jalouse – on était en train de lui dérober sa prise. Une fois franchie la limite du cercle, le Pistolero sentit la frustration jalouse décliner rapidement. Il porta Jake jusqu'au campement. Le temps d'y arriver, l'état d'inconscience agitée du garçon s'était transformé en un profond sommeil. Le Pistolero marqua un temps d'arrêt au-dessus des vestiges grisâtres du feu. Éclairé par la lune, le visage de Jake lui rappela à nouveau celui d'un saint d'église, sculpté dans l'albâtre. Il serra l'enfant contre lui et lui déposa un baiser sec sur la joue, prenant conscience qu'il l'aimait. Peut-être que ce n'était pas tout à fait exact. La vérité, c'était sans doute qu'il avait aimé ce gosse à la seconde même où il l'avait aperçu (tout comme il avait aimé Susan Delgado) ; il ne s'autorisait simplement pas à reconnaître ce fait. Car *c'était* un fait.

Et il lui sembla presque entendre le rire en cascade de l'homme en noir, quelque part au-dessus d'eux.

Jake, qui l'appelait : c'est ce qui réveilla le Pistolero. Il l'avait solidement attaché à l'un des buissons arides qui poussaient là, et le garçon était affamé et en colère. Au soleil, il était presque neuf heures et demie.

— Pourquoi vous m'avez ligoté ? demanda Jake d'un air indigné, tandis que le Pistolero desserrait les gros nœuds autour de la couverture. J'allais pas me sauver !

— Tu *t'es* sauvé, répondit le Pistolero, et l'expression sur le visage de Jake le fit sourire. J'ai dû aller te rechercher. Tu étais somnambule.

— C'est vrai ? lui demanda le garçon d'un air suspicieux. J'avais jamais fait un truc pareil av...

Soudain, le Pistolero sortit la mâchoire et la plaça sous le nez de Jake. Le garçon eut un mouvement de recul, grimaçant et levant le bras.

— Tu vois ?

Jake acquiesça, bouleversé.

— Qu'est-ce qui s'est passé ?

— On n'a pas le temps de palabrer maintenant. Il faut que je m'absente quelque temps. Je serai peut-être parti toute la journée. Alors écoute-moi bien, fiston. C'est important. Si je ne suis pas revenu au coucher du soleil...

La peur traversa le visage de Jake.

— Vous m'abandonnez !

Le Pistolero se contenta de le regarder.

— Non, fit Jake après réflexion. J'imagine que, si vous vouliez m'abandonner, ce serait déjà fait.

— Voilà, c'est mieux. Là tu utilises ta tête. Maintenant écoute, je veux que tu sois très attentif. Je veux que tu restes ici pendant que je serai parti. Ici, dans le campement. Ne t'éloigne pas, même si ça te paraît l'idée du siècle. Et si tu te sens bizarre... bizarre, peu importe comment... tu prends cette mâchoire et tu la serres entre tes mains.

La haine et le dégoût, ainsi qu'un voile de perplexité, assombrirent le visage de l'enfant.

— Je ne pourrai pas... je... je ne pourrai pas, c'est tout.

— Si, tu pourras. Il le faudra peut-être. Surtout passé midi. C'est important. Tu te sentiras peut-être barbouillé, ou migraineux en la prenant pour la première fois, mais ça passera. Tu comprends ?

— Oui.

— Tu feras ce que je te dis ?

— Oui, mais pourquoi il faut que vous partiez ? éclata Jake.

— Il le faut, c'est tout.

Le Pistolero eut un nouvel aperçu fascinant de la volonté d'acier qu'abritait l'enveloppe corporelle de ce garçon, aussi énigmatique que cette histoire qu'il lui avait racontée, sur cette ville dont il était censé venir, où les bâtiments étaient si hauts qu'ils grattaient littéralement le ciel. Ce n'était pas Cuthbert que ce garçon lui rappelait, mais plutôt son autre ami le plus proche, Alain. Un garçon discret, aux antipodes de la démagogie et du charlatanisme à la Cuthbert, un garçon fiable, qui n'avait peur de rien.

— Très bien, fit Jake.

Le Pistolero posa la mâchoire par terre avec précaution, offrant à l'herbe son rictus, comme un fossile érodé qui aurait vu la lumière du jour après une nuit de cinq mille ans. Jake ne voulait pas la regarder. Il avait le visage pâle et l'air malheureux. Le Pistolero se demanda si cela serait bénéfique pour eux et pour lui de l'hypnotiser pour l'interroger, puis estima que non. Il savait trop bien que l'esprit du cercle de pierre était à n'en pas douter un démon, et très certainement aussi un oracle. Un démon sans forme, rien qu'une sorte de vague lueur sexuelle dotée de l'œil de la prophétie. Il se demanda brièvement si ce ne pouvait pas être l'âme de Sylvia Pittston, la géante dont le boniment religieux avait conduit Tull à sa perte, dans l'épreuve de force fatale... Mais non. Pas elle. Les pierres du cercle étaient anciennes. Sylvia Pittston n'était qu'une petite gueuse-la-morveuse, comparée à la chose qui avait fait sa tanière ici. Une chose ancienne... et rusée. Mais le Pistolero maîtrisait toutes les formes du parler et il ne pensait pas que le garçon aurait à utiliser le talisman. La voix et l'esprit de l'oracle auraient bien assez à faire avec lui. Le Pistolero avait besoin de savoir certaines choses, malgré le risque... et le risque était grand. Cependant, pour Jake autant que pour lui-même, il avait désespérément besoin de savoir.

Le Pistolero ouvrit sa blague à tabac et fourragea à l'intérieur, repoussant les lambeaux de feuilles sèches sur le côté, jusqu'à ce que ses doigts entrent en contact avec un minuscule objet enveloppé dans un fragment de papier blanc. Il le fit rouler entre ces doigts qui allaient disparaître bien trop tôt et leva vers le ciel un regard distrait. Puis il déroula le papier et en prit le contenu – une minuscule pilule blanche dont le contour s'était émoussé pendant le voyage –, qu'il garda dans la main.

Jake le regarda d'un air curieux.

— Qu'est-ce que c'est ?

Le Pistolero eut un rire bref.

— Cort nous racontait que c'étaient les Dieux Anciens qui pissaient dans le désert, et que c'était ce qui donnait la mescaline.

Jake eut seulement l'air perplexe.

— C'est une drogue, précisa le Pistolero. Mais pas une drogue qui t'endort. Une drogue qui te réveille complètement pour un petit moment.

— Comme le LSD, dit le garçon comme malgré lui, avant de reprendre un air perplexe.

— Le quoi ?

— Je ne sais pas, c'est sorti tout seul. Je pense que ça doit venir de… vous savez, d'avant.

Le Pistolero acquiesça, mais il avait des doutes. Il n'avait jamais entendu quiconque appeler la mescaline LSD, pas même dans les vieux livres de Marten.

— Ça va vous faire mal ? demanda Jake.

— Ça ne m'a jamais fait mal jusqu'ici, dit le Pistolero, conscient qu'il louvoyait.

— J'aime pas ça.

— Ne t'inquiète pas.

Le Pistolero s'accroupit devant l'outre, prit une gorgée d'eau et avala la pilule. Comme toujours, la réaction buccale fut immédiate : il lui sembla que sa bouche débordait de salive. Il s'assit près du feu éteint.

— Quand est-ce qu'il se passe quelque chose ? demanda Jake.

— Pas avant un petit moment. Reste tranquille.

Jake se tut, observant avec une suspicion non dissimulée le Pistolero qui se livrait calmement au rituel du nettoyage de ses armes.

Il les rangea puis s'adressa au garçon.

— Ta chemise, Jake. Retire-la et donne-la-moi.

À contrecœur, Jake retira par le haut sa chemise délavée, dévoilant sa cage thoracique maigre, et il la tendit à Roland.

Le Pistolero sortit une aiguille qu'il gardait dans la couture latérale de son jean, ainsi que du fil provenant d'un étui de douille vide dans son ceinturon. Il se mit à recoudre une longue déchirure dans une des manches de la chemise. Une fois sa tâche terminée, tandis qu'il rendait sa chemise au garçon, il sentit les premiers effets de la drogue – comme une contraction de l'estomac, et la sensation qu'on resserrait d'un cran tous les muscles de son corps, d'un tour de manivelle.

— Il faut que j'y aille, dit-il en se levant. Il est temps.

Le garçon se leva à demi, le visage assombri par l'inquiétude, puis se rassit.

— Soyez prudent. Je vous en prie.

— Rappelle-toi : la mâchoire, répondit le Pistolero.

Il posa la main sur la tête de Jake en passant et ébouriffa ses cheveux couleur de blé. Ce geste engendra chez lui un rire bref. Le garçon le regarda s'éloigner avec un sourire troublé, jusqu'à ce que sa silhouette eût disparu dans la jungle de saules.

5

Le Pistolero marcha d'un air déterminé jusqu'au cercle de pierres, s'arrêtant le temps de boire un peu d'eau fraîche à la source. Il voyait son propre reflet dans une minuscule flaque cernée de mousse et de nénuphars, et il se regarda un moment, aussi fasciné que l'avait été Narcisse. Les effets sur son psychisme commençaient à se faire sentir, ralentissant le cours de sa réflexion tout en paraissant augmenter la connotation de chaque idée et la moindre donnée microsensorielle. Les choses commençaient à prendre un poids et une épaisseur invisibles jusqu'alors. Il s'immobilisa, puis se remit debout et jeta un regard à travers l'entrelacs de branches. La lumière du soleil filtrait en un rayon oblique et doré où dansait la poussière, et il contempla pendant un petit moment le jeu des particules et des minuscules paillettes en suspension, avant de reprendre son chemin.

La drogue l'avait souvent gêné : son ego était trop fort (ou peut-être trop entier) pour aimer être décortiqué et mis en veilleuse, devenir la cible d'émotions plus sensibles – ces sensations le titillaient (et souvent, le rendaient fou), comme les moustaches d'un chat qui l'auraient effleuré. Mais, cette fois-ci, il se sentait plutôt paisible. Ce qui était une très bonne chose.

Il pénétra dans la clairière et alla droit dans le cercle. Il se planta là, libérant son esprit et le laissant vagabonder. Oui, ça montait, plus dur, plus vite. L'herbe hurlait sa couleur verte, la hurlait à son intention. Il lui semblait que s'il se baissait et se frottait les mains dedans, il se retrouverait avec de la peinture verte partout sur les doigts et les paumes. Il résista à l'impulsion malicieuse de tenter le coup.

Mais de l'oracle ne monta nulle voix. Pas de frémissement sexuel, ni d'aucune autre sorte.

Il se dirigea vers l'autel et se planta là un moment.

Toute pensée cohérente était devenue pratiquement impossible. Il avait une conscience aiguë de la présence de dents dans sa bouche, elles lui paraissaient toutes bizarres, de minuscules tombes plantées dans la terre humide et rose. Le monde était baigné de trop de lumière. Il grimpa sur l'autel et s'allongea. Son esprit était en train de devenir une jungle pleine de plantes-pensées étranges qu'il n'avait jamais vues ni même imaginées auparavant, une jungle qui avait poussé autour d'une source de mescaline. Le ciel était d'eau et lui se tenait en suspension au-dessus. Cette pensée lui donna le vertige, un vertige qui lui parut lointain et secondaire.

Un vers issu d'un poème ancien lui vint en mémoire, pas une voix de l'enfance cette fois-ci, non. Sa mère craignait les drogues et la nécessité de les utiliser (tout comme elle craignait Cort, et le besoin d'avoir recours à un homme qui battait les garçons) ; le vers lui venait du peuple Manni, au nord du désert, un clan qui vivait toujours entouré de machines pour la plupart hors d'usage... et qui lorsqu'elles marchaient dévoraient parfois les hommes. Les vers revenaient encore et encore, lui rappelant (de cette manière déconnectée, typique de la montée de mescaline) de la neige dans un globe comme celui qu'il possédait enfant, mystique et à moitié fantastique :

> Hors de portée de tout homme
> Une goutte d'enfer, une touche d'étrangeté

Les arbres qui surplombaient l'autel recelaient des visages. Il les contempla avec une fascination abstraite : ici un dragon vert qui se contorsionnait, là une nymphe des bois agitant ses bras de branches, ou encore un crâne vivant recouvert de bave gluante. Des visages. Des figures.

L'herbe de la clairière se mit soudain à claquer et à ployer.

Ça vient.

Ça vient.

De vagues frissons traversant sa chair. Tout ce chemin parcouru, se dit-il. Hier, allongé dans l'herbe douce de l'Aplomb avec Susan et aujourd'hui, ça.

Elle se serra contre lui, avec son corps fait de vent, sa poitrine de jasmin odorant, de rose et de chèvrefeuille.

— Énonce ta prophétie, dit-il. Dis-moi ce que j'ai besoin de savoir.

Un goût de métal lui envahit la bouche.

Un soupir. Un sanglot léger. Le Pistolero sentait ses organes génitaux durs et comprimés. Au-dessus de lui, au-delà des visages dans les feuilles, il apercevait les montagnes... dures, brutales, pleines de dents.

Contre lui, le corps remua, lutta. Il sentit ses poings se fermer. Elle avait convoqué une vision de Susan. C'était Susan au-dessus de lui, sa bien-aimée Susan Delgado, qui l'attendait dans une cabane de meneur de bétail abandonnée, les cheveux lâchés sur les épaules et dans le dos. Il pencha la tête, mais son visage à elle le suivit.

Jasmin, rose, chèvrefeuille, vieux foin... le parfum de l'amour. Aime-moi.

— Énonce ta prophétie. Énonce la vérité.

Je t'en prie, pleura l'oracle. *Ne sois pas froid. Il fait déjà si froid, ici...*

Des mains effleurant sa chair, le manipulant, faisant jaillir le feu en lui. Le tirant. Le pressant. Une fente noire et parfumée. Humide et chaude...

Non. Sèche. Froide. Stérile.

Aie pitié, pistolero. Ah, je t'en prie, j'implore tes faveurs ! Pitié !

Auras-tu pitié du garçon ?

Quel garçon ? Je ne connais pas de garçon. Ce n'est pas d'un garçon que j'ai besoin. Ô je t'en prie.

Jasmin, rose, chèvrefeuille. Le foin séché avec ses effluves de trèfle estival. L'huile tirée des urnes antiques. La chair qui s'embrase.

— Après, dit-il. Si ce que tu me dis peut m'être utile.

Maintenant. Par pitié. Maintenant.

Il laissa son esprit s'enrouler vers elle, dans une négation totale de toute émotion. Le corps suspendu au-dessus du sien s'immobilisa et sembla hurler. Il y eut quelques instants de bataille acharnée et vicieuse entre ses tempes – son cerveau était la corde grise et fibreuse qu'on tirait en tous sens. Pendant un moment, il n'y eut d'autres sons que le souffle silencieux de sa respiration et la brise légère qui faisait bouger les visages verts dans les arbres – clin d'œil, grimace. Pas de chants d'oiseaux.

Elle relâcha son étreinte. De nouveau ce sanglot. Il fallait faire vite, ou bien elle le quitterait. Rester maintenant signifiait pour elle perdre de sa force ; peut-être même périr. Il sentait déjà le souffle glacé se retirer pour déserter le cercle de pierres. Le vent faisait ondoyer l'herbe en une danse de supplice.

— La prophétie, répéta-t-il avant d'asséner une exigence plus sinistre encore. La vérité.

Un sanglot, un soupir de lassitude. Il aurait presque pu lui accorder la pitié qu'elle quémandait, seulement – il y avait

Jake. S'il était arrivé une seconde plus tard la nuit précédente, il aurait retrouvé le petit mort, ou fou.

Dors, alors.

— Non.

Dors d'un demi-sommeil.

Ce qu'elle demandait était dangereux, mais sans doute nécessaire. Le Pistolero leva les yeux vers les visages dans les arbres. On y jouait une pièce, pour son divertissement. Des mondes naissaient et mouraient devant lui. Des empires se construisaient sur les sables rayonnants, où des machines éternelles peinaient dans une frénésie électronique abstraite. Des empires déclinaient, chutaient, renaissaient de leurs cendres. Des roues qui tournaient comme un liquide silencieux ralentissaient, se mettaient à grincer, à hurler, puis s'arrêtaient. Le sable venait obstruer les caniveaux d'inox de rues concentriques sous des cieux assombris, constellés d'étoiles comme des lits de joyaux glacés. Et sur tout ce décor soufflait le vent du changement, amenant les senteurs de cannelle de la fin octobre. Le Pistolero observa le monde qui changeait.

Et il dormit d'un demi-sommeil.

Trois. C'est le chiffre de ton destin.

Trois ?

Oui, le trois est mystique. Le trois est au cœur de ta quête. Plus tard viendra un autre chiffre. Le chiffre d'aujourd'hui est le trois.

Quel trois ?

On ne voit qu'une partie des choses, et ainsi s'obscurcit le miroir de la prophétie.

Dis-moi ce que tu peux.

Le premier est jeune, les cheveux noirs. Il se tient au bord du gouffre, le gouffre du vol et du meurtre. Un démon l'a envahi. Le nom de ce démon est HÉROÏNE.

Quel genre de démon ça peut être ? Je ne le connais pas, même dans les leçons de mon tuteur.

On ne voit qu'une partie des choses, et ainsi s'obscurcit le miroir de la prophétie. Il y a d'autres mondes, pistolero, et d'autres démons. Ces eaux-là sont profondes. Cherche les portes, cherche-les attentivement. Cherche les roses et les portes dérobées.

Le deuxième ?

Elle vient sur des roues. Je ne vois rien de plus.

Le troisième ?

La mort... mais pas pour toi.

L'homme en noir ? Où est-il ?

Tout près. Bientôt tu converseras avec lui.

De quoi parlerons-nous ?

De la Tour.

Et le garçon ? Jake ?

...

Parle-moi du garçon !

Ce garçon est ta porte vers l'homme en noir. L'homme en noir est ta porte vers les trois. Les trois sont ta voie vers la Tour Sombre.

Comment ? Comment est-ce possible ? Pourquoi faut-il qu'il en soit ainsi ?

On ne voit qu'une partie des choses, et ainsi le miroir...

Dieu te maudisse.

Aucun dieu ne m'a maudite.

Pas de condescendance avec moi, Chose.

...

Comment devrais-je t'appeler ? Catin stellaire ? Pute des vents ?

Il en est qui vivent de l'amour qui passe par ces lieux ancestraux... même en ces temps tristes et malfaisants. Il en est d'autres, pistolero, qui vivent du sang. Parfois même, à ce que je vois, du sang des jeunes garçons.

Ne peut-il être épargné ?

Si.

Comment ?

C'est assez, pistolero. Lève le camp et retourne au nord-ouest. Au nord-ouest, on a encore besoin d'hommes qui vivent par les balles.

J'ai prêté serment sur les armes de mon père, et sur la traîtrise de Marten.

Marten n'est plus. L'homme en noir a dévoré son âme. Tu le sais bien.

J'ai juré.

Alors tu es damné.

Fais de moi ce que tu veux, chienne.

Cette avidité.

L'ombre se balançait au-dessus de lui, l'enveloppait. Il y eut une extase soudaine, coupée net par une galaxie de douleur, aussi faible et éclatante que ces étoiles rougies frappées par leur propre fin. Au point d'orgue de leur accouplement, des visages se présentèrent à lui d'eux-mêmes : Sylvia Pittston ; Alice, la femme de Tull ; Susan ; une douzaine d'autres.

Et enfin, après une éternité, il la repoussa hors de lui ; il avait repris ses esprits, il était courbatu et dégoûté.

Non ! Ce n'est pas assez ! Ce...

— Laisse-moi partir, dit le Pistolero.

Il se redressa, et faillit tomber de l'autel en essayant de se remettre sur pied. Elle le toucha, essaya de l'attirer

(chèvrefeuille, jasmin, suaves senteurs)

et il la repoussa violemment, tombant à genoux.

En titubant, il se rendit aux limites du cercle. Il le franchit en vacillant, sentant un poids énorme tomber de ses épaules. Il poussa un profond soupir, un frisson proche du sanglot. En avait-il assez appris pour justifier cette impression de profanation ? Il n'en savait rien. Avec le temps il finirait sans doute par le savoir. Tandis qu'il reprenait son chemin, il la sentait, debout derrière les barreaux de sa prison, à le regarder s'éloigner d'elle. Il se demanda combien de temps passerait avant que quelqu'un d'autre traverse le désert et la découvre, seule et affamée. L'espace d'un instant, il se sentit tout petit devant tous ces possibles temporels.

— Vous vous sentez mal !

Jake se leva d'un bond en voyant le Pistolero franchir la dernière ligne d'arbres en traînant les pieds, et se diriger vers le campement. Le garçon s'était blotti contre les ruines de leur feu minuscule, la mâchoire sur les genoux, et grignotait les os de lapin d'un air abattu. Il courut vers le Pistolero, avec sur le visage une expression de détresse qui fit sentir à Roland le plein poids et toute la laideur de la trahison imminente.

— Non, dit-il. Je me sens fatigué, c'est tout. Éreinté. Tu peux lâcher ça, Jake, dit-il en désignant la mâchoire d'un geste distrait.

Le garçon s'empressa de la jeter avec violence et de se frotter les mains sur sa chemise. De façon complètement inconsciente, il releva la lèvre supérieure en grondant, en signe de dégoût.

Le Pistolero s'assit – tomba presque –, les articulations douloureuses, l'esprit embrumé et comme roué de coups, et il reconnut là les derniers effets déplaisants de la mescaline. Son entrejambe le lançait d'une douleur sourde. Il se roula une cigarette avec lenteur et précaution, sans penser à rien. Jake l'observait. Le Pistolero éprouva l'envie soudaine de parler au garçon *dan-dinh*, après lui avoir raconté tout ce qu'il avait appris, puis il repoussa cette tentation avec horreur. Il se demanda si une partie de lui – son esprit ou son âme – n'était pas en train de se désintégrer. Ouvrir son cœur et son âme sur commande, et à un enfant ? L'idée même était insensée.

— On dort ici, ce soir. Demain on commence à grimper. J'irai faire un tour plus tard, pour voir si je ne peux pas tuer quelque chose pour le dîner. Il faut qu'on reprenne des forces. Maintenant il faut que je dorme. OK ?

— Pas de problème. Roupillez un bon coup.

— Je ne comprends pas.

— Faites comme vous voulez.

— Ah.

Le Pistolero acquiesça et s'allongea. *Roupiller un bon coup*, se dit-il. *Roupiller. Un bon coup*.

Lorsqu'il se réveilla, les ombres sur l'herbe de la clairière s'étaient allongées.

— Fais un feu, dit-il à Jake en lui lançant sa pierre et son briquet. Tu sais t'en servir ?

— Oui, je crois.

Le Pistolero se dirigea vers le bosquet de saules puis s'arrêta en entendant la voix du garçon. S'arrêta net.

— Fuse, fuse, belle étincelle, où donc est mon père ? murmurait l'enfant, et Roland entendait le *tchic-tchic-tchic* sec du briquet – on aurait dit le cri d'un petit oiseau mécanique. Dois-je m'étendre ? Dois-je m'éteindre ? Que ton feu réchauffe ma tanière.

Il a dû m'entendre et il répète mes paroles, se dit le Pistolero, pas surpris le moins du monde de constater qu'il avait la chair de poule et qu'il tremblait des pieds à la tête comme un chien mouillé. *Il m'a entendu, il répète des mots que je ne me rappelle même pas avoir prononcés, et je vais le trahir ? Ah Roland, es-tu prêt à trahir une créature de bon aloi, dans un monde si triste et dénaturé ? N'existe-t-il rien qui puisse le justifier ?*

Des mots, c'est tout.

Si fait, mais des mots anciens. Des mots bons.

— Roland ? appela le garçon. Ça va ?

— Ouais, fit-il d'un ton bourru, et l'odeur âcre de la fumée lui piqua vaguement les narines. Tu y es arrivé.

— Oui, répondit le garçon avec simplicité, et Roland n'eut pas besoin de se retourner pour savoir qu'il souriait.

Le Pistolero reprit sa marche, obliqua vers la gauche, ne faisant que longer le bosquet. Il choisit une ouverture en pente, qui donnait sur une étendue d'herbe épaisse, recula dans l'ombre et attendit en silence. Il entendait faiblement le craquement clair du feu de camp qu'avait ranimé Jake. Le bruit le fit sourire.

Il resta debout, immobile, pendant dix minutes, puis quinze, puis vingt. Trois lapins apparurent, et quand ils se mirent à brouter, il dégaina. Il les abattit, les dépouilla et les vida, puis les rapporta au campement. Jake avait déjà mis l'eau à bouillir à feu doux.

Le Pistolero lui adressa un signe de tête approbateur.

— Beau travail.

Jake rougit de plaisir et lui rendit la pierre et le briquet en silence.

Pendant que le ragoût cuisait, le Pistolero profita des dernières lueurs du jour pour retourner dans le bosquet. Au bord de la première mare, il tailla dans les tiges rigides qui

167

poussaient à proximité des berges marécageuses. Plus tard, quand le feu ne serait plus que braises et que Jake se serait endormi, il en ferait des cordes qui leur seraient peut-être d'une quelconque utilité, par la suite. Mais son intuition lui disait que l'escalade ne serait pas particulièrement difficile. Il sentait le *ka* à l'œuvre à la surface des choses, et cela ne lui paraissait même plus étrange.

Les lianes lui saignèrent leur sève verte sur les mains tandis qu'il les rapportait au campement où l'attendait Jake.

Ils se levèrent avec le soleil et plièrent bagages en une demi-heure. Le Pistolero avait espéré tirer un dernier lapin dans le champ, mais le temps manqua et aucun lapin ne vint brouter. Le paquetage qui contenait leurs provisions était devenu si petit et si léger que Jake le portait sans peine. Il s'était étoffé, ce garçon ; ça se voyait à l'œil nu.

Le Pistolero portait l'eau, fraîchement puisée à l'une des sources. Il enroula ses trois cordes autour de la taille. Elles lui donneraient une sécurité au moment de passer le cercle de pierre (le Pistolero craignait que le garçon ne ressentît un regain de peur, mais lorsqu'ils le franchirent en haut du monticule rocheux, Jake se contenta de lancer un regard en direction des pierres, avant de se concentrer sur un oiseau qui voltigeait contre le vent). Assez vite, les arbres perdirent de la hauteur, et leur feuillage de l'épaisseur. Les troncs s'entortillaient et les racines semblaient lutter avec la terre dans une quête acharnée de la moindre trace d'eau.

— Tout est tellement vieux, fit Jake d'un air abattu lorsqu'ils s'arrêtèrent pour se reposer. N'y a-t-il rien de jeune, dans ce monde ?

Le Pistolero sourit et lui donna un coup de coude.

— Toi.

Jake répondit par un sourire blême.

— Ce sera dur à escalader ?

Le Pistolero lui lança un regard curieux.

— Les montagnes sont hautes. Penses-tu que ce sera dur à escalader ?

Jake lui rendit son regard, les yeux voilés, perplexes.

— Non.

Ils repartirent.

8

Le soleil atteignit son zénith, parut y rester un temps très court (le plus court depuis le début de leur traversée du désert), puis redescendit, les replongeant dans les ombres. Des paliers rocheux saillaient de la pente comme les accoudoirs de fauteuils géants enterrés dans le sol. L'herbe s'était transformée en broussailles jaunies. Ils finirent par se retrouver face à une profonde crevasse semblable à un conduit de cheminée, qu'ils contournèrent par le haut, en escaladant un petit monticule friable. Le granit ancien s'était émietté alors qu'ils posaient le pied sur ce qui ressemblait à des marches, mais comme ils en avaient eu tous les deux l'intuition, le début de leur entreprise, au moins, fut aisé. Ils firent une pause au sommet, sur un escarpement large d'à peine plus d'un mètre. Ils observèrent le désert au loin, qui s'enroulait autour des hautes terres comme une énorme patte jaune. Plus loin encore, il leur renvoyait la lumière blanche de son bouclier aveuglant, qui s'estompait en vagues de chaleur moins vives. Le Pistolero se rappela avec étonnement que le désert avait bien failli l'assassiner. De là où ils étaient, dans cette nouvelle fraîcheur, le désert apparaissait comme très imposant, mais pas mortel.

Ils se remirent en route, reprenant leur ascension, trébuchant sur des éboulements de pierre, s'accroupissant et se redressant sur les plans inclinés constellés d'éclats de quartz et de mica. La roche était chaude et agréable au toucher, mais le fond de l'air avait nettement fraîchi. En fin d'après-midi, le Pistolero entendit les roulements assourdis du tonnerre. Cependant, la ligne montante des montagnes obstruait la vue de la pluie de l'autre côté.

Lorsque les nuages prirent des teintes mauves, ils établirent leur campement sur le surplomb d'une saillie rocheuse. Le Pistolero accrocha la couverture, en une sorte d'auvent. Ils s'assirent à l'entrée, pour observer le ciel qui déployait sa cape sur le monde. Jake laissa pendre ses pieds au-dessus du vide. Le Pistolero roula sa cigarette du soir en observant le garçon du coin de l'œil, avec une pointe d'humour.

— Fais attention de ne pas bouger pendant ton sommeil, sinon tu pourrais bien te réveiller en enfer.

— Aucun risque, répondit-il avec sérieux. Ma mère dit toujours que…, il s'interrompit net.

— Elle dit quoi ?

— Que je dors comme un mort.

Il leva les yeux vers le Pistolero, qui vit que la bouche du garçon tremblait, tandis qu'il luttait pour retenir ses larmes – *il n'est encore qu'un gosse*, se dit-il, et la douleur le déchira, tel ce pic de glace que vous plante dans le front l'eau trop froide. *Rien qu'un gosse. Pourquoi ? Question idiote. Quand un garçon, blessé dans son corps ou dans son esprit, posait cette question à Cort, cette machine de guerre balafrée et ancestrale, dont le travail consistait à apprendre aux fils de pistoleros le b.a.-ba de ce qu'ils devaient savoir, Cort répondait : *Pourquoi un a est-il rond ? Et pourquoi on ne peut pas en faire un i ? Oublie le pourquoi, debout, tête de pus ! Debout ! Le jour vient à peine de naître !*

— Pourquoi je suis ici ? demanda Jake. Pourquoi j'ai oublié tout ce qui s'est passé, avant ?

— Parce que l'homme en noir t'a amené ici. Et à cause de la Tour. La Tour se trouve à une sorte de… nœud de puissance. Une liaison, dans le temps.

— Je n'y comprends rien !

— Moi non plus, fit le Pistolero. Mais il se passe quelque chose. Dans mon temps à moi. « Le monde a changé », voilà ce qu'on dit… ce qu'on dit depuis toujours. Mais aujourd'hui il change plus vite. Il est arrivé quelque chose au temps. Il ramollit.

Ils restèrent assis en silence. Une brise, légère mais cinglante, leur picotait les jambes. Quelque part, elle s'engouffra dans une brèche rocheuse avec un *hoooooouuuuuu* profond.

— D'où venez-vous ? demanda Jake.

— D'un endroit qui n'existe plus. Tu connais la Bible ?

— Jésus et Moïse. Bien sûr.

Le Pistolero sourit.

— C'est ça. Mon pays porte un nom biblique… la Nouvelle Canaan, il s'appelait. La terre du lait et du miel. Dans la terre de Canaan de la Bible, le raisin est censé être si gros que les hommes doivent porter les grappes sur des charrettes. Chez nous, il n'était pas si gros, mais c'était un beau pays.

— Je connais l'histoire d'Ulysse, dit Jake d'un ton hésitant. C'est dans la Bible ?

— Peut-être. Je n'ai jamais été un spécialiste, je ne peux rien te dire de certain.

— Mais les autres… vos amis…

— Il n'y a pas d'autres. Je suis le dernier.

Une minuscule lune décharnée se leva, posant son regard fendu sur l'amas de rochers sur lequel ils étaient assis.

— C'était joli ? Votre pays… votre terre ?

— Très beau. Il y avait des champs et des forêts, et des rivières, et de la brume le matin. Mais ça, ce n'est que joli. Ma mère disait que la seule beauté véritable réside dans l'ordre, l'amour et la lumière.

Jake eut un murmure évasif.

Tout en fumant, le Pistolero réfléchit au passé – les soirées dans l'immense hall central, les centaines de silhouettes richement apprêtées dessinant les pas lents et réguliers de la valse ou les ondulations plus rapides et plus légères de la *pol-kam*. Avec Aileen Ritter à son bras, celle que ses parents avaient choisie pour lui supposait-il, avec ses yeux plus brillants que les pierres les plus précieuses ; et la lumière des lampes à étincelles enchâssées dans les lustres de cristal scintillant dans les coiffures élaborées des courtisanes ; et leurs intrigues amoureuses à demi cyniques. Le hall était gigantesque, île de lumière immémoriale, tout comme tout le Domaine Central, qui était constitué de près d'une centaine de châteaux de pierre. Il y avait bien des années qu'il ne l'avait revu, des années d'inconnu ; et en le quittant pour la dernière fois, pour se lancer sur la piste de l'homme en noir, Roland avait eu mal au point de détourner la tête. Déjà, à l'époque, les murs étaient écroulés, les herbes folles envahissaient les cours, les chauves-souris nichaient entre les poutres imposantes du hall central, et les galeries résonnaient du vol feutré et des murmures des hirondelles. Les terrains où Cort leur avait enseigné le tir à l'arc, le maniement des armes et la fauconnerie, étaient livrés au foin, au trèfle et aux ronces. Dans la gigantesque cuisine où Hax tenait autrefois sa cour fumante et aromatique, une colonie de Lents Mutants grotesques avait élu domicile, et le contemplait depuis les recoins sombres et les colonnades de l'office, protégée par les ombres. La vapeur chaude imprégnée du parfum mordant de bœuf ou de porc rôti s'était transformée en relents lourds de moisissure et de mousse. Des champignons géants, blancs et vénéneux, poussaient dans les recoins où même les Lents Mutants n'osaient pas s'aventurer. La cloison en chêne de l'énorme cellier pendait, béante, et l'odeur la plus poignante était celle qui s'en échappait, une odeur qui semblait exprimer avec une finalité impassible la dure évidence de la dissolution et de la décomposition : l'odeur forte et incisive du vin qui a tourné au vinaigre. Il n'avait pas eu à lutter pour détourner la tête vers le sud et tout laisser derrière lui…, mais son cœur en avait été meurtri.

— Il y a eu la guerre ? demanda Jake.

— Encore mieux que ça, répondit le Pistolero en jetant d'une pichenette la petite pointe incandescente de sa cigarette. Il y a eu une révolution. On a gagné chaque bataille, mais on a perdu la guerre. Personne n'a gagné cette guerre, sauf peut-être les pillards. Ils ont dû en avoir pour des années, avec toutes ces richesses.

— J'aurais voulu vivre là-bas.

— Vraiment ?

— Vraiment.

— Il est temps d'aller se coucher, Jake.

Le garçon, qui n'était plus qu'une ombre pâle, se retourna sur le côté et se roula en boule, sous la couverture tendue au-dessus de lui. Le Pistolero monta la garde près de lui pendant environ une heure, perdu dans ses longues et graves réflexions. Les méditations de ce genre étaient nouvelles pour lui, elles étaient empreintes d'une douceur mélancolique, mais n'avaient strictement aucune utilité pratique : il n'y avait d'autre solution au problème Jake que celle offerte par l'Oracle… et faire machine arrière était tout bonnement impossible. La situation avait peut-être quelque chose de tragique, mais le Pistolero ne le voyait pas ; il ne voyait que la prédestination qui avait toujours existé. Et son naturel finit par reprendre le dessus et il dormit profondément, sans rêver.

9

L'ascension devint plus sinistre le lendemain, tandis qu'ils avançaient toujours en direction de l'étroit v formé par le passage dans la montagne. Le Pistolero progressait doucement, sans avoir l'air de se presser. Sous leurs pieds, la pierre morte ne portait nulle trace de l'homme en noir, mais le Pistolero savait qu'il était passé par là avant eux... et pas seulement parce que Jake et lui l'avaient observé durant son escalade, minuscule insecte, depuis les contreforts. Son arôme était imprimé sur l'air froid de chaque courant descendant. C'était une odeur huileuse et sardonique, aussi irritante pour le nez que la puanteur de l'herbe du diable.

Les cheveux de Jake avaient beaucoup poussé, et ils bouclaient légèrement à la base de sa nuque bronzée. Il grimpait dur, progressant avec assurance et sans acrophobie apparente lorsqu'ils franchissaient des gouffres ou devaient escalader des saillies. Deux fois déjà il avait atteint des endroits inaccessibles au Pistolero, y arrimant une de leurs cordes afin que le Pistolero pût progresser par à-coups, prise après prise.

Le matin suivant, ils continuèrent leur montée à travers un amas de nuages froids et humides qui masquait les pentes effondrées en dessous d'eux. Des plaques de neige dure et grenue commençaient à apparaître, nichées dans les poches rocheuses les plus profondes. Elle scintillait comme du quartz et sa texture était aussi sèche que du sable. L'après-midi, ils découvrirent sur l'une de ces plaques une trace de pas solitaire. Jake la contempla pendant un moment avec une fascination terrifiante, puis releva des yeux emplis de crainte, comme s'il s'attendait à voir l'homme en noir se matérialiser dans sa propre empreinte. Le Pistolero lui tapota l'épaule et pointa le doigt vers l'avant.

— Avance. Le jour se fait vieux.

Plus tard, ils établirent leur campement aux dernières lueurs du jour sur une large saillie plane, orientée au nord et à l'est de l'entaille au cœur de la montagne. L'air était glacial ; ils voyaient la vapeur de leurs souffles, et le son moite du tonnerre, dans les derniers reflets pourpres et rouge sang, avait quelque chose de surréaliste, de légèrement fou.

Le Pistolero pensait que le garçon commencerait peut-être à poser des questions, mais Jake n'en posa aucune. Il sombra presque immédiatement dans le sommeil. Le Pistolero suivit son exemple. Il rêva de nouveau de Jake en saint d'albâtre, avec un clou planté au milieu du front. Il se réveilla en sursaut, la bouche béante, et ses poumons goûtèrent l'air rare et froid de l'altitude. Jake dormait à ses côtés, mais son sommeil n'était pas paisible. Il se retournait en grommelant, chassant ses fantômes à lui. Le Pistolero se rallongea avec peine, et se rendormit.

10

Une semaine après la découverte de l'empreinte par Jake, ils se retrouvèrent un court instant face à face avec l'homme en noir. Et, en cet instant, le Pistolero eut le sentiment d'embrasser tout ce qu'impliquait la Tour elle-même, car cet instant lui parut s'étendre à l'infini.

Ils poursuivirent vers le sud-est, atteignirent ce qui devait être le milieu de cette chaîne cyclopéenne et, au moment même où leur progression s'annonçait pour la première fois réellement difficile (au-dessus, les saillies de glace et les buttes battues par les vents hurlants semblaient pencher vers eux et donnaient au Pistolero un sentiment très déplaisant de vertige inversé), ils se mirent à descendre à nouveau le long de l'étroit passage. Dans l'angle, un chemin serpentant les mena en serpentant vers un canyon, au fond duquel un courant gris ardoise, ourlé de glace, bouillonnait avec une force vertigineuse.

Le même après-midi, le garçon s'immobilisa soudain et se retourna vers le Pistolero, qui s'était arrêté pour se laver le visage dans l'eau.

— Je sens son odeur, dit Jake.

— Moi aussi.

Devant eux, la montagne déployait ses dernières défenses… une gigantesque plaque de granit infranchissable, qui remontait jusqu'à l'infini nuageux. Le Pistolero s'attendait à tout moment à ce qu'un coude de la rivière les conduisît sur une cascade et sur la roche lisse et insurmontable… vers une voie sans issue. Mais l'air autour d'eux avait cette qualité étrange et particulière commune aux lieux d'altitude, celle de tout amplifier ; ils mirent en fait une journée de plus à atteindre cette grande paroi de granit.

Le Pistolero commençait à sentir de nouveau un pincement de jouissance anticipée, ce sentiment que tout était enfin à portée de main. Il avait déjà connu ça – maintes fois – et pourtant il lui fallut à nouveau lutter contre son impulsion de se mettre à courir, pour tromper son impatience.

— Attendez !

Le garçon s'était subitement arrêté. Ils se trouvaient face à un tournant abrupt de la rivière ; l'eau bouillonnait et écumait autour de l'attache érodée d'une boule de grès géante. Toute la matinée, ils étaient restés dans l'ombre des montagnes, progressant dans le canyon qui allait en se rétrécissant.

Jake tremblait violemment et il était d'une pâleur inquiétante.

— Qu'est-ce qui ne va pas ?

— Faisons demi-tour, murmura-t-il. Demi-tour, vite.

Le Pistolero resta impassible.

— Je vous en prie.

Le garçon avait les traits tirés, et sa mâchoire tremblait tandis qu'il réprimait une peur atroce. À travers l'épaisse couverture de pierre, ils entendaient toujours les roulements du tonnerre, aussi réguliers que des machines dans la terre. La fente de ciel qu'ils apercevaient au-dessus d'eux était d'un gris gothique et tumultueux, les courants chauds et froids se rencontraient et s'affrontaient.

— S'il vous plaît, *je vous en prie* !

Le garçon brandit le poing, comme pour frapper le Pistolero à la poitrine.

— Non.

Une soudaine prise de conscience se peignit sur son visage.

— Vous allez me tuer. Lui il m'a tué une première fois, et cette fois, c'est vous qui allez me tuer. *Et je crois que vous le savez.*

Le Pistolero se sentit monter un mensonge aux lèvres, et il le prononça.

— Ça va aller.

Puis un second, pire encore.

— Je veille sur toi.

La figure de Jake prit une teinte grise et il se tut. Malgré lui il tendit la main, et le Pistolero et l'enfant contournèrent le coude ainsi, main dans la main. De l'autre côté, ils se retrouvèrent face à face avec la dernière façade de pierre. Et l'homme en noir.

Il se tenait à cinq mètres à peine au-dessus d'eux, juste à droite de la cascade dont les trombes jaillissaient d'un énorme trou déchiqueté dans la roche, pour venir s'écraser et se répandre en bas. Un vent invisible faisait onduler sa longue robe à capuche. Dans une main, il tenait un bâton. Il tendait l'autre vers eux en une parodie de geste de bienvenue. Il ressemblait à un prophète et sous ce ciel déchaîné, perché sur une saillie de pierre, un prophète de l'Apocalypse, avec la voix de Jérémie.

— Pistolero ! Comme tu accomplis bien les prophéties des Anciens ! Bienvenue à toi ! Bienvenue et bienvenue !

Il partit d'un grand rire et s'inclina, tandis que l'écho répercutait le son au-dessus du mugissement de l'eau.

Sans réfléchir, le Pistolero avait dégainé ses pistolets. Le garçon se réfugia derrière lui, comme une petite ombre.

Roland tira trois fois avant de pouvoir maîtriser ses mains traîtresses… les échos de bronze rebondissaient sur les façades rocheuses qui s'élevaient tout autour d'eux, couvrant le sifflement du vent et le vacarme de l'eau.

Un jet de poussière granitique sauta au-dessus de la tête de l'homme en noir ; un autre à gauche de sa capuche, un troisième à droite. Les trois coups avaient proprement raté leur cible.

L'homme en noir éclata de rire – un rire plein, joyeux, qui semblait une provocation aux échos affaiblis des coups de feu.

— Tu tuerais toutes tes réponses aussi facilement que ça, pistolero ?

— Descends, répondit Roland. Descends, je te prie, et les réponses fuseront.

À nouveau ce rire tonitruant, moqueur.

— Ce ne sont pas tes balles que je crains, Roland. C'est plutôt l'idée que tu te fais des réponses qui m'effraie.

— Descends.

— Nous parlerons de l'autre côté, il me semble, répondit l'homme en noir. De l'autre côté nous tiendrons longuement conseil et nous palabrerons.

Son regard passa brièvement sur Jake et il ajouta.

— Rien que toi et moi.

Jake tressaillit et recula avec un petit gémissement, et l'homme en noir fit volte-face, faisant tourbillonner sa cape dans l'air gris, comme une aile de chauve-souris. Il disparut dans la crevasse qui vomissait l'eau avec une force monstrueuse. Le Pistolero, par un effort funeste de sa volonté disciplinée, réussit à ne pas lui tirer dessus une nouvelle fois – *Tu tuerais toutes tes réponses aussi facilement que ça, pistolero ?*

Il n'y eut plus que le son du vent et de l'eau, le son qui habitait ce lieu de désolation depuis mille ans. Pourtant l'homme en noir s'était tenu là. Douze ans après leur dernier regard, Roland l'avait vu de nouveau en face, tout près, il lui avait parlé. Et l'homme en noir avait ri.

De l'autre côté nous tiendrons longuement conseil et nous palabrerons.

Le garçon, tremblant des pieds à la tête, leva les yeux vers lui. Pendant un instant, le Pistolero vit le visage d'Allie, la fille de Tull, se superposer à celui de Jake, avec sa cicatrice sur le front comme une accusation muette, et il ressentit une haine puissante pour chacun d'eux (il lui faudrait beaucoup de temps pour remarquer que la cicatrice d'Allie et le clou planté dans le front de Jake dans ses rêves étaient situés au même endroit). Jake perçut peut-être un relent de ses sombres réflexions ; une plainte monta dans sa gorge. Puis il se tordit les lèvres et fit taire sa peur. Il avait l'étoffe d'un homme de bien, peut-être même d'un pistolero digne de ce nom, si on lui en laissait le temps.

Rien que toi et moi.

Le Pistolero ressentit une soif incroyable, une soif sans nom dans les tréfonds inconnus de son corps, une soif qu'aucune gorgée d'eau ou de vin ne saurait étancher. Des mondes tremblèrent, presque à portée de ses doigts, et avec une sorte d'instinct, il lutta pour ne pas se laisser corrompre, conscient dans la partie la plus froide de son esprit qu'une telle lutte était vaine, et le serait toujours. À la fin, il ne restait que le *ka*.

Il était midi. Il leva les yeux vers le ciel, laissant la lumière voilée et changeante du jour baigner une dernière fois le soleil ô combien vulnérable de sa propre droiture. *On ne paie jamais la trahison par l'argent*, se dit-il. *Le prix de toute trahison se solde par la chair.*

— Viens avec moi ou reste, dit le Pistolero.

Le garçon réagit par un sourire dur et sans joie – le sourire de son père, l'eût-il connu.

— Et ça ira si je reste, bien sûr… Je serai bien, là, tout seul, dans les montagnes. Quelqu'un viendra me sauver. Avec du gâteau et des sandwiches. Et puis du café dans un Thermos, aussi. Pas vrai ?

— Viens avec moi ou reste, répéta le Pistolero, et il sentit qu'il se produisait quelque chose dans son esprit. Un dédoublement. C'est l'instant où la petite silhouette en face de lui cessa d'être Jake, pour devenir seulement le garçon, entité impersonnelle à déplacer et à manipuler.

Un cri perça l'immobilité balayée par le vent ; le garçon et lui l'entendirent tous les deux.

Le Pistolero se remit à escalader et, après un temps, Jake le suivit. Ensemble ils gravirent les rochers effondrés le long de la cascade froide comme l'acier, et se tinrent là où s'était tenu l'homme en noir avant eux. Et ensemble ils pénétrèrent là où il avait disparu. Les ténèbres les engloutirent.

LES LENTS MUTANTS

1

Le Pistolero s'adressa à Jake d'une voix lente, avec les inflexions ralenties et irrégulières de quelqu'un qui parle dans son sommeil :

— Nous étions trois, ce soir-là : Cuthbert, Alain et moi. On n'était pas censé se trouver là, car aucun de nous n'était sorti de l'enfance. On était encore dans nos *lenges*, comme on disait alors. Si on s'était fait prendre, Cort nous aurait écharpés vifs. Mais on ne s'est pas fait prendre. Je ne pense pas qu'aucun de ceux venus avant nous ne s'était fait prendre non plus. Un garçon devait porter les culottes de son père en privé, se pavaner devant le miroir, puis les raccrocher sur leur cintre ; c'était l'usage. Le père faisait semblant de ne pas avoir remarqué qu'elles étaient accrochées différemment, ou que son fils avait encore sur le visage le dessin des moustaches au bouchon noirci. Tu vois ?

Le garçon ne répondit rien. Il n'avait pas prononcé un mot depuis qu'ils avaient quitté la lumière du jour. Le Pistolero, en revanche, avait parlé avec fièvre et précipitation, pour combler le silence. Il ne s'était pas retourné vers la lumière lorsqu'ils avaient pénétré dans ce monde sous la montagne, mais le garçon, si. Le Pistolero avait lu la défaite du jour dans le doux miroir des joues de Jake : du rose pâle au blanc laiteux, de l'argenté blafard aux dernières touches ocre du crépuscule, puis plus rien. Le Pistolero avait allumé une torche et ils avaient poursuivi leur route.

Ils finirent par installer leur campement. Aucun écho de l'homme en noir ne leur parvenait. Peut-être lui aussi s'était-il arrêté pour se reposer. Ou peut-être avançait-il en flottant dans l'air, sans lumière, à travers les chambres obscures.

— Le Bal de la Nuit des Semailles – les vieux l'appelaient parfois le *Commala*, ça venait du mot employé pour désigner le riz – avait lieu une fois par an, dans le Hall du Couchant, reprit le Pistolero. Son vrai nom, c'était le Hall aux Aïeux, mais pour nous, c'était juste le Hall du Couchant.

Un bruit de ruissellement parvint à leurs oreilles.

— Un rite de cour, comme tous les bals de printemps, en somme, dit le Pistolero avec un rire de condescendance. Les murs inanimés transformèrent son rire en un sifflement, comme la respiration d'un idiot.

— Autrefois, on le lit dans les livres, c'était pour célébrer l'arrivée du printemps, qu'on appelait parfois la Nouvelle Terre ou le Renouveau du *Commala*. Mais tu sais, la civilisation…

Il laissa traîner sa phrase, incapable de décrire le changement inhérent à ce concept galvaudé, la mort du romantisme et la persistance de son ombre stérile et charnelle, un monde vivant de la respiration forcée des paillettes et de la pompe : les pas géométriques de cette valse des courtisans pendant le Bal de la Nuit des Semailles, qui avait remplacé les fougueuses réjouissances plus sincères et plus folles, mais qu'il ne pouvait plus appréhender que par une vague intuition ; la grandeur artificielle qui avait succédé aux passions véritables qui autrefois bâtissaient des royaumes et les maintenaient en vie. Il avait trouvé la vérité à Mejis, avec Susan Delgado, pour la reperdre plus tard. *Il était une fois un roi*, aurait-il pu raconter au garçon, *Cet Aîné, ce Roi d'Eld dont le sang, bien que dilué, coule encore dans mes veines. Mais c'en est fini des rois, fiston. Dans le monde de la lumière, du moins.*

— Ils en ont fait quelque chose de décadent, finit par dire le Pistolero. Un jeu, une mascarade.

Dans sa voix perçait tout le dégoût inconscient de l'ascète et de l'ermite. Son visage, s'il avait été baigné d'une lumière plus vive, aurait trahi de la sévérité et du chagrin, la forme la plus pure de condamnation. Sa force essentielle n'avait pas été épuisée ou édulcorée par le passage des années. Le manque d'imagination qui persistait sur ce visage était incroyable.

— Excepté ce Bal, conclut le Pistolero. Le Bal de la Nuit des Semailles.

Le garçon ne dit pas un mot, ne posa pas une question.

— Il y avait des lustres de cristal, du verre épais et des lampes à étincelles. Tout n'était que lumière, une véritable île de lumière. On s'était glissé sur l'un des vieux balcons, ceux dont on disait qu'ils n'étaient pas sûrs, on y avait mis des cordes pour interdire le passage. Mais on n'était que des jeunes garçons, et tu sais comment sont les garçons, il faut que jeunesse se passe. Pour nous, tout était dangereux, mais quel danger y avait-il là ? Est-ce qu'on n'avait pas été conçu pour vivre éternellement ? C'est ce qu'on croyait, même quand on discutait de notre mort glorieuse. On était au-dessus de tous les autres, et de là-haut, on voyait tout. Je ne me rappelle pas qu'aucun de nous ait parlé. On se contentait de boire la scène des yeux. Il y avait une grande table en pierre, à laquelle étaient assis les pistoleros et leurs femmes, à regarder ceux qui dansaient. Quelques pistoleros dansaient eux aussi, mais seulement quelques-uns. Et c'étaient les jeunes. Celui qui avait ouvert la trappe sous les pieds de Hax était l'un d'entre eux, si je me souviens bien. Les plus vieux restaient assis, et j'avais l'impression qu'ils étaient un peu embarrassés par toute cette lumière, toute cette lumière civilisée. On les révérait, on les craignait, ces figures tutélaires, mais ils ressemblaient à des valets d'écurie au milieu de cette foule de cavaliers avec leurs femmes ravissantes… Il y avait quatre tables circulaires encombrées de nourriture, et elles tournaient sans arrêt. Les garçons de cuisine allaient et venaient sans cesse, de sept heures du soir à trois heures du matin. Les tables étaient *vraiment* comme des horloges, et on sentait l'odeur du porc rôti, du bœuf, des homards, du poulet à la broche, des pommes au four. Les fumets changeaient à chaque nouvelle tournée. Des entremets glacés, des sucreries. Des broches gigantesques de viande flambée. Marten était placé à côté de ma mère et de mon père – je les reconnaissais, même de si haut – et, à un moment, il a dansé avec elle, lentement, en tourbillonnant, et les autres leur ont cédé la place sur la piste et ont applaudi quand ils ont eu fini. Les pistoleros n'ont pas applaudi, eux, mais mon père s'est levé lentement et il a tendu la main vers elle. Et elle s'est avancée jusqu'à lui, le sourire aux lèvres, tendant la sienne aussi. C'était un moment de gravité intense, même nous, on le sentait, dans notre cachette. À cette époque, mon père avait pris le contrôle de son *ka-tet*, il faut que tu intuites bien ça – le *Tet du Fusil* – et il était sur le point de devenir *Dinh* de Gilead, sinon de tout le Monde de l'Intérieur. Les autres le savaient. Marten le savait mieux que personne… sauf peut-être Gabrielle Verriss.

Le garçon finit par intervenir, visiblement avec réticence.

— C'était votre mère ?

— Si fait. Gabrielle-des-Eaux, fille d'Alan, femme de Steven, mère de Roland.

Le Pistolero tendit les mains devant lui en un geste moqueur qui semblait dire : *Et me voilà, qu'est-ce que tu dis de ça ?* Puis il les laissa retomber sur ses genoux.

— Mon père était le dernier seigneur de lumière.

Le Pistolero baissa les yeux sur ses mains. Le garçon n'ajouta rien.

— Je les revois danser, fit le Pistolero. Ma mère et Marten, le conseiller des pistoleros. Je les revois danser, tourbillonnant doucement, ensemble ou séparés, répétant les vieux pas de cour.

Il regarda le garçon, un sourire aux lèvres.

— Mais ça ne voulait rien dire, tu sais. Parce que le pouvoir avait été transmis, d'une manière qu'aucun d'entre nous ne connaissait, mais que nous comprenions tous, et ma mère était liée de façon viscérale à celui qui détenait et maniait ce pouvoir. N'en était-il pas ainsi ? Elle était bel et bien revenue à lui, à la fin de la danse, n'est-ce pas ? Et elle lui avait serré les mains. Avaient-ils applaudi ? La salle avait-elle résonné de leur joie, quand ces jolis garçons et leurs ravissantes compagnes l'avaient applaudie et louée de toutes leurs forces ? Alors ? Est-ce ce qui s'est passé ?

De l'eau amère goutta au loin, dans le noir. Le garçon ne dit rien.

— Je les revois danser, répéta le Pistolero avec douceur. Je les revois danser.

Il leva les yeux vers le toit de roche invisible et l'espace d'une seconde, il parut sur le point de hurler vers le ciel, de le couvrir d'injures, de le mettre au défi, aveuglément – ces tonnes de granit aveugles et muettes qui retenaient leurs minuscules existences, tels des microbes dans leurs entrailles de pierre.

— Quelle main aurait pu tenir le couteau qui a conduit mon père à sa mort ?

— Je suis fatigué, dit le garçon, puis il se tut de nouveau.

Le Pistolero sombra dans le silence et le garçon se retourna et posa la joue sur sa main, dos contre la pierre. La petite flamme en face d'eux vacilla. Le Pistolero se roula une cigarette. Il lui semblait voir encore la lumière de cristal, dans l'œil du souvenir ; entendre les hourras et les louanges à gorge déployée, dans le vide de cette terre déjà écartelée, qui faisait désespérément front contre l'océan gris du temps. Le souvenir de cette île de lumière le blessait amèrement, et il regrettait d'en avoir été témoin, comme d'avoir vu son père cocufié.

Il faisait jouer la fumée entre sa bouche et ses narines, en observant le garçon. *Ces grands cercles que l'on se dessine sur la terre*, se dit-il. *Et on tourne, on retourne au départ, et le départ est de nouveau là : l'éternel retour, qui est depuis toujours la malédiction de la lumière du jour.*

Dans combien de temps reverrons-nous la lumière du jour ?

Il dormit.

Lorsque le son de sa respiration fut devenu lent et régulier, l'enfant ouvrit les yeux et regarda le Pistolero avec un amour souillé de nausée. Les dernières lueurs du feu lui attrapèrent un instant la pupille et s'y noyèrent. Il se recoucha.

2

Dans la monotonie du désert, le Pistolero avait pratiquement perdu toute notion du temps ; il acheva de la perdre dans l'obscurité, dans le cheminement sous les montagnes. Aucun d'eux n'avait les moyens de définir l'heure et le concept même d'heure perdit tout sens et toute réalité. Ils allaient en quelque sorte hors du temps. Une journée aurait tout aussi bien pu être une semaine, ou une semaine une journée. Ils cheminaient, dormaient, mangeaient de petits repas qui ne contentaient pas leur estomac. Ils avaient pour seul compagnon le ronflement rugissant de l'eau qui se vrillait un chemin à travers la roche. Ils en suivaient le cours et buvaient dans son onde profonde, plate et gorgée de minéraux, espérant qu'elle ne contenait rien qui pût les rendre malades ou les tuer. Parfois le Pistolero croyait voir des lumières dériver comme des Feux Fantômes sous la surface, puis il en concluait qu'il s'agissait de projections de son cerveau, qui n'avait pas oublié la lumière. Pourtant, il mit le garçon en garde et lui interdit de mettre les pieds dans l'eau.

Son télémètre interne les avait guidés avec régularité.

Le chemin longeant la rivière (car il s'agissait bel et bien d'un chemin – sans cahots, creusant une légère concavité) ne cessait de monter, en direction de la source. À intervalles réguliers, ils débouchaient sur des pylônes de pierre courbés, avec des pitons enchâssés ; peut-être y avait-on autrefois attaché des bœufs ou des chevaux de relais. Sur chaque poteau, une vasque en acier soutenait un flambeau électrique, mais tous avaient perdu vie et lumière.

Au cours de la troisième période de repos-avant-le-sommeil, le garçon alla faire un petit tour. Le Pistolero entendait les petites conversations des éboulis de cailloux sous les pieds précautionneux de Jake.

— Attention, lui dit-il. Tu ne vois pas où tu vas.

— J'avance en rampant. C'est… ça alors !

— Qu'est-ce qu'il y a ?

Le Pistolero s'accroupit et saisit la crosse d'un de ses pistolets.

Il y eut un temps de silence. Le Pistolero écarquilla les yeux, en vain.

— On dirait une voie ferrée, fit le garçon d'une voix dubitative.

Le Pistolero se leva et se dirigea d'après la voix de Jake, avançant chaque pied avec précaution, pour éviter les embûches.

— Par ici.

Une main tâtonna dans le noir et toucha le visage du Pistolero. Le garçon était très bon dans le noir, meilleur que Roland lui-même. Ses yeux semblaient se dilater au point de perdre toute couleur : le Pistolero le constata à la faveur de la faible lumière qu'il avait allumée. Il n'y avait aucun combustible à l'intérieur de cette matrice de pierre, et ce qu'ils y avaient apporté tombait rapidement en cendres. Par moments, la pulsion de faire de la lumière était quasiment incontrôlable. Ils avaient découvert qu'on pouvait avoir aussi faim de lumière que de nourriture.

Le garçon se tenait à côté d'une paroi rocheuse incurvée que longeaient des portées métalliques parallèles, qui fuyaient dans l'obscurité. Chacune était jalonnée de nœuds noirs, sans doute d'anciens conducteurs d'électricité. À côté et en dessous, à quelques centimètres à peine du sol rocailleux, des rails de métal brillant. Quel genre d'engins avaient pu rouler là à une époque ? Le Pistolero ne pouvait imaginer que des bolides électriques aux lignes pures, filant leur chemin à travers cette nuit éternelle, précédés par leurs phares, leurs yeux épouvantés. Il n'avait jamais entendu parler de choses pareilles, mais il restait de nombreux vestiges de ce monde passé, aussi sûr qu'il y avait des démons. Une fois, le Pistolero avait croisé un ermite qui avait gagné un pouvoir quasi religieux sur une malheureuse troupe de pauvres bougres, par la simple possession d'une ancienne pompe à essence. L'ermite se tenait accroupi à côté de la pompe, l'entourant d'un bras possessif, et il prêchait, prononçant des sermons furieux et pitoyables. Parfois il plaçait l'embout, en acier toujours brillant et rattaché au tuyau de caoutchouc pourri, entre ses jambes. Sur la pompe, en lettres parfaitement lisibles (bien que constellées de rouille), s'étalait une légende au sens inconnu : AMOCO. *Sans plomb.* Amoco était devenu le totem d'un dieu du tonnerre, un dieu qu'ils avaient vénéré dans le sacrifice des moutons et le vacarme des moteurs : *Vroooummmmm ! Vroouuum ! Vroum-vroum-vrooouummmmm !*

Des primates, s'était dit le Pistolero. Rien que des primates sans importance, creusant le sable, là où autrefois s'étendait la mer.

Et maintenant une voie ferrée.

— On va la suivre, dit-il.

Le garçon ne répondit rien.

Le Pistolero éteignit la torche et ils dormirent.

Lorsque Roland s'éveilla, le garçon s'était déjà levé. Il était assis sur l'un des rails, et il regardait le Pistolero sans le voir, dans le noir.

Ils suivirent les rails comme des aveugles, Roland en tête, Jake derrière. Ils glissaient les pieds le long de l'un des montants, toujours comme des aveugles. Plus loin, à droite, le roulement régulier de la rivière leur tenait compagnie. Ils ne parlaient pas, et cela dura pendant trois périodes de veille. Le Pistolero ne ressentait pas le besoin urgent de réfléchir avec cohérence, ou de prévoir la suite. Il dormait d'un sommeil sans rêves.

Pendant la quatrième période de veille et de marche, ils tombèrent littéralement sur une draisine.

Le Pistolero s'y cogna à hauteur de la poitrine et le garçon, qui marchait de l'autre côté, le percuta du front et tomba en poussant un cri.

Le Pistolero alluma immédiatement la torche.

— Ça va ?

Dans ses paroles perçaient dureté et colère, et il tressaillit en s'entendant.

— Oui.

Le garçon se tenait le front avec précaution. Il secoua la tête pour vérifier qu'il n'avait pas menti. Ils se retournèrent pour regarder ce qu'ils avaient percuté.

Il s'agissait d'une plaque de métal carrée, tranquillement immobilisée au beau milieu des rails. Au centre, une poignée à bascule. Elle s'enfonçait dans un entrelacs de rouages. Le Pistolero ne comprit pas immédiatement le fonctionnement de la chose, mais le garçon si.

— C'est une draisine.

— Une quoi ?

— Une draisine, répéta le garçon avec impatience. Comme dans les vieux dessins animés. Regardez.

Il se hissa sur la pointe des pieds et actionna la poignée. Il réussit à la baisser, mais il dut y aller de tout son poids pour faire tourner l'engrenage. La draisine glissa d'une trentaine de centimètres sur les rails, en silence, hors du temps.

— Bien ! fit une voix mécanique étouffée, qui les fit tous deux sursauter. Bien, poussez encore une f…

La voix mécanique se tut.

— Elle est un peu rouillée, s'excusa le garçon.

Le Pistolero grimpa aux côtés de Jake et abaissa la poignée. La draisine avança sagement, puis s'immobilisa.

— Bien, poussez encore une fois, l'encouragea la voix mécanique.

Le Pistolero sentit un arbre de transmission tourner sous ses pieds. La sensation lui plut, ainsi que la voix mécanique (bien qu'il n'eût *aucune envie* de l'entendre plus que nécessaire). Mis à part la pompe au relais, c'était la première machine qu'il voyait depuis des années qui fonctionnait toujours correctement. Pourtant l'engin suscitait chez lui un malaise. Certes, cette draisine les mènerait plus vite à l'homme en noir. Il ne doutait pas que ce dernier s'était une fois encore arrangé pour qu'ils la trouvent.

— Super, hein ? fit le garçon, d'une voix pleine de dégoût.

Le silence était pesant. Le Pistolero entendait le bruit de ses propres organes à l'œuvre à l'intérieur de son corps, ainsi que l'eau qui gouttait, et rien d'autre.

— Vous vous mettez d'un côté, et moi de l'autre, recommanda Jake. Il va falloir que vous poussiez tout seul, jusqu'à ce que ça roule bien. Alors je pourrai vous aider. Vous poussez, ensuite c'est moi qui pousse. Et ainsi de suite. Vous pigez ?

— Je pige, dit le Pistolero, les poings serrés de désespoir.

— Mais il faudra que vous poussiez tout seul jusqu'à ce que ça roule bien, répéta le garçon en le regardant.

Le Pistolero eut soudain dans la tête l'image très vivace du Grand Hall, environ un an après le Bal de la Nuit des Semailles. Il n'y avait plus alors pour tout décor que des éclats de verre épars, sillage de la révolte, des émeutes civiles et de l'invasion. À cette image succéda celle du visage d'Allie, la femme à la cicatrice de Tull, secouée d'avant en arrière par les balles, tuée sans raison aucune… à moins que le réflexe ne fût une raison. Puis vint le visage de Cuthbert Allgood, riant en descendant la colline vers sa mort, toujours en train de souffler dans ce foutu cor… puis il vit Susan, ses traits tordus, enlaidis par les larmes. *Tous mes vieux amis*, pensa le Pistolero, et il eut un sourire hideux.

— Je vais pousser, fit-il.

Et il se mit à pousser, et quand la voix résonna de nouveau (« Bien, poussez encore ! Bien, poussez encore ! »), il chercha à tâtons autour du pied de la poignée. Il finit par trouver ce qu'il cherchait : un bouton. Sur lequel il appuya.

— Au revoir, l'ami ! lança la voix mécanique avec entrain, puis elle leur accorda quelques heures d'un silence béni.

3

Ils roulèrent ainsi dans le noir, prenant de la vitesse, sans plus avoir à progresser à tâtons. La voix synthétique parla une fois, leur suggérant de grignoter les biscuits Croustipom', puis une fois encore, pour dire qu'il n'y avait rien de meilleur à la fin d'une rude journée qu'une pause Chocochoc. Et, pour mettre en application ce sage conseil, elle se tut définitivement.

Une fois dérouillée, la draisine avança avec fluidité. Le garçon essayait de participer, et le Pistolero l'autorisait à prendre le relais pendant de courtes plages, mais il assura le plus gros du travail, soulevant et abaissant la poignée avec de grands gestes amples qui lui étiraient la poitrine. La rivière souterraine était leur compagne, tantôt se rapprochant par la droite, tantôt s'éloignant. À un moment, ils entendirent comme un écho gigantesque et vrombissant, comme si la rivière traversait le narthex d'une énorme cathédrale. Puis le son disparut d'un seul coup.

La vitesse et le vent qu'elle leur soufflait au visage semblèrent leur tenir lieu de lumière et les lâcher de nouveau dans un cadre temporel. Le Pistolero estimait qu'ils devaient parcourir entre quinze et vingt kilomètres par heure, toujours en suivant une côte légère, quasiment imperceptible, qui l'épuisait sans en avoir l'air. À chacun de leurs arrêts, il dormait lui-même comme une pierre. Ils n'avaient à nouveau pratiquement plus rien à manger, mais ni l'un ni l'autre ne s'en inquiétait.

Pour le Pistolero, la tension due à l'imminence du coup de théâtre était aussi imperceptible mais tout aussi réelle (et croissante) que la fatigue qu'il ressentait à manipuler la draisine. Ils étaient proches de la fin du début… du moins *lui* l'était. Il se sentait comme un acteur, debout au milieu de la scène, quelques minutes avant le lever de rideau ; en position, sa première réplique bien claire à l'esprit, il entendait le public invisible agiter les programmes et gigoter dans les fauteuils. Il vivait avec dans l'estomac une boule dense et constante d'anticipation sans nom et tout exercice physique qui le fatiguait assez pour le faire dormir était le bienvenu. Et lorsqu'il dormait bel et bien, c'était comme les morts.

Le garçon parlait de moins en moins, mais, dans la paix de l'une de leurs pauses-sommeil, peu de temps avant l'attaque des Lents Mutants, il interrogea presque timidement le Pistolero sur son rite de passage à l'âge adulte.

— Car je souhaite en savoir plus à ce sujet, dit-il.

Le Pistolero s'était calé le dos contre la poignée, une cigarette confectionnée à partir de sa réserve déclinante de tabac coincée au coin des lèvres. Il était sur le point de sombrer dans son habituel sommeil de plomb lorsque le garçon posa la question.

— Pourquoi souhaites-tu le savoir ? demanda-t-il, amusé.

Dans la voix du garçon perçait un entêtement curieux, comme s'il dissimulait son embarras.

— Je voudrais savoir, c'est tout.

Après une pause, il ajouta :

— Je me suis toujours demandé ce que ça faisait, de grandir. Je parie que c'est un paquet de mensonges.

— Ce dont tu as entendu parler, ce n'est pas la même chose que ce que moi j'ai vécu, répondit le Pistolero. Je pense que je l'ai fait pour la première fois peu de temps *après* ce dont tu as entendu parler…

— Quand vous avez affronté votre professeur, dit Jake d'un ton distant. C'est ça que je veux entendre.

Roland acquiesça. Oui, bien sûr, le jour où il était venu le trouver ; voilà une histoire que tout garçon souhaiterait entendre, évidemment.

— Mon véritable passage à l'âge adulte n'a pu survenir qu'après que mon père m'eut renvoyé. Puis ça s'est terminé en deux temps, sur place, puis sur la route.

Il marqua une pause.

— J'ai vu pendre un non-homme, une fois.

— Un non-homme ? Je ne comprends pas.

— On le sentait, sans pouvoir le voir.

Jake hocha la tête, paraissant comprendre.

— Il était invisible, fit-il.

Roland haussa les sourcils. Il n'avait jamais entendu ce mot auparavant.

— C'est comme ça qu'on dit ?

— Oui.

— Qu'il soit dit ainsi, alors. En tout cas, il y avait des gens qui ne voulaient pas que je le fasse… ils croyaient qu'ils seraient maudits si je le faisais, mais ce type avait pris goût au viol. Tu sais ce que c'est ?

— Oui, dit Jake. Et je parie qu'un type invisible doit être bon à ça, aussi. Comment vous l'avez coincé ?

— Je te raconterai cette histoire une autre fois.

Il savait qu'il n'y aurait pas d'autre fois. Ils savaient tous les deux qu'il n'y aurait pas d'autre fois.

— Deux ans plus tard, j'ai abandonné une fille dans un endroit qui s'appelait King's Town, pourtant je ne voulais pas…

— Bien sûr que si, fit le garçon d'une voix qui, quoique douce, n'en était pas moins chargée de mépris. Fallait partir en chasse, vers cette Tour, c'est bien ça ? Fallait reprendre la route, comme les cow-boys sur la chaîne de mon père.

Dans le noir, le Pistolero sentit une vague de chaleur lui envahir le visage, mais, lorsqu'il s'adressa au garçon, ce fut d'une voix égale.

— C'était la dernière étape, ça. C'est là que je suis vraiment devenu adulte, je veux dire. Je n'ai pas vu les étapes, sur le coup. C'est après coup que j'ai mesuré le chemin parcouru.

Il se rendit compte avec un certain malaise qu'il éludait la question du garçon.

192

— J'imagine que le rite de passage à l'âge adulte faisait partie du processus, dit-il, avec une pointe d'amertume. C'était très formel. Presque stylisé. Comme une danse.

Il rit, d'un rire déplaisant.

Le garçon ne dit rien.

— Il était nécessaire de prouver sa valeur en combat singulier, dit le Pistolero en guise de début.

4

L'été. La canicule.

La Pleine Terre s'était abattue sur la Nouvelle Canaan comme un amant vampirique cette année-là, tuant la terre et les récoltes des métayers, et les champs de la ville forteresse de Gilead étaient devenus blancs et stériles. À quelques kilomètres vers l'ouest, près des frontières qui marquaient les limites du monde civilisé, la lutte avait déjà commencé. Les rapports étaient tous mauvais, et tous sombraient dans l'insignifiance, devant la chaleur qui harassait le centre. Le bétail vacillait, les yeux vides, dans les enclos des parcs à bestiaux. Les porcs grognaient sans aucun entrain, insoucieux des truies, du sexe ou des couteaux qu'on affûtait pour l'automne à venir. Les gens se plaignaient des impôts et des conscriptions, comme toujours ; mais sous le semblant de passion de la joute politique régnait une grande apathie. Le centre s'était effiloché comme un tapis usé qu'on aurait lavé, piétiné, secoué, accroché et fait sécher. Le lien qui retenait le dernier joyau autour du cou du monde était en train de se défaire. Les choses ne tenaient plus ensemble. La terre retenait son souffle dans l'été de l'éclipse imminente.

Le garçon vagabondait dans le corridor supérieur de ce lieu de pierre qu'était sa demeure, ressentant tout cela, sans pourtant le comprendre. Lui aussi était vide et dangereux, et attendait d'être rempli.

Trois années avaient passé depuis la pendaison du cuisinier qui trouvait toujours des en-cas aux garçons affamés ;

Roland avait grandi et ses épaules et ses hanches s'étaient étoffées. À présent, vêtu seulement de son jean délavé, âgé de quatorze ans, il ressemblait déjà à l'homme qu'il serait : grand, mince et rapide sur ses jambes. Il était toujours puceau, mais deux des plus jeunes souillons d'un marchand du Quartier Ouest de Gilead lui manifestaient de l'intérêt. Il s'était senti réagir, et cette réaction allait croissant. Même dans la fraîcheur du couloir, il sentait la sueur sur son corps.

Devant lui, les appartements de sa mère ; il s'en approchait sans curiosité particulière, s'apprêtant à passer devant pour monter sur le toit, où l'attendaient une brise légère et le plaisir de sa main.

Il avait dépassé la porte lorsqu'une voix l'interpella.

— Toi. Mon garçon.

C'était Marten, le conseiller. Sa tenue trahissait une désinvolture pénible et suspecte – un pantalon de whipcord noir, presque aussi moulant qu'un justaucorps, et une chemise blanche ouverte à mi-poitrine sur son torse imberbe. Sa chevelure était ébouriffée.

Le garçon le regardait en silence.

— Entre, entre donc ! Ne reste pas ainsi dans le couloir ! Ta mère désire te parler.

Sa bouche souriait, mais les traits de son visage étaient animés d'une humeur plus profonde, plus sardonique. Sous cet air – et dans ces yeux – il n'y avait que de la froideur.

En vérité, sa mère ne paraissait pas souhaiter lui parler. Elle était assise sur une chaise à dossier bas, près de la fenêtre, dans le salon central de ses appartements, celui qui donnait sur la pierre blanche et brûlante de la cour centrale. Elle portait une robe d'intérieur très simple, ample, qui glissait sans arrêt sur son épaule blanche ; elle jeta un regard au garçon, un seul – un éclair de sourire contrit, comme le soleil d'automne sur un ruisselet d'eau. Pendant l'entrevue qui suivit, elle regarda ses mains plutôt que son fils.

Il ne la voyait plus que rarement, désormais, et les fantômes des comptines

(*Va, cours, vole*)

avaient presque complètement déserté son esprit. Mais elle était une étrangère bien-aimée. Il ressentait une peur amorphe. Et ainsi naquit sa haine sourde pour Marten, le conseiller le plus proche de son père.

— Vas-tu bien, Ro ? lui demanda-t-elle avec douceur.

Marten se tenait à ses côtés, une main lourde et dérangeante posée près de l'épaule blanche de sa mère, à la naissance du cou blanc, et il leur souriait à tous deux. Ses yeux bruns, à force de sourire, avaient viré au noir.

— Oui, répondit-il.

— Et comment vont tes études ? Vannay est-il content ? Et Cort ?

Sa bouche se crispa en prononçant le second nom, comme si elle avait goûté quelque chose d'amer.

— Je fais de mon mieux, fit-il.

Ils savaient tous deux qu'il n'avait pas l'intelligence fulgurante d'un Cuthbert, ou même la vivacité d'un Jamie. Lui était un bûcheur et un matraqueur. Même Alain était plus doué pour les études.

— Et David ?

Elle connaissait son affection pour le faucon.

Le garçon leva les yeux vers Marten, qui souriait toujours à la cantonade, d'un air paternel.

— Il n'est plus de la première jeunesse.

Sa mère eut comme un tressaillement ; l'espace d'une seconde, le visage de Marten parut s'assombrir, et son emprise sur l'épaule de la mère de Roland se resserrer. Puis elle tourna la tête, regardant au-dehors la chaleur blanche du jour, et tout redevint comme auparavant.

C'est une comédie, pensa-t-il. *Un jeu. Mais qui joue avec qui ?*

— Tu t'es coupé sur le front, dit Marten, le sourire toujours aux lèvres, en pointant négligemment le doigt vers la dernière rossée

(merci pour cette journée instructive)

administrée par Cort.

— Seras-tu un combattant comme ton père ou es-tu seulement lent ?

Cette fois, elle tressaillit bel et bien.

— Les deux, répondit le garçon.

Il regarda Marten sans ciller et eut un sourire douloureux. Même à l'intérieur, il faisait très chaud.

Le sourire de Marten disparut tout à coup.

— Tu peux monter sur le toit, à présent, mon garçon. J'ai cru comprendre que tu avais à y faire.

— Ma mère ne m'a pas encore congédié, serf !

Le visage de Marten se tordit comme si le garçon l'avait giflé à la cravache. Il entendit le sursaut d'effroi de sa mère, tragique et insupportable. Elle prononça son nom.

Mais le sourire douloureux demeura intact sur le visage du garçon, qui fit un pas en avant.

— Me donneras-tu un signe d'allégeance, serf ? Au nom de mon père, dont tu es le serviteur ?

Marten le fixait, avec une incrédulité amère.

— Va, fit-il doucement. Va retrouver ta main.

Un sourire horrible sur les lèvres, le garçon partit.

Alors qu'il refermait la porte, lui parvinrent les gémissements de sa mère. C'était le gémissement d'une fée funeste. Et ensuite, sans pouvoir le croire, il entendit le serviteur de son père la frapper et lui ordonner de fermer son caquet.

De fermer son caquet !

Et ensuite il entendit le rire de Marten.

Et c'est toujours en souriant que le garçon se rendit à son épreuve.

5

Jamie était de retour d'une visite aux boutiquiers, et, voyant Roland traverser la cour d'entraînement, il courut lui raconter les dernières rumeurs de bains de sang et de révoltes, à l'ouest. Mais il tomba à côté, les mots restant dans le nondit. Ils se connaissaient tous deux depuis la petite enfance et en grandissant, ils s'étaient défiés l'un l'autre, battus, et s'étaient livrés des milliers de fois à l'exploration de ces murs entre lesquels ils étaient nés.

Roland passa devant lui, le fixant sans le voir, souriant de son sourire douloureux. Il marchait en direction de la masure de Cort, dont les stores avaient été baissés pour repousser la chaleur sauvage de l'après-midi. Cort faisait toujours la sieste à cette heure-ci, afin de pouvoir profiter pleinement de ses escapades de cavaleur dans le labyrinthe infect des bordels de la basse ville.

Dans un accès d'intuition, Jamie sut ce qui était sur le point de se passer et, pris entre la peur et l'extase, il était partagé entre l'envie de suivre Roland et celle de courir chercher les autres.

Puis l'hypnose se brisa et il courut vers les demeures en hurlant « Cuthbert ! Alain ! Thomas ! ». Ses cris résonnaient comme une plainte chétive dans la canicule de l'après-midi. Ils savaient, tous, avec cette intuition qu'ont les garçons, que Roland serait le premier d'entre eux à tenter de franchir la ligne. Mais c'était trop tôt.

Le rictus monstrueux sur le visage de Roland le galvanisa plus qu'aucune nouvelle de guerre, de révolte ou de sorcellerie. Voilà qui était plus que des paroles échappées d'une bouche édentée au-dessus d'un plan de salades constellées de chiures de mouches.

Roland arriva devant la maison de son professeur et en ouvrit la porte d'un coup de pied. Elle vola en arrière, cogna de plein fouet le plâtre nu du mur et rebondit.

Jamais il n'avait pénétré à l'intérieur. L'entrée donnait sur une cuisine austère, fraîche et brune. Une table, deux chaises à dossier droit. Deux buffets. Du linoléum passé au sol, creusé en deux lignes noircies, l'un vers le comptoir d'où pendaient les couteaux, l'autre vers la table.

C'était donc là l'intimité de cet homme public. Le refuge fané d'un oiseau de nuit violent qui avait aimé trois générations de garçons, dont il avait fait de certains des pistoleros.

— Cort !

Il donna un coup de pied dans la table, l'envoyant voler à travers la pièce, contre le comptoir. Les couteaux accrochés au mur tombèrent en scintillant, tel un jeu de jonchets.

Dans la pièce voisine, il entendit un frémissement lourd, un raclement de gorge endormi. Le garçon n'entra pas, sachant qu'il s'agissait d'une feinte, et que Cort s'était réveillé en un éclair et s'était tenu près de la porte, l'œil brillant, dans l'attente de pouvoir briser le cou de ce présomptueux intrus.

— Cort, montre-toi, c'est un ordre, serf !

Il employait à présent le Haut Parler, et Cort ouvrit la porte à la volée. Il ne portait qu'un caleçon fin sur son corps trapu aux jambes arquées, zébré de cicatrices de haut en bas, et bosselé de nœuds de muscles. Son ventre était saillant et arrondi. Mais le garçon savait d'expérience que c'était de l'acier trempé. Vissé dans cette tête chauve et cabossée, l'œil valide le fixait.

Le garçon salua dans les formes.

— Ne m'enseigne plus tes leçons, serf. Aujourd'hui, tu es mon élève.

— Tu es en avance, piaillard, fit Cort d'un ton désinvolte, mais en employant lui aussi le Haut Parler. De deux ans pour le moins, d'après ce que je peux en juger. Je ne poserai la question qu'une seule fois : te dédies-tu ?

Pour toute réponse, le garçon se contenta de son ignoble sourire douloureux. Pour Cort, qui avait vu ce même sourire sur maints champs d'honneur ou de déshonneur ensanglantés sous un ciel écarlate, il s'agissait d'une réponse claire… la seule sans doute qu'il pût croire.

— C'est trop dommage, commenta distraitement le professeur. Tu étais un élève très prometteur… le meilleur en deux douzaines d'années, je dirais. Ce sera triste de te voir brisé, engagé ainsi dans une impasse. Mais le monde a changé. J'entends le galop des jours mauvais.

Le garçon demeura silencieux (et il aurait été bien incapable de fournir la moindre explication cohérente, s'il lui avait été demandé de le faire), mais, pour la première fois, l'horrible sourire s'adoucit quelque peu.

— C'est le sang qui parlera, dit Cort, la révolte et la sorcellerie à l'ouest, ou non. Je suis ton serf, mon garçon. Je reconnais ton ordre et m'incline – fût-ce la dernière fois – de tout mon cœur.

Et Cort, lui qui l'avait battu, bourré de coups de pied, lui qui avait fait couler son sang, qui l'avait maudit, le traitant de rejeton de la syphilis, mit un genou en terre et baissa la tête.

Le garçon toucha la chair vulnérable et parcheminée de la nuque avec émerveillement.

— Lève-toi, serf. Dans l'amour.

Cort se redressa lentement et ce qui perçait derrière le masque impassible de ses traits laminés pouvait bien être de la douleur.

— C'est du gâchis. Dédis-toi, espèce de jeune idiot. Je brise mon propre serment. Dédis-toi et attends.

Le garçon ne répondit rien.

— Très bien, si tu es décidé, qu'il en soit ainsi.

La voix de Cort prit un ton sec et professionnel.

— Une heure. Et tu as le choix des armes.

— Amèneras-tu ton bâton ?

— Comme toujours.

— Combien de bâtons t'ont été enlevés, Cort ?

Ce qui revenait exactement à demander : combien de garçons ont pénétré dans la cour carrée au-delà du Grand Hall et en sont revenus en apprentis pistoleros ?

— Aucun bâton ne me sera enlevé aujourd'hui, fit lentement Cort. Je le regrette. Il n'y a qu'une occasion, mon garçon. La précipitation et le manque de mérite sont punis de la même sentence. Ne peux-tu attendre ?

Le garçon revit Marten, debout au-dessus de lui. Ce sourire. Et le bruit du coup derrière la porte close.

— Non.

— Très bien. Quelle arme choisis-tu ?

Le garçon ne répondit rien.

Cort exhiba une rangée de dents irrégulière.

— Voilà qui est sage. Dans une heure. Te rends-tu compte qu'il est fort probable que jamais plus tu ne revoies ton père, ta mère et tes ka-babés ?

— Je sais ce que signifie l'exil, dit doucement Roland.

— Maintenant, va, et médite sur le visage de ton père. Grand bien t'en fasse.

Et, sans se retourner, le garçon s'en alla.

Le sous-sol de la grange offrait une fraîcheur trompeuse, mêlée à l'humidité, à l'odeur de toiles d'araignées et d'eau souterraine. Le soleil l'éclairait de ses rayons poussiéreux, à travers les fenêtres étroites, mais la chaleur du jour n'y avait pas pénétré. C'est là que le garçon gardait le faucon et l'oiseau semblait à son aise.

David n'arpentait plus le ciel. Ses plumes avaient perdu de leur lustre, de cet éclat animal qu'elles revêtaient encore trois ans plus tôt, mais son regard était plus perçant et immobile que jamais. On ne peut se lier d'amitié avec un faucon, à ce qu'on dit, à moins d'être soi-même à moitié faucon, seul et solitaire, en escale dans ce monde, sans amis ni besoin d'amis. Le faucon n'accorde aucun prix ni à l'amour, ni à la morale.

David était devenu un vieux faucon. Le garçon espérait en être lui-même un jeune.

— Hai, dit-il doucement en tendant le bras vers le perchoir.

Le faucon avança sur le bras du garçon et y demeura immobile, décapuchonné. De l'autre main, le garçon alla chercher dans sa poche un lambeau de viande séchée. Le faucon l'arracha prestement d'entre ses doigts et le fit disparaître.

Le garçon se mit à caresser l'oiseau avec beaucoup de précaution. Cort n'en aurait probablement pas cru ses yeux, mais il ne croyait pas non plus que l'heure du garçon était venue.

— Je crois que c'est aujourd'hui que tu vas mourir, dit-il en continuant à le caresser. Je crois que tu vas servir de sacrifice, comme tous ces petits oiseaux avec lesquels je t'ai entraîné. Tu te rappelles ? Non ? Peu importe. À partir d'aujourd'hui, c'est moi le faucon, et ce même jour de chaque année, je tirerai dans le ciel, en mémoire de toi.

David se tenait sur son bras, silencieux, l'œil fixe, indifférent à sa propre vie et à sa propre mort.

— Te voilà devenu vieux, fit pensivement le garçon. Et peut-être n'es-tu pas mon ami. Il y a seulement un an, ce sont mes yeux que tu aurais essayé d'arracher, au lieu de ce bout de viande, n'est-ce pas ? Cort rirait bien. Mais si on s'en approche assez... si on s'approche assez de ce ladre... s'il ne se doute de rien... lequel l'emportera, David ? L'âge ou l'amitié ?

David ne répondit pas.

Le garçon l'encapuchonna et se saisit de l'attache, enroulée au bout du perchoir. Ils quittèrent la grange.

7

La cour située derrière le Grand Hall n'était pas une véritable cour, mais plutôt un couloir vert dont les murs étaient formés par d'épaisses haies enchevêtrées. C'était le théâtre du rite de passage depuis des temps immémoriaux, bien avant l'époque de Cort ou de son prédécesseur, Mark, qui était mort poignardé par une main trop zélée, en ces lieux mêmes. Bon nombre de garçons avaient quitté le couloir par l'est, où entrait le professeur, et l'avaient quitté en hommes. La sortie est faisait face au Grand Hall, à toute la civilisation et aux intrigues du monde éclairé. D'autres, bien plus nombreux, s'étaient éclipsés furtivement, battus et ensanglantés, par la sortie ouest, celle par laquelle pénétraient toujours les garçons ; ceux-là étaient sortis garçons à jamais. L'issue ouest faisait face aux fermes et aux cabanes au-delà des fermes. Au-delà encore, le fouillis végétal des forêts barbares ; au-delà, Garlan. Et, après Garlan, le Désert Mohaine. Tout garçon qui devenait un homme progressait des ténèbres et de l'ignorance vers la lumière et la responsabilité. Tout garçon battu ne pouvait que battre en retraite, pour toujours et à jamais. Le passage était aussi vert et lisse qu'un tapis de jeu. Il mesurait exactement quarante mètres de long. En son centre se trouvait une bande de terre rasée. C'était la ligne, celle qu'on tentait de franchir.

À chaque extrémité s'entassaient en général des spectateurs et des parents tendus, car la date du rituel était souvent prévue avec une grande précision – le plus couramment, à l'âge de dix-huit ans (ceux qui n'avaient pas passé l'épreuve à vingt-cinq sombraient pour la plupart dans l'obscurité, devenaient fermiers, incapables qu'ils étaient d'affronter la réalité brutale du tout ou rien). Mais, ce jour-là, il n'y avait que Jamie DeCurry, Cuthbert Allgood, Alain Johns, et Thomas Whitman. Ils s'agglutinèrent du côté du garçon, bouche bée, ouvertement terrifiés.

— Ton arme, idiot ! siffla Cuthbert, au supplice. Tu as oublié ton arme !

— Je l'ai, répondit le garçon.

Il se demanda vaguement si la nouvelle de sa folie avait déjà atteint les demeures, sa mère – et Marten. Son père était à la chasse, et ne serait pas de retour avant plusieurs jours. Le garçon en ressentait une sorte de honte, car il savait qu'en son père il aurait trouvé de la compréhension, sinon son approbation.

— Cort est entré ?

— Cort est ici.

La voix venait du bout du couloir, et Cort s'avança d'un pas, vêtu d'un maillot court. Un large bandeau de cuir lui ceignait le front, pour empêcher la sueur de lui couler dans les yeux. Il portait une grosse ceinture sale, pour lui tenir le dos droit. Dans une main, il tenait un gros bâton de bois de fer, pointu à une extrémité, aplati à l'autre. Il prononça les premiers mots de cette litanie que tous, choisis par le sang aveugle de leurs pères depuis Arthur l'Aîné, connaissaient depuis leur premier âge, et qu'ils avaient apprise en prévision du jour où, peut-être, ils deviendraient eux aussi des hommes.

— Viens-tu ici dans un dessein sérieux, mon garçon ?

— Je viens dans un dessein sérieux.

— Viens-tu ici exclu de la maison de ton père ?

— C'est ainsi que je viens.

Et ainsi qu'il resterait, jusqu'à ce qu'il ait vaincu Cort. Si c'était Cort qui l'emportait, il demeurerait à jamais un exclu.

— Viens-tu avec l'arme de ton choix ?

— Oui.

— Quelle est cette arme ?

C'était le privilège du maître, l'occasion pour lui d'adapter son plan de bataille à la fronde ou à la lance, à l'arc ou au bah.

— David est mon arme.

Cort n'eut qu'un instant d'hésitation. Preuve de sa surprise, probablement même de sa confusion. C'était une bonne chose.

Ce pourrait être une bonne chose.

— Ainsi tu viens m'affronter, mon garçon ?

— Oui.

— En quel nom ?

— Au nom de mon père.

— Dis son nom.

— Steven Deschain, de la lignée du Grand Roi d'Eld.

— Dans ce cas, sois prompt.

Et Cort s'avança dans le couloir, faisant sauter son bâton d'une main à l'autre. Un soupir voltigea au-dessus des garçons, comme un oiseau, tandis que leur *dan-dinh* avançait à la rencontre de son maître.

David est mon arme, maître.

Cort avait-il compris ? Et, si tel était le cas, avait-il compris pleinement ? Si oui, tout était vraisemblablement perdu. Il avait tout misé sur l'effet de surprise – et sur ce qu'il restait de tripes à ce faucon. Resterait-il posé, stupide et impassible, sur le bras de Roland, pendant que ce dernier se ferait décerveler à coups de gourdin ? Ou bien s'échapperait-il dans le ciel vaste et brûlant ?

Alors qu'ils se rapprochaient l'un de l'autre, chacun d'un côté de la ligne comme l'exigeait la circonstance, le garçon desserra le capuchon du faucon de ses doigts inertes. Il tomba sur l'herbe verte, et Cort s'immobilisa. Roland vit les yeux du vieux guerrier se poser sur l'oiseau et s'arrondir de surprise, tandis que la prise de conscience montait doucement en lui. *Maintenant* il comprenait.

— Oh, espèce de petit crétin, grogna presque Cort, et Roland se sentit soudain furieux qu'on s'adressât ainsi à lui.

— Attaque ! cria-t-il en levant le bras.

Et David s'envola comme une balle brune et silencieuse, ses ailes courtes pompant l'air une fois, deux fois, trois fois, avant de piquer droit sur le visage de Cort, les serres en avant, plongeant le bec. Des gouttes rouges jaillirent dans l'air bouillant.

— Hai ! Roland ! hurla Cuthbert, fou de joie. Le premier sang versé ! Le premier sang pour ma poitrine !

Il se frappa le torse assez fort pour y imprimer un bleu qui mettrait plus d'une semaine à disparaître.

Cort vacilla en arrière, perdant l'équilibre. Le bâton de bois de fer s'éleva, battant vainement l'air autour de la tête de Cort. Le faucon n'était qu'une liasse de plumes ondulante et floue.

Pendant ce temps, le garçon s'avança comme une flèche, la main tendue à angle droit, le coude verrouillé. C'était sa chance, très probablement la seule qui se présenterait à lui.

Pourtant, le maître faillit encore être trop rapide pour lui. L'oiseau avait neutralisé quatre-vingt-dix pour cent de son champ visuel, pourtant Cort brandit de nouveau le bâton, bout plat en avant, et fit de sang-froid la seule chose qui à ce stade pouvait encore faire basculer l'issue du combat : gonflant les biceps, il se frappa le visage sans pitié, trois fois.

David tomba, brisé. Une aile continua de battre frénétiquement le sol. Les yeux froids de prédateur fixaient avec rage le visage sanglant et dégoulinant du professeur. Le mauvais œil de Cort saillait aveuglément de son orbite.

Le garçon envoya à Cort un coup de pied dans la tempe, le secouant fermement. Ç'aurait pu marquer la fin du combat, mais ce ne fut pas le cas. L'espace d'un instant, le visage de Cort devint mou ; puis il se jeta en avant, attrapant le garçon par le pied.

Le garçon fit un bond en arrière et trébucha. Il s'étala de tout son long. Il entendit, au loin, les cris de désarroi de Jamie.

Cort s'apprêtait à lui tomber dessus pour en finir. Roland avait perdu l'avantage, et ils le savaient tous les deux. Ils se regardèrent un moment, le maître debout au-dessus de l'élève, des gouttes de sang dégoulinant de la partie gauche de son visage, son mauvais œil presque fermé, ne laissant plus voir qu'une fine fente blanche. Pas de bordels pour Cort, ce soir.

Quelque chose déchira la main de Roland. C'était David, déchiquetant désespérément tout ce qu'il pouvait attraper. Il avait les deux ailes brisées. Qu'il fût toujours en vie était incroyable.

Le garçon l'empoigna comme une pierre, insoucieux des entailles, du bec qui plongeait dans la chair de ses poignets pour en arracher des rubans. Au moment où Cort se jetait sur lui, les bras déployés, Roland lança le faucon en l'air.

— Hai ! David ! Tue !

Alors Cort lui masqua le soleil et s'effondra sur lui.

8

L'oiseau était écrasé entre eux, et le garçon sentit un pouce calleux chercher son orbite. Il le retourna, tout en remontant la cuisse pour bloquer le genou de Cort qui cherchait à lui frapper l'entrejambe. Il abattit la main en trois coups brutaux sur la nuque de Cort. Comme s'il frappait de la pierre bosselée.

Cort poussa un grognement pâteux. Tout son corps frissonna. Roland vit vaguement une main tâtonner dans l'air, à la recherche du bâton et, la devançant dans un grand bond, il envoya le gourdin hors d'atteinte. David avait planté les serres d'une de ses pattes dans l'oreille droite de Cort. De l'autre, il labourait impitoyablement la joue du maître, la réduisant en charpie. Du sang chaud éclaboussa le visage du garçon, dans une odeur de copeaux de cuivre.

Le poing de Cort frappa l'oiseau une première fois, lui brisant le dos. Au deuxième coup, la tête bascula en craquant, tordue. Et pourtant les serres labouraient toujours. Il n'y avait plus d'oreille, maintenant ; rien qu'un trou rouge creusé sur le côté du crâne de Cort. Le troisième coup envoya le faucon dans les airs, libérant enfin le visage de Cort.

À la seconde où il vit clairement ce visage, le garçon frappa la base du nez de son maître avec la tranche de la main, usant de toutes les forces qui lui restaient pour briser l'os. Du sang gicla.

La main aveugle et furieuse de Cort attrapa les fesses du garçon, tenta de lui arracher son pantalon, de l'entraver.

Roland roula sur le côté, trouva le bâton de Cort et se redressa sur les genoux.

Cort se mit lui aussi à genoux, le visage tordu par un rictus. Tableau incroyable, ils se faisaient ainsi face de part et d'autre de la ligne, à cela près qu'ils avaient changé de place, et que Cort se trouvait à présent du côté où se trouvait Roland au début de l'épreuve. Le visage du vieux guerrier était voilé de sang. L'œil qui voyait toujours roulait furieusement dans son orbite. Le nez écrasé formait un angle horrible. Les deux joues pendaient en lambeaux.

Le garçon tenait le bâton de l'homme comme un joueur de Gran' Points attendant le lâcher de l'oiseau de cuir.

Cort fit une double feinte, puis lui fonça droit dessus.

Le garçon se tenait prêt, pas le moins du monde leurré par ce dernier tour, dont ils savaient tous deux qu'il était bien pitoyable. Le bois de fer décrivit un arc aplati et s'abattit sur le crâne de Cort avec un son mat. Il tomba sur le côté, suivant le garçon d'un regard aveugle et las. Un filet de bave se mit à couler de ses lèvres.

— Rends-toi ou meurs, dit le garçon, la bouche remplie de coton mouillé.

Et Cort sourit. Il avait presque totalement perdu conscience, et il allait rester alité une semaine dans sa cabane, drapé dans les ténèbres du coma, mais en cette seconde il s'accrochait avec toute la force de sa vie sans ombre et sans pitié. Il vit dans les yeux du garçon ce besoin de palabrer, et même avec un rideau de sang devant les yeux, il comprit ce que ce besoin avait de désespéré.

— Je me rends, pistolero. Je me rends le sourire aux lèvres. En ce jour tu t'es rappelé le visage de ton père, et celui de tous ceux qui sont venus avant lui. Quelle merveille tu as accomplie !

L'œil valide de Cort se ferma.

Le Pistolero le secoua doucement, mais avec insistance. Les autres s'étaient regroupés autour d'eux, l'attiraient contre eux et lui tapaient dans le dos avec des mains tremblantes. Mais, pris de peur, ils se reculèrent, sentant s'ouvrir un nouveau gouffre. Et pourtant ce n'était pas aussi étrange que cela, car il y avait toujours eu un gouffre entre celui-ci et les autres.

L'œil de Cort s'ouvrit de nouveau en roulant.

— La clef, dit le Pistolero. Mon patrimoine, maître. J'en ai besoin.

Son patrimoine, c'étaient les pistolets, non pas ceux, lourds, de son père – lourds comme le bois de santal –, mais des pistolets tout de même. Réservés aux heureux élus. Dans le caveau massif, situé sous la caserne, et dans lequel, selon la loi immémoriale, il devait maintenant demeurer, loin du sein de sa mère, étaient accrochées ses armes d'apprenti, des six-coups à barillet, en acier et nickel. Pourtant ces armes avaient connu son père au cours de son apprentissage, et à présent son père gouvernait – au moins de nom.

— En as-tu donc un besoin si terrible ? marmonna Cort, comme dans le sommeil. Aussi pressant ? Si fait, je le crains. Un besoin aussi impérieux aurait dû t'assommer. Et pourtant tu as gagné.

— La clef.

— Le faucon, c'était un fin stratagème. Une arme de choix. Combien de temps as-tu mis à entraîner ce salopard ?

— Je n'ai jamais entraîné David. J'en ai fait mon ami. La clef.

— Sous ma ceinture, pistolero.

L'œil se referma.

Le Pistolero fouilla sous la ceinture de Cort, sentant la forte pression du ventre, les muscles énormes à présent relâchés et au repos. La clef était accrochée à un anneau de laiton. Il l'empoigna et la serra fort, refrénant une folle envie de la lancer vers le ciel en signe de victoire.

Alors qu'il se relevait et se tournait enfin vers les autres, la main de Cort chercha son pied à tâtons. L'espace d'une seconde, le Pistolero craignit un dernier assaut et se raidit, mais Cort se contenta de lever l'œil vers lui et de tendre un doigt couvert d'escarres.

— Je vais dormir, à présent, murmura-t-il calmement. Je vais prendre le chemin. Peut-être irai-je même jusqu'à la clairière, tout au bout, je ne sais pas. Je ne t'enseignerai plus, pistolero. Tu m'as surpassé, et deux années plus tôt que ton propre père, qui était lui-même le plus jeune. Mais laisse-moi te conseiller.

— Quoi ?

Dans sa voix, l'impatience.

— Efface immédiatement ce regard de ton visage, l'asticot.

À sa grande surprise, Roland obéit (bien que, tapi derrière son propre visage comme chacun de nous, il n'en sût rien).

Cort approuva d'un signe de tête, et murmura un mot, un seul.

— Attends.

— *Quoi ?*

L'effort qu'il en coûtait à cet homme de parler donnait à ses paroles un poids particulier.

— Laisse la rumeur et la légende te précéder. Voici ceux qui les colporteront toutes deux.

Ses yeux papillotèrent au-dessus de l'épaule du Pistolero.

— Des idiots, peut-être. Attends que pousse la barbe de ton ombre. Laisse-la s'étoffer.

Un sourire grotesque se peignit sur son visage.

— Avec le temps, les mots peuvent enchanter un enchanteur même. Comprends-tu le sens de mes paroles, pistolero ?

— Oui. Je le crois.

— Accepteras-tu mon dernier conseil en tant que professeur ?

Le Pistolero bascula en arrière sur ses talons, s'accroupissant en une posture de réflexion qui augurait des poses que prendrait l'homme qu'il allait devenir. Il leva les yeux vers le ciel. L'ombre gagnait, prenant des teintes pourpres. La chaleur du jour déclinait et à l'ouest, des têtes de cumulo-nimbus annonçaient de la pluie. À plusieurs lieues de là, des lames de foudre tailladaient le flanc placide des collines. Au-delà, les montagnes. Au-delà, les fontaines jaillissantes du sang et de la déraison. Il était fatigué, fatigué dans ses os et plus encore.

Il baissa les yeux vers Cort.

— Ce soir je mettrai mon faucon en terre, maître. Puis je descendrai dans les bordels de la basse ville, pour informer celles qui s'enquerront de vous. Peut-être en réconforterai-je une ou deux, en passant.

Les lèvres de Cort s'entrouvrirent en un sourire doulou-reux, puis il s'endormit.

Le Pistolero se releva et se tourna vers les autres.

— Confectionnez une civière et portez-le jusque chez lui. Puis faites venir une infirmière. Non, deux infirmières. D'accord ?

Ils le fixaient toujours, pris dans un instant suspendu qu'aucun d'eux n'osait rompre immédiatement. Ils cherchaient toujours la couronne de feu, ou la métamorphose magique.

— Deux infirmières, répéta le Pistolero, puis il sourit.

Ils lui rendirent son sourire. Un sourire nerveux.

— Espèce de sale meneur de chevaux, se mit soudain à hurler Cuthbert, souriant jusqu'aux oreilles. Tu ne nous as même pas laissé assez de viande sur l'os !

— Le monde ne va pas changer demain, dit le Pistolero, citant ce vieil adage le sourire aux lèvres. Alain, mou du cul ! Bouge ta graisse.

Alain entreprit de faire la civière ; Thomas et Jamie prirent ensemble la direction du hall principal et de l'infirmerie.

Le Pistolero et Cuthbert se regardèrent. Ils avaient toujours été les plus proches – du moins aussi proches que le permettaient les nuances de leurs caractères respectifs. Il y avait dans les yeux de Bert une lueur ouverte et spéculative, et le Pistolero ne maîtrisa qu'à grand-peine le besoin de lui dire de ne pas passer l'épreuve avant un an ou même dix-huit mois, de crainte de devoir partir à l'ouest. Mais ils avaient traversé une grande aventure ensemble, et le Pistolero ne voulait risquer de dire une telle chose avec ce qui passerait pour de l'arrogance. *Voilà que je commence à comploter*, se dit-il, avec une pointe de consternation. Puis il songea à Marten, à sa mère, et il lança à son ami un sourire trompeur.

Mon destin est d'être le premier, pensa-t-il, en prenant pleinement conscience pour la première fois. *Je suis le premier.*

— Allons-y, dit-il.

— Avec plaisir, pistolero.

Ils sortirent par l'issue est du couloir bordé de haies. Thomas et Jamie revenaient déjà avec les infirmières. On aurait

dit des fantômes, dans leurs robes d'été blanches et vaporeu-
ses, avec la croix rouge sur la poitrine.

— Veux-tu que je t'aide, pour le faucon ? demanda Cuthbert.

— Oui, répondit le Pistolero. Ce serait adorable, Bert.

Et plus tard, lorsque l'obscurité fut venue, et avec elle les
orages effrénés, tandis que d'énormes caissons fantomatiques
traversaient le ciel en roulant et que les éclairs nettoyaient les
ruelles malfamées de la basse ville dans un grand incendie
bleu, tandis que les chevaux à l'attache attendaient la tête
baissée et la queue pendante, le Pistolero prit une femme et
coucha avec elle.

Ce fut bref et bon. Quand ce fut terminé, et qu'ils restèrent
étendus côte à côte sans parler, il se mit à grêler par rafales
féroces et bruyantes. En bas, au loin, on jouait « Hey Jude »
façon ragtime. L'esprit du Pistolero, pensif, se tourna vers
l'intérieur de lui-même. Et ce fut dans ce silence éclaboussé
de grêle, juste avant que le sommeil ne s'empare de lui, qu'il
pensa pour la première fois qu'il était peut-être aussi le dernier.

9

Le Pistolero ne raconta pas tout cela au garçon, mais peut-
être laissa-t-il filtrer l'essentiel. Il avait déjà remarqué à quel
point ce garçon était perceptif, pas si différent d'Alain, qui
avait une force faite d'empathie et de télépathie mêlées, et
qu'on appelait le don de *shining*.

— Tu dors ? demanda le Pistolero.

— Non.

— Tu as compris ce que je t'ai raconté ?

— Compris ? répéta le garçon avec un dédain surprenant.
Compris ? Vous voulez rire ?

— Non.

Mais le Pistolero se sentait sur la défensive. Jamais auparavant il n'avait fait le récit de son rite de passage, car il se

sentait pris dans une certaine ambivalence, à ce sujet. Bien sûr, le faucon avait fait une arme parfaitement acceptable, pourtant il avait fallu un tour, aussi. Et une trahison. La première d'une longue liste. *Et dis-moi... suis-je vraiment sur le point de jeter ce garçon en pâture à l'homme en noir ?*

— J'ai compris, ça c'est sûr, fit le garçon. C'était un jeu, n'est-ce pas ? Est-ce qu'une fois adultes, les hommes doivent toujours jouer ? Est-ce que tout doit leur servir de prétexte pour un autre genre de jeu ? Est-ce qu'il existe des hommes qui deviennent vraiment adultes, ou bien est-ce qu'ils se contentent de devenir majeurs ?

— Tu ne sais pas tout, répliqua le Pistolero, tentant de réprimer une colère sourde. Tu n'es qu'un garçon.

— C'est sûr. Mais je sais ce que je suis pour vous.

— Ah oui ? Et qu'es-tu ? demanda le Pistolero d'un ton tendu.

— Un jeton de poker.

Le Pistolero sentit monter la pulsion d'attraper un caillou et de fracasser le crâne du garçon. Au lieu de quoi, il s'adressa à lui calmement.

— Va dormir. Les garçons ont besoin de sommeil.

Et dans son esprit résonna la voix de Marten, en écho : *Va retrouver ta main.*

Il s'assit dans le noir, le dos raide, terrifié et anesthésié par l'horreur (pour la première fois de son existence), l'horreur de cette haine de soi qui surgirait peut-être, après.

10

Durant la période de veille qui suivit, la voie ferrée se rapprocha de la rivière souterraine, et ils tombèrent sur les Lents Mutants.

Ce fut Jake qui aperçut le premier et il poussa un cri.

Le Pistolero, qui regardait droit devant lui en actionnant la draisine, tourna brusquement la tête vers la droite. De sous eux montait une lueur verdâtre digne de Halloween, qui battait faiblement. Ils prirent pour la première fois conscience de l'odeur – légère, humide, nauséabonde.

La lueur verdâtre était un visage – ou ce qu'une âme charitable aurait appelé un visage. Au-dessus du nez aplati saillait une paire d'yeux d'insecte, qui les fixait d'un air impavide. Le Pistolero sentit dans son intestin et dans ses parties une contraction atavique. Il accéléra légèrement le rythme des va-et-vient de ses bras.

Le visage lumineux s'éteignit.

— Pour l'amour du ciel, c'était quoi, *ça* ? demanda le garçon en rampant jusqu'à lui. Qu'est-ce…

La phrase mourut dans sa gorge lorsqu'ils passèrent à côté d'un groupe de trois formes qui scintillaient faiblement, debout entre les rails et la rivière invisible, à les regarder sans bouger.

— Ce sont des Lents Mutants, répondit le Pistolero. Je ne pense pas qu'ils nous feront des ennuis. Ils ont sans doute plus peur de nous que nous d'…

L'une des formes se détacha du groupe et se traîna dans leur direction. Le visage rappelait celui d'un débile affamé. Le corps nu, opalescent, s'était transformé en un entremêlement hideux de membres et de ventouses tentaculaires.

Le garçon hurla à nouveau et s'agglutina contre le Pistolero comme un chien affolé.

L'un des tentacules qui tenaient lieu de bras à la chose vint s'aplatir en travers de la plate-forme de la draisine. Il suintait des relents d'humidité et d'obscurité. Le Pistolero lâcha le manche et dégaina. Il logea une balle dans le front du débile affamé. Il bascula en arrière, sa luminescence marécageuse s'effaça comme une lune dans l'éclipse. L'empreinte lumineuse du coup de feu, qui s'était imprimée sur leurs rétines obscurcies, ne se dissipa qu'à regret. L'odeur de la poudre répandue brûlait encore, chaude, sauvage et incongrue dans ce tombeau.

Il y en avait d'autres, beaucoup d'autres. Aucun n'avançait ouvertement vers eux, mais tous se rapprochaient des rails, bande silencieuse et immonde.

— Il va peut-être falloir que tu pompes à ma place, dit le Pistolero. Tu pourras ?

— Oui.

— Alors tiens-toi prêt.

Le garçon se tenait près de lui, en position. Ses yeux ne percevaient les Lents Mutants qu'au moment où ils les dépassaient, ne cherchant pas à percer l'obscurité, ni à voir plus que nécessaire. Le garçon ressentit une poussée de terreur médiumnique, comme si son moi intime avait littéralement jailli par ses pores pour former un bouclier. S'il avait le don de *shining*, pensa le Pistolero, cela n'était pas impossible.

Le Pistolero continua à pomper régulièrement, sans accélérer le mouvement de ses bras. Les Lents Mutants sentaient leur terreur, il le savait, mais il se demandait si la terreur suffirait à les mettre en branle. Lui et le garçon, après tout, étaient des créatures de la lumière, des créatures intactes. *Comme ils doivent nous haïr*, se dit-il, et il se demanda s'ils avaient haï de même l'homme en noir. Il pensait que non, ou peut-être était-il passé parmi eux telle l'ombre d'une aile noire, dans cette noirceur plus profonde encore.

Le garçon émit un son de gorge et le Pistolero tourna la tête de façon presque désinvolte. Quatre d'entre eux prenaient d'assaut la draisine en trébuchant – l'un d'eux notamment cherchait une prise.

Le Pistolero lâcha la poignée et dégaina de nouveau, de ce même mouvement souple et endormi. Il abattit le meneur d'une balle dans la tête. Le mutant poussa un soupir proche du sanglot et un rictus se dessina sur son visage. Ses mains devinrent molles et visqueuses comme du poisson, mortes ; les doigts formaient comme des gousses qui auraient baigné dans la boue humide. L'une de ces mains cadavériques attrapa le pied du garçon et se mit à tirer.

Le garçon poussa un hurlement dans la matrice de granit.

Le Pistolero tira dans la poitrine du mutant. Il se mit à baver à travers son sourire. Jake basculait sur le côté. Le Pistolero le saisit par le bras et fut presque déséquilibré lui-même. La chose était d'une force à peine croyable. Le Pistolero lui mit une autre balle dans la tête. Un œil s'éteignit comme une bougie soufflée. Pourtant la créature tirait toujours. Ils s'engagèrent dans une lutte acharnée pour le corps de Jake, qui tressautait et se tortillait. Les Lents Mutants tiraient sur ses jambes par saccades, comme sur un bréchet. Leur vœu serait indéniablement de faire ripaille.

La draisine perdait de la vitesse. Les autres commencèrent à les encercler – les boiteux, les estropiés, les aveugles. Peut-être ne cherchaient-ils qu'un Jésus qui pourrait les soigner, les sortir des ténèbres, comme Lazare.

C'est la fin, pour le garçon, pensa le Pistolero avec une froideur parfaite. *C'est la fin qu'il a programmée. Laisser faire et pomper ou bien tenir bon et se faire enterrer. La fin pour le garçon.*

Il tira de toutes ses forces sur le bras de Jake et tua le mutant d'une balle dans le ventre. Pendant une seconde suspendue, son emprise se resserra encore et Jake se remit à glisser du bord. Puis les paluches boueuses et mortes lâchèrent prise, et le Lent Mutant tomba le visage à terre, souriant toujours, derrière la draisine qui ralentissait.

— J'ai cru que vous alliez me laisser, sanglotait le garçon. J'ai cru... j'ai cru...

— Accroche-toi à mon ceinturon, fit le Pistolero. Accroche-toi aussi fort que tu peux.

Les mains remontèrent jusqu'à son ceinturon et s'y arrimèrent. La respiration du garçon se faisait par grands halètements convulsifs et silencieux.

Le Pistolero se remit à jouer des bras à un rythme régulier, et la draisine reprit de la vitesse. Les Lents Mutants reculèrent et les regardèrent s'éloigner avec des visages à peine humains (ou d'une humanité pathétique), des visages qui produisaient cette phosphorescence sourde, propre aux poissons étranges des profondeurs, qui vivent sous cette incroyable pression noire ; des visages qui ne trahissaient ni colère ni haine, seulement ce qui ressemblait à du regret, idiot et à peine conscient.

— Ils se dispersent, souligna le Pistolero.

Les muscles bloqués de son bas-ventre et de ses parties se relâchèrent un soupçon.

— Ils se...

Les Lents Mutants avaient placé des pierres sur les rails. La voie était bloquée. Ils l'avaient fait à la va-vite, il ne faudrait sans doute pas plus d'une minute pour tout défaire, mais ils n'en demeuraient pas moins bloqués. Et il faudrait que quelqu'un descende dégager le passage. Le garçon se mit à gémir et s'accrocha au Pistolero en tremblant. Le Pistolero lâcha le manche de la draisine et cette dernière alla cogner sans bruit contre les rochers, où elle s'immobilisa dans une secousse.

Les Lents Mutants commencèrent à se rapprocher, presque avec désinvolture, presque comme s'ils ne faisaient que passer par là, perdus dans un rêve de ténèbres, et qu'ils avaient trouvé quelqu'un à qui demander leur chemin. Une assemblée de damnés sous cette montagne ancestrale.

— Ils vont nous avoir, hein ? demanda le garçon d'un ton calme.

— Jamais de la vie. Tais-toi une seconde.

Il jeta un œil en direction de la voie. Les mutants étaient faibles, et il allait de soi qu'ils n'avaient pas pu bouger eux-mêmes les rochers qui leur bloquaient le passage. Rien que des petites pierres. Juste histoire de les retarder, d'obliger quelqu'un à…

— Descends, dit le Pistolero. Il va falloir que tu les déplaces. Je te couvre.

— Non, chuchota le garçon. Je vous en supplie.

— Je ne peux pas te confier une arme et je ne peux pas déplacer les pierres et tirer à la fois. Il faut que tu descendes.

Les yeux de Jake roulèrent d'une manière horrible. Pendant un instant, son corps trembla à l'unisson des pensées qui se tordaient dans son esprit, puis il gagna le bord de la plate-forme en se tortillant, descendit et se mit à balancer les pierres à droite et à gauche, avec une rapidité maladive, sans lever la tête.

Le Pistolero dégaina et attendit.

Deux des créatures, titubant plus qu'elles ne marchaient, s'avancèrent vers le garçon, tendant leurs bras mous comme de la guimauve. Les pistolets remplirent leur tâche, zébrant l'obscurité de lances de lumière incandescente qui enfonçaient dans la rétine du Pistolero leurs aiguilles de douleur. Tout en hurlant, le garçon continuait à balancer les pierres de part et d'autre de la voie. La phosphorescence diabolique sautait et dansait. Plus difficile à percevoir désormais, et c'était bien là le pire. Tout n'était plus qu'ombres et images rémanentes.

L'une des créatures, qui ne brillait plus qu'à peine, se jeta soudain sur le garçon, avec des bras de croque-mitaine en caoutchouc. Elle roulait mollement des yeux humides qui lui mangeaient la moitié de la tête.

Jake poussa un nouveau hurlement et se retourna pour l'affronter.

Le Pistolero tira sans même réfléchir, avant que sa vision tachetée de pointes de lumière ne trahisse ses mains en un tremblement fatal. Quelques centimètres à peine séparaient les deux têtes. Ce fut le mutant qui tomba.

Jake se remit à lancer les pierres avec des mouvements vifs. Les mutants fourmillaient juste au-delà de la limite du visible, se rapprochant petit à petit, dangereusement près. D'autres les avaient rejoints, augmentant les troupes.

— Bien, dit le Pistolero. Remonte. Vite.

Dès que le garçon bougea, les mutants se jetèrent sur eux. Jake avait déjà sauté sur la plate-forme et tentait de se remettre debout. Déjà le Pistolero avait repris les commandes et pompait à fond. Les deux pistolets avaient repris leur place. Il leur fallait fuir au plus vite. C'était leur seule chance.

Des mains inconnues frappaient la plaque métallique de la plate-forme. À présent le garçon s'accrochait à deux mains au ceinturon du Pistolero, et il avait enfoui le visage dans le bas de son dos.

Un groupe de créatures se mit à courir sur la voie, leurs figures remplies de cette attente stupide et désinvolte. Le Pistolero était gonflé d'adrénaline ; la draisine volait littéralement sur les rails, trouant l'obscurité. Ils percutèrent avec force les quatre ou cinq pitoyables mutants. Ils volèrent comme des bananes pourries.

En avant, toujours plus avant, dans les ténèbres maléfiques, tournoyantes et silencieuses.

Au bout d'un long moment, le garçon leva le visage contre le vent, mu par le besoin de savoir, malgré sa peur. Les fantômes lumineux des balles scintillaient toujours sur ses rétines. Il n'y avait rien d'autre à voir que l'obscurité et rien d'autre à écouter que le roulement de la rivière.

— Ils sont partis, dit-il, craignant soudain que la voie ferrée ne s'interrompe dans le noir, et redoutant le fracas douloureux quand ils sauteraient par-dessus les rails pour plonger vers leur perte, en tourbillonnant.

Il était déjà monté dans des voitures ; une fois, son père, cet être dénué d'humour, avait roulé à cent trente sur l'autoroute du New Jersey ; il s'était fait arrêter par un flic qui avait ignoré le billet de vingt qu'Elmer Chambers avait glissé dans son permis, et qui lui avait mis une contredanse de toute façon. Mais il n'avait jamais fait de balade dans ce genre, à l'aveuglette, avec pour compagnons le vent et la terreur, devant comme derrière, avec le grondement de la rivière comme une voix qui gloussait – la voix de l'homme en noir. Les bras du Pistolero étaient les pistons d'une usine humaine devenue folle.

— Ils sont partis, fit timidement le garçon, et le vent lui arrachait les mots sur les lèvres. Vous pouvez ralentir, maintenant. On les a semés.

Mais le Pistolero n'entendait pas. Ils carénaient vers l'avant, dans l'étrange obscurité.

11

Ils continuèrent ainsi pendant trois « jours » sans incident.

12

Au cours de la quatrième période de veille (au milieu ? Aux trois quarts ? Ils n'en savaient rien – tout ce qu'ils savaient, c'est qu'ils n'étaient pas encore assez fatigués pour s'arrêter), ils entendirent un grand bruit sourd derrière eux. La draisine vacilla et leurs corps furent immédiatement projetés vers la droite, à l'encontre de la gravité, tandis que les rails dessinaient un tournant progressif à gauche.

Il y avait de la lumière, droit devant… une lueur si faible et étrange qu'au début elle leur parut un élément totalement inconnu, ni terre, ni air, ni feu, ni eau. Elle n'avait pas de couleur distincte et ils ne la discernaient que parce qu'ils avaient recouvré la vision de leurs mains et de leurs visages, et distinguaient au-delà de l'immédiate proximité. Leurs yeux étaient devenus si sensibles à la lumière qu'ils remarquèrent la lueur plus de sept kilomètres avant d'en apercevoir la source.

— La fin, fit le garçon d'une voix tendue. C'est la fin.

— Non, répondit le Pistolero avec une étrange assurance. Non, ce n'est pas la fin.

Et ça ne l'était pas. Ils atteignirent la lumière, mais pas celle du jour.

À mesure qu'ils approchaient de l'origine de la lueur, ils virent pour la première fois que la paroi rocheuse à leur gauche s'était effondrée et que leurs rails étaient rejoints par d'autres, qui se croisaient en une toile d'araignée complexe. La lumière avait tissé un faisceau de lignes fuyantes polies. Sur une voie gisaient de sombres wagons couverts, sur une autre des diligences de transport de passagers, une voiture qu'on avait adaptée aux rails. Ces engins rendirent le Pistolero nerveux, comme des galions fantômes emprisonnés dans des Sargasses souterraines.

La lumière se fit plus forte, leur brûlant un peu les yeux, mais augmentant à un rythme assez lent pour leur permettre d'adapter progressivement leur vision. Ils avançaient de l'ombre vers la lumière comme des plongeurs remontant des abysses insondables, par lents paliers.

Devant eux, s'approchant peu à peu, un immense hangar s'étendait dans l'obscurité. Dans son flanc, découpant des carrés de lumière jaune, s'ouvrait une série de vingt-quatre entrées, d'abord de la taille de fenêtres de maisons de poupées ; puis, à mesure qu'ils approchaient, ils constatèrent qu'elles atteignaient une hauteur de plus de six mètres. Ils franchirent l'une de celles situées au milieu. Au-dessus s'étalaient des caractères, formant des messages dans des langues diverses, d'après ce que put voir le Pistolero. Il fut abasourdi de constater qu'il déchiffrait le dernier ; il s'agissait d'une ancienne racine de Haut Parler et le message disait :

VOIE 10 VERS LA SURFACE ET VERS L'OUEST

À l'intérieur, la lumière était plus vive. Les rails se croisaient et se mêlaient dans une série d'aiguillages. Çà et là des feux de signalisation tricolores fonctionnaient encore, alternant inlassablement le rouge, le vert et l'orange.

Ils roulèrent entre les quais de pierre noircis par le passage de milliers de véhicules, puis ils se retrouvèrent dans une sorte de terminal central. Le Pistolero laissa la draisine s'arrêter doucement, et ils balayèrent les environs du regard.

— On dirait le métro, dit le garçon.

— Le métro ?

— Peu importe. Vous ne sauriez pas de quoi je parle. *Moi-même* je ne sais pas de quoi je parle, ou plutôt je ne sais plus.

Le garçon sauta sur le ciment craquelé. Ils inspectèrent les échoppes désertées et silencieuses où autrefois on vendait ou échangeait des journaux et des livres. Un chausseur. Un armurier (le Pistolero, rendu soudain fébrile par l'excitation, aperçut des revolvers et des carabines ; après un examen plus minutieux, il constata que les barillets avaient été obstrués au plomb. Il prit toutefois un arc, qu'il s'accrocha en travers du dos, ainsi qu'un carquois de flèches mal lestées et quasiment inutilisables). Un magasin de vêtements pour femmes. Quelque part, un convertisseur brassait l'air indéfiniment, depuis des millénaires – mais peut-être plus pour très longtemps. À un moment précis de son cycle, il émettait un grincement, qui rappelait que le mouvement perpétuel, même sous des conditions de contrôle strict, n'était encore qu'une illusion. L'air avait un arrière-goût mécanisé. Les chaussures du garçon et les bottes du Pistolero produisaient un écho plat.

Le garçon se mit à crier :

— Hé ! Hé...

Le Pistolero se retourna et alla vers lui. Le garçon se tenait, cloué sur place, près du stand de livres. À l'intérieur, affalée dans le coin, se trouvait une momie. Elle portait un uniforme bleu à galons dorés – un uniforme de cheminot, à première vue. Sur les genoux de la chose morte était plié un vieux journal dans un état de conservation parfait, qui tomba en poussière dès que le Pistolero posa le doigt dessus. Le visage de la momie rappelait une vieille pomme ratatinée. Avec précaution, le Pistolero toucha la joue. Une petite bouffée de poussière s'éleva. Quand elle se dissipa, ils purent voir à travers la chair, à l'intérieur de la bouche de la momie. Une dent en or étincelait au fond.

— Du gaz, murmura le Pistolero. Les Anciens avaient conçu un gaz qui aurait pu faire ça. En tout cas, c'est ce que Vannay nous avait raconté.

— Celui qui enseignait tout par les livres.

— Oui. Lui-même.

— Je parie que ces Anciens s'en sont servi pour faire la guerre, dit le garçon d'un air sombre. Qu'ils ont tué *d'autres Anciens*, avec ça.

— Je suis sûr que tu as raison.

Il devait y avoir une douzaine d'autres momies. À part deux ou trois, toutes portaient l'uniforme bleu et or. Le Pistolero en déduisit que le gaz avait été diffusé quand les lieux étaient vides, en dehors des heures de grosse circulation. Peut-être que, très longtemps auparavant, cette gare avait été un objectif militaire pour une armée et une cause disparues de longue date.

Cette réflexion le déprima.

— On ferait mieux d'avancer, dit-il en se dirigeant vers la voie 10 et la draisine.

Mais le garçon ne bougea pas, faisant de la résistance.

— J'y vais pas.

Surpris, le Pistolero se retourna.

Le visage du garçon se tordait en tremblant.

— Vous n'obtiendrez pas ce que vous voulez tant que je serai vivant. Alors je vais tenter ma chance tout seul.

Le Pistolero acquiesça d'un air vague, se haïssant pour ce qu'il était sur le point de faire.

— OK, Jake, dit-il doucement. Que tes journées soient longues et tes nuits plaisantes.

Il se retourna, marcha droit sur les pontons de pierre et sauta souplement sur la plate-forme de la draisine.

— Vous avez conclu un pacte avec quelqu'un ! lui cria le garçon. Je le sais !

Sans répondre, le Pistolero posa l'arc contre le manche en T, hors d'atteinte.

Le garçon serrait les poings, l'angoisse lui tordait atrocement les traits.

Vois avec quelle facilité tu leurres ce jeune garçon, se dit le Pistolero à lui-même. *Encore et toujours, sa merveilleuse intuition – son shining – l'a conduit jusqu'ici, et comme toujours tu lui fais passer l'obstacle. Et comment cela pourrait-il poser la moindre difficulté – après tout, il n'a pas d'autre ami que toi.*

Une pensée soudaine et fulgurante lui vint (presque une vision), l'idée que tout ce qu'il avait à faire, c'était tout arrêter, faire demi-tour, prendre le garçon avec lui et en faire le centre d'une force nouvelle. La Tour ne devait pas nécessairement se gagner de cette manière humiliante et dégradante, si ? Il n'avait qu'à reprendre sa quête quand le garçon aurait pris de l'âge, quand à eux deux ils seraient capables de balayer l'homme en noir de leur route comme un vulgaire jouet en plastique qu'on remonte.

Ben voyons, se dit-il avec cynisme. *Ben voyons.*

Il sut avec une froideur soudaine que faire machine arrière signifierait la mort pour eux deux – la mort ou pire : finir ensevelis, avec les Lents Mutants aux trousses. Toutes les facultés qui se dégradent. Avec, peut-être, les armes de son père qui leur survivraient longtemps à tous deux, conservées dans leur splendeur de la pourriture comme des totems pas si différents de la vieille pompe à essence oubliée.

Allez, un peu de cran, s'exhorta-t-il avec hypocrisie.

Il tendit la main vers la poignée et se mit à pomper. La draisine s'éloigna doucement du ponton de pierre.

— *Attendez !* se mit à hurler le garçon.

Et il se mit à courir en diagonale, en direction du point où la draisine émergerait, aux limites de l'obscurité environnante. Le Pistolero eut l'impulsion d'accélérer, de laisser le garçon seul, avec au moins une incertitude.

Au lieu de quoi il l'attrapa au vol. Sous la fine chemise, tandis que Jake s'accrochait à lui, le cœur papillonnait et battait à tout rompre.

La fin était à présent toute proche.

13

Le bruit de la rivière était devenu très puissant, remplissant de son tonnerre jusqu'à leurs rêves. Le Pistolero, plus par caprice qu'autre chose, laissa le garçon manœuvrer la draisine pendant qu'il tirait une partie de ses mauvaises flèches, qui traînaient derrière elles de fins rubans de fil blanc, dans l'obscurité.

L'arc était très mauvais lui aussi, dans un état de conservation à peine croyable, mais il se bandait et visait horriblement et le Pistolero savait que rien ne pourrait améliorer ça. Même en le recordant, il ne pourrait rien pour le bois fatigué. Les flèches ne portaient pas loin dans le noir, mais la dernière qu'il tira revint humide et glissante. Le Pistolero se contenta de hausser les épaules lorsque le garçon lui demanda à quelle distance ils se trouvaient de l'eau, mais il se dit intérieurement que la flèche n'avait pas pu aller au-delà de cent mètres – et encore, dans le meilleur des cas.

Et la rivière, qui tonnait de plus en plus fort, de plus en plus près.

Pendant la troisième période de veille après qu'ils eurent quitté la gare, une lueur spectrale se mit de nouveau à rayonner. Ils avaient pénétré dans un long tunnel creusé dans une étrange roche phosphorescente et les murs humides scintillaient et étincelaient de milliers d'étoiles miniatures. Le garçon les appelait des *faux cils*. Ils voyaient les choses comme dans une sorte d'irréalité bizarre, comme dans une maison hantée.

Le fracas brutal de la rivière était canalisé jusqu'à eux par la roche qui les emprisonnait, et qui en amplifiait naturellement la puissance. Pourtant le son demeurait étrangement constant, même lorsqu'ils approchèrent du carrefour que le Pistolero attendait avec certitude, car les murs s'élargissaient, reculaient. L'angle qu'ils formaient vers le haut se faisait plus prononcé.

Les rails pénétrèrent dans la lumière nouvelle. Les touffes de *faux cils* rappelaient au Pistolero ces tubes captifs de gaz des marais qu'on vendait parfois pendant la Fête de la Moisson. Au garçon, elles rappelaient des banderoles de néon sans fin. Mais dans cette luminescence, ils voyaient tous deux que la roche qui les avait si longtemps emprisonnés prenait fin devant eux en deux péninsules jumelles aux bords déchiquetés, tendues vers un golfe de ténèbres... l'abîme au-dessus de la rivière.

Les rails se poursuivaient, passant au-dessus de ce gouffre insondable, portés par un tréteau remontant à Mathusalem. Et au-delà, à une distance qui paraissait à peine croyable, perçait une tête d'épingle lumineuse, ni phosphorescente ni fluorescente, la lumière du jour, dure et vraie. Aussi minuscule qu'un trou d'aiguille dans une étoffe sombre, et pourtant lourde d'un sens effroyable.

— Arrêtez-vous, fit le garçon. Arrêtez-vous une minute, s'il vous plaît.

Sans poser de questions, le Pistolero laissa la draisine ralentir d'elle-même. La rivière vrombissait, ses grondements réguliers et retentissants venant d'en dessous et de devant eux. La luminosité artificielle de la roche humide lui fut soudain odieuse. Pour la première fois, il sentit une main oppressante le toucher, et la pulsion de s'échapper, de se délivrer de cet enterrement vivant, se fit poignante et impossible à museler.

— On va continuer, dit le garçon. Est-ce que c'est ce qu'il veut ? Il veut qu'on pousse la draisine au-dessus de... ça... et qu'on tombe ?

Le Pistolero savait bien que non, pourtant il répondit :

— Je ne sais pas ce qu'il veut.

Ils descendirent et s'approchèrent précautionneusement du bord du gouffre. Sous leurs pieds, la roche continuait de monter, jusqu'au moment où le sol se détacha soudain des rails et se déroba sous eux. La voie se poursuivait seule, trouant l'obscurité.

Le Pistolero se mit à genoux et regarda en bas, scrutant les ténèbres. Il distinguait vaguement un réseau complexe, incroyable, de poutrelles et d'étais métalliques, qui disparaissaient vers le tumulte de la rivière et qui se rejoignaient en une arche gracieuse soutenant la voie ferrée au-dessus du vide.

Mentalement, il imaginait sur l'acier l'œuvre du temps et de l'eau, ce tandem fatal. Quelle résistance avait encore la structure ? Un peu ? Presque pas ? Pas du tout ? Soudain il revit la figure de la momie, il revit comment la chair, solide en apparence, avait été réduite en poussière par une pichenette de son doigt.

— On va marcher, maintenant, dit le Pistolero.

Il s'attendait presque à ce que le garçon rechigne de nouveau, mais c'est lui qui précéda le Pistolero sur les rails, entamant sa traversée sur les lattes de métal soudées d'un pas ferme et assuré. Le Pistolero suivit Jake au-dessus de l'abîme, prêt à le rattraper s'il trébuchait.

Le Pistolero sentit une fine couche de sueur recouvrir sa peau. Le tréteau était pourri, complètement pourri. Il le sentait battre sous ses pieds au rythme des assauts fulgurants de la rivière en contrebas, trembler sur ses câbles invisibles. *On est des acrobates*, pensa-t-il. *Regarde, mère, sans filet. Je vole.*

Il s'agenouilla une fois pour examiner les traverses sur lesquelles ils avançaient. Elles étaient piquetées de rouille (il en sentait l'origine sur son visage – l'air frais, l'agent de la décomposition ; ils devaient être très proches de la surface, à présent), et un coup de poing sur le métal fit trembler dangereusement la structure. À un moment, il entendit un grognement menaçant sous ses pieds et il sentit son appui sur le point de céder, mais il avait déjà changé de position.

Le garçon, plus léger de cinquante kilos au moins, était bien sûr plus en sécurité, du moins jusqu'à ce que les choses empirent progressivement.

Derrière eux, la draisine s'était fondue dans l'obscurité ambiante. Le ponton de pierre sur la gauche se prolongeait d'une trentaine de mètres. Il se projetait plus loin que celui situé à leur droite, mais ils étaient déjà loin devant, seuls au-dessus du vide.

Au début, la petite tête d'épingle lumineuse parut se jouer d'eux, et ne pas se rapprocher (voire s'éloigner à la vitesse exacte à laquelle ils progressaient vers elle – voilà qui aurait fait un beau tour de magie, en effet), mais le Pistolero comprit peu à peu qu'elle grossissait, que ses contours se précisaient. Ils étaient toujours au-dessous d'elle, mais les rails montaient à sa rencontre.

Le garçon émit un grognement de surprise et fit un brusque écart sur le côté, les bras décrivant de grands moulinets au ralenti. Il sembla tituber au bord pendant une éternité, avant de reprendre la marche.

— J'ai bien failli y rester, dit doucement le garçon, sans aucune émotion. Il y a un trou. Faites un grand pas si vous ne voulez pas décrocher un aller simple vers le fond. Jacques a dit : faites un pas de géant.

C'était un jeu que le Pistolero connaissait sous le nom de « Mère a dit », il se rappelait bien les parties avec Cuthbert, Jamie et Alain, mais il ne dit rien et se contenta d'enjamber le trou.

— Faites demi-tour, dit le garçon sans sourire. Vous avez oublié de dire « Jacques a dit ».

— J'implore ton pardon, mais je ne pense pas.

La traverse sur laquelle le garçon avait posé le pied venait de céder et elle plongea paresseusement, se balançant au bout d'un rivet rouillé.

Plus haut, toujours plus haut, leur marche prenait des allures de cauchemar qui durait, et qui leur paraissait bien plus long qu'il n'était en réalité ; l'air lui-même semblait s'épaissir, prendre la consistance du caramel mou, et le Pistolero avait l'impression de devoir nager, et non marcher. Son esprit essayait encore et encore de se concentrer, de prendre en considération de manière absurde l'espace monstrueux qui séparait ce tréteau de la rivière qui grondait en bas. Son cerveau le visualisait avec un raffinement de détails impressionnant, ainsi que ce qui pourrait se passer : le hurlement du métal qui se tord et qui cède, le vacillement de son propre corps sur le côté, la tentative désespérée de saisir une prise inexistante, le bruit de ferraille des talons de ses bottes raclant à petits coups l'acier trompeur et pourri... puis la chute, en tourbillonnant encore et encore, le jet chaud dans son entrejambe quand la vessie lâcherait, le souffle du vent sur son visage, qui ferait se dresser ses cheveux en une caricature de terreur, qui lui retournerait les paupières, l'eau noire qui bondirait à sa rencontre, plus vite, couvrant jusqu'à ses cris...

Le métal hurla sous lui et il recula sans se presser, faisant basculer son poids et en cet instant crucial ne songeant pas à la chute, ni combien ils avaient avancé, ni à la distance qu'il leur restait à parcourir. Ne songeant pas au fait que le garçon n'était qu'un objet secondaire, ou que son honneur à lui était finalement sur le point de se monnayer. Quel soulagement ce serait, une fois l'affaire conclue !

— Trois rivets disparus, fit froidement le garçon. Je vais sauter. Là ! Ici ! *Geronimo !*

Le Pistolero vit sa silhouette se découper un instant sur la lumière du jour, tel un blason, une aigle éployée, maladroite et courbée, les bras tendus pour se faire croire que, si tout le reste devait échouer, il restait la possibilité de voler. Il atterrit et sous son poids, l'édifice se mit à trembler en tous sens. Sous eux, le métal protesta et quelque chose tomba loin en dessous ; il y eut un bruit de choc, puis un « plouf ».

— Ça va ? Tu es passé ?

— Oui-là, répondit le garçon. Mais c'est vraiment pourri. Comme les idées de certaines personnes, peut-être. Je ne pense pas que ça vous supportera très longtemps. Moi oui, mais pas vous. Faites demi-tour. Faites demi-tour maintenant et fichez-moi la paix.

Il parlait d'une voix froide, mais où l'hystérie était sous-jacente, où elle battait comme son cœur battait lorsqu'il avait sauté sur la draisine et que Roland l'avait rattrapé au vol.

Le Pistolero sauta par-dessus le trou. Un grand pas fit l'affaire. Un pas de géant. *Mère a dit : Sautez.* Le garçon tremblait de tous ses membres.

— Faites demi-tour. Je ne veux pas que vous me tuiez.

— Pour l'amour de l'Homme Jésus, *avance*, fit le Pistolero d'un ton brutal. Ce qui est sûr, c'est que tout va s'écrouler, si on reste à palabrer comme ça.

À présent, le garçon marchait en titubant, les mains tremblantes tendues devant lui, les doigts écartés.

Ils poursuivirent leur ascension.

Oui, c'était beaucoup plus pourri. Les trous étaient de plus en plus fréquents. Un rivet manquant, deux, voire trois, et le Pistolero s'attendait à tout instant à trouver le grand vide entre les rails qui les obligerait ou bien à faire demi-tour, ou bien à marcher sur les rails mêmes, en équilibre précaire au-dessus de l'abîme.

Il gardait les yeux rivés à la lumière du jour.

La lueur avait pris de la couleur – du bleu – et, à mesure qu'ils approchaient, elle se faisait plus douce, faisant pâlir l'éclat des *faux cils*. Encore cent, deux cents mètres ? Impossible à dire.

Ils marchaient, et il baissa les yeux sur ses pieds, avançant de traverse en traverse. Lorsqu'il releva la tête, la lueur devant eux avait pris la forme d'un trou, et il ne s'agissait plus de lumière, mais d'une sortie. Ils y étaient presque.

Plus que cinquante mètres. Pas plus. Une centaine de petits pas. C'était faisable. Peut-être auraient-ils l'homme en noir. Peut-être que, en pleine lumière, les fleurs du mal de son esprit se flétriraient et que tout deviendrait possible.

La lumière du soleil s'obscurcit soudain.

Il leva la tête, écarquillant les yeux comme une taupe dans son trou, et il vit une silhouette qui obstruait la lumière, qui l'engloutissait, ne laissant passer autour de ses épaules et dans la fourche de l'entrejambe que des fentes d'un bleu moqueur.

— Salut, les garçons !

L'écho de la voix de l'homme en noir leur parvint, amplifié par cette gorge de pierre naturelle, sa bonne humeur sarcastique lui conférant des accents puissants. À l'aveuglette, le Pistolero chercha de la main la mâchoire, mais elle avait disparu, perdue sans doute, épuisée.

Il éclata de rire au-dessus d'eux et le son se propagea partout, se répercutant comme une vague remplissant une grotte. Le garçon poussa un cri et vacilla, ses bras battant l'air en moulinets frénétiques dans l'air rare.

Du métal se déchira et se décolla en dessous d'eux ; les rails penchaient en un lent balancement, comme en rêve. Le garçon plongea, et une main s'envola comme une mouette dans le noir, haut, plus haut, puis il se retrouva suspendu au-dessus de l'abîme ; il se balança là, ses yeux sombres tendus vers le Pistolero dans une prise de conscience finale, aveugle et éperdue.

— Aidez-moi.

Un mugissement, un vacarme :

— Fini de jouer. Viens maintenant, pistolero. Ou jamais tu ne m'attraperas.

Cartes sur table. Toutes les cartes sauf une. Le garçon se balançait, carte de tarot vivante, le pendu, le marin phénicien, innocent, perdu, juste au-dessus de la vague d'une mer sombre comme le Styx.

Alors attends, attends une minute.

— Je m'en vais ?

Il parle si fort, difficile de se concentrer.

— Aidez-moi. Aidez-moi, Roland.

Le tréteau se tordait de plus en plus, hurlant, se détachant de lui-même, cédant…

— Alors je dois te quitter.

— *Non ! Tu ne pars PAS !*

Les jambes du Pistolero se détendirent en un bond soudain, brisant la paralysie qui s'était emparée de lui ; il fit un vrai pas de géant au-dessus du garçon suspendu, plongea et atterrit dans un dérapage, vers cette lumière qui lui offrait la Tour figée dans sa mémoire en une noire nature morte…

Dans le silence soudain.

La silhouette avait disparu, jusqu'aux battements de son cœur avaient disparu avec le tréteau qui s'enfonçait toujours, amorçant sa danse finale vers les profondeurs, se détachant. Sa main trouva le bord rocheux et éclairé de la damnation. Et derrière lui, dans ce silence atroce, il entendit la voix du garçon.

— Allez-vous-en. Il existe d'autres mondes que ceux-ci.

C'est alors que le tréteau se détacha de tout son poids ; et tandis que le Pistolero se hissait vers la lumière et la brise et la réalité d'un nouveau *ka*, il tourna la tête vers l'arrière, s'évertuant, dans sa torture, d'être Janus l'espace d'une seconde – mais il n'y avait rien, rien que le silence de l'effondrement, car le garçon ne poussa pas un cri dans sa chute.

Puis Roland se releva, se traîna sur l'escarpement rocheux qui donnait sur une plaine herbeuse, vers laquelle l'homme en noir se tenait debout, jambes écartées et bras croisés.

Le Pistolero vacillait sur ses jambes, blanc comme la mort, les yeux énormes qui nageaient sous son front, sa chemise maculée de la poussière blanche qu'il avait récoltée en rampant, dans un dernier effort. Il lui apparut soudain qu'il subirait sans doute d'autres dégradations de l'esprit, plus loin sur la route, des dégradations à côté desquelles celle-ci lui paraîtrait infinitésimale, et pourtant il voulait la fuir, le long des couloirs, à travers des villes, de lit en lit ; il allait fuir le visage du garçon, essayer de l'enfouir dans le sexe et dans la tuerie, pour finalement pénétrer dans une dernière pièce, et le voir en train de le fixer au-dessus de la flamme d'une chandelle. Il était devenu le garçon ; le garçon était devenu lui. Il devenait un loup-garou, et il s'était engendré lui-même. Dans ses rêves les plus profonds il deviendrait le garçon et il parlerait son étrange langage de la ville.

C'est la mort. C'est ça ? C'est ça ?

Il descendit lentement la colline rocheuse, d'une démarche vacillante, vers l'homme en noir qui l'attendait. Là, le soleil de la raison avait anéanti les rails, comme s'ils n'avaient jamais existé.

L'homme en noir repoussa sa capuche du dos de ses deux mains, en riant.

— Alors ! cria-t-il. Pas la fin, mais la fin du commencement, hein ? Tu progresses, pistolero ! Oh, comme je t'admire !

Le Pistolero dégaina à une vitesse aveuglante et tira douze fois. Les éclairs des coups de feu firent pâlir le soleil même, et l'écho sourd des détonations rebondit sur les escarpements rocheux derrière eux.

— Voyez-vous ça, fit l'homme en noir en riant. Oh, voyez-vous *ça*. On fait de la grande magie, ensemble, toi et moi. Tu ne me tues pas plus que tu ne te tues toi-même.

Il s'éloigna à reculons, face au Pistolero, lui souriant de toutes ses dents et lui faisant signe.

— Viens. Viens. Viens. Jacques a dit « viens ».

Le Pistolero le suivit dans ses bottes rompues, jusqu'au lieu de palabre.

LE PISTOLERO
ET L'HOMME EN NOIR

1

L'homme en noir le mena sur un ancien charnier, afin de se livrer aux palabres. Le Pistolero le reconnut immédiatement : un golgotha, ou lieu-du-crâne. Et des crânes blanchis les fixaient distraitement – du bétail, des coyotes, des cerfs, des lapins, un bafouilleux. Ici, le xylophone d'albâtre d'une poule faisane tuée pendant qu'elle mangeait ; là les os minuscules et délicats d'une taupe, peut-être tuée par plaisir par un chien sauvage.

Le golgotha était une cuvette creusée dans la pente de la montagne et plus bas, à une altitude plus clémente, le Pistolero apercevait des arbres de Josué et des sapins ratatinés. Depuis douze mois, il n'avait pas vu ciel bleu plus doux que celui au-dessus d'eux, un ciel qui évoquait de manière indéfinissable une mer pas si lointaine.

Je suis dans l'ouest, Cuthbert, se dit-il, émerveillé. *Si ce n'est pas là l'Entre-Deux-Mondes, ça y ressemble.*

L'homme en noir s'assit sur un vieux tronc de bois de fer. Ses bottes étaient poudrées de poussière blanche et de cendres d'os. Il avait remis sa capuche, mais le Pistolero distinguait clairement le contour carré de son menton, ainsi que l'ombre de sa mâchoire.

Les lèvres à demi dissimulées se fendirent en un sourire.

— Va ramasser du bois, pistolero. L'air est doux sur ce versant de la montagne, mais, à cette altitude, le froid peut toujours te poignarder dans le ventre. Et c'est bien là un lieu de mort, n'est-ce pas ?

— Je te tuerai, dit le Pistolero.

— Non, tu ne me tueras pas. Tu ne le peux pas. Mais tu peux aller ramasser du bois et potasser ton Isaac.

La référence échappa au Pistolero. Sans mot dire, il alla ramasser du bois comme un vulgaire commis de cuisine. Le butin fut maigre. Il n'y avait pas d'herbe du diable de ce côté, et le bois de fer ne voudrait pas brûler. Il était devenu dur comme la pierre. Il finit par revenir avec une gosse brassée de bâtons, tout maculés de poussière d'os, comme si on les avait trempés dans la farine. Le soleil avait glissé derrière le plus haut des arbres de Josué et s'était auréolé d'un halo rougeâtre. Il les observait avec une indifférence menaçante.

— Excellent ! approuva l'homme en noir. Quel homme exceptionnel tu fais ! Quelle méthode ! Quelle ingéniosité ! Je m'incline bien bas devant toi !

Il gloussa, et le Pistolero lâcha le bois à ses pieds dans un fracas qui fit monter un petit nuage de poussière d'os.

L'homme en noir ne sursauta pas ; il se mit seulement à faire du feu. Le Pistolero contempla, fasciné, l'idéogramme (frais, cette fois-ci) qui prenait forme. Lorsqu'il fut fini, il ressemblait à une petite cheminée double et complexe, haute d'une soixantaine de centimètres. L'homme en noir leva le bras vers le ciel, écartant d'un geste la volumineuse manche noire qui recouvrait une belle main fuselée. Il l'abaissa vivement, index et auriculaire tendus pour former le signe traditionnel du mauvais œil. Il y eut une étincelle bleue, et leur feu fut allumé.

— J'ai des allumettes, dit l'homme en noir d'un ton jovial, mais je me suis dit qu'un peu de magie ne te déplairait pas. Pour la beauté du geste, pistolero. Maintenant, prépare-nous à dîner.

Les plis de sa robe frissonnèrent et la carcasse nue et vidée d'un lapin tomba dans la poussière.

Sans mot dire, le Pistolero embrocha le lapin et le mit à rôtir. L'odeur alléchante s'éleva dans l'air tandis que le soleil déclinait. Des ombres violettes vagabondaient goulûment au-dessus de la cuvette que l'homme en noir avait choisie comme décor de l'affrontement final. À mesure que le lapin brunissait, le Pistolero sentait la faim monter et lui retourner inlassablement l'estomac. Mais lorsque la viande fut cuite et ses jus à point, il tendit en silence la broche tout entière à l'homme en noir, puis il fouilla dans son propre sac à dos, presque vide, pour en tirer ses tout derniers restes de viande séchée. Elle était salée, lui faisait mal à la bouche et avait un goût de larmes.

— Voilà un geste sans valeur, fit l'homme en noir en réussissant à prendre un ton qui mêlait colère et amusement.

— Peu importe, répondit le Pistolero.

Il avait de minuscules plaies dans la bouche, causées par les carences en vitamines, et le sel le fit grimacer avec amertume.

— Tu crains donc la viande ensorcelée ?

— Oui, en effet.

L'homme en noir fit basculer sa capuche en arrière.

Le Pistolero le contempla en silence. En un sens, ce visage qu'avait dissimulé la capuche lui causait une sensation de déception et de gêne. C'était un beau visage, aux traits réguliers, dépourvu des rides et des cicatrices qui indiquent qu'un homme a traversé des moments terrifiants et qu'il détient de fabuleux secrets. Il avait une chevelure noire, de longueur inégale, et emmêlée. Il avait le front haut, les yeux sombres et brillants. Un nez quelconque, des lèvres pleines et sensuelles. Il avait le teint pâle, comme celui du Pistolero.

Ce dernier finit par parler.

— Je m'attendais à un homme plus vieux.

— Pourquoi ? Je suis presque immortel, tout comme tu l'es, Roland... pour le moment, du moins. J'aurais pu revêtir un visage qui t'aurait été plus familier, mais j'ai choisi de te montrer celui avec lequel... ah... je suis né. Regarde, pistolero, le coucher du soleil.

Le soleil avait déjà disparu, et le ciel de l'ouest était rempli de la lueur funeste de la fournaise.

— Tu ne verras pas de lever de soleil avant un temps qui te paraîtra très long, dit l'homme en noir.

Le Pistolero se rappela le gouffre dans la montagne, puis il leva les yeux vers le ciel, où les constellations s'étalaient dans une profusion en spirale.

— Ça n'a pas d'importance, dit-il doucement. Plus maintenant.

2

L'homme en noir battit les cartes en les faisant voler entre ses mains. Le jeu était immense, les dessins au dos des cartes alambiqués.

— Ce sont des cartes de tarot, pistolero… en quelque sorte. Un mélange de jeu classique et de ce que j'appellerais une petite sélection personnelle. Maintenant, regarde attentivement.

— Que je regarde quoi ?

— Je vais te prédire l'avenir. Sept cartes doivent être retournées, une à la fois, et placées en rapport avec les autres. Je n'ai plus fait cela depuis la belle époque de Gilead, quand les dames jouaient aux Points sur la pelouse ouest. Et je soupçonne déjà que *jamais* je n'ai lu une histoire comme la tienne.

De nouveau, la moquerie pointait dans sa voix.

— Tu es le dernier aventurier de ce monde. Le dernier croisé. Comme cela doit te réjouir, Roland ! Pourtant tu n'imagines pas à quel point tu es proche de la Tour, maintenant que tu reprends ta quête. Des mondes tournent autour de ta tête.

— Reprendre ? Que voulez-vous dire par là ? Je ne l'ai jamais abandonnée.

Ce à quoi l'homme en noir réagit en riant de bon cœur, sans vouloir préciser ce qu'il trouvait si drôle.

— Eh bien ! lisez-moi l'avenir, alors, fit Roland d'un ton brusque.

La première carte fut retournée.

— Le Pendu, dit l'homme en noir, à qui l'obscurité avait rendu sa capuche. Pourtant ici, reliée à aucune autre, cette carte signifie la force, non la mort. Le Pendu, c'est toi, pistolero, qui avances d'un pas pesant vers ton but, au-dessus des gouffres de Na'ar. Tu as déjà laissé tomber un compagnon de route dans ce gouffre, n'est-il pas ?

Le Pistolero garda le silence, et la deuxième carte fut retournée.

— Le Marin ! Remarque ce front clair, ces joues lisses, ces yeux blessés. Il se noie, pistolero, et personne ne lui lance de bouée. C'est ce garçon, Jake.

236

Le Pistolero tressaillit mais ne dit rien.

La troisième carte fut retournée. Un babouin, souriant de toutes ses dents, se tenait sur l'épaule d'un jeune homme. Ce dernier levait la tête, les traits déformés par une représentation stylisée de l'effroi et de l'horreur. En y regardant de plus près, le Pistolero remarqua que le babouin était armé d'un fouet.

— Le Prisonnier, commenta l'homme en noir.

Le feu projetait des ombres inquiétantes et tremblantes sur le visage de l'homme dessiné, donnant l'impression qu'il bougeait et se tordait en une terreur muette. Le Pistolero détourna le regard.

— Un tantinet dérangeant, n'est-ce pas ? fit l'homme en noir, visiblement sur le point de pouffer de rire.

Il retourna la quatrième carte. Une femme était assise, un châle sur la tête, et faisait tourner un rouet. Hébété, le Pistolero constata qu'elle semblait sourire d'un air rusé, et sangloter en même temps.

— La Dame d'Ombres, fit remarquer l'homme en noir. Elle te paraît double, pistolero ? Elle l'est. Deux visages au moins. Elle a brisé la grande assiette bleue !

— Que voulez-vous dire ?

— Je ne sais pas.

Et – dans ce cas précis, du moins – le Pistolero se dit que son adversaire disait vrai.

— Pourquoi me les montrez-vous ?

— Ne pose pas de questions ! répliqua l'homme en noir d'un ton cassant, tout en souriant. Contente-toi de regarder. Considère tout cela comme un rituel sans queue ni tête, si cela te soulage. Comme à l'église.

Il partit d'un petit rire sot et retourna la cinquième carte.

Un moissonneur tout sourire se cramponnait à une faux de ses doigts osseux.

— La Mort, dit simplement l'homme en noir. Mais pas pour toi.

La sixième carte. Il la regarda et ressentit une appréhension étrange gigoter dans ses tripes. Ce sentiment se mêlait d'horreur et de joie, et le résultat était une émotion innommable. Il avait envie de vomir et de danser en même temps.

— La Tour, dit l'homme en noir d'une voix douce. Voici la Tour.

La carte du Pistolero était placée au centre. Les autres occupaient les quatre coins, comme des satellites entourant une étoile.

— Où va celle-ci ? demanda le Pistolero.

L'homme en noir disposa la Tour sur le Pendu, masquant totalement ce dernier.

— Qu'est-ce que ça veut dire ?

L'homme en noir ne répondit pas.

— Qu'est-ce que ça veut dire ? répéta le Pistolero d'une voix mal assurée.

L'homme en noir ne répondit pas.

— Dieu vous maudisse !

Pas de réponse.

— Alors soyez maudit. Et la septième carte ?

L'homme en noir retourna la septième carte. Un lever de soleil dans un ciel d'un bleu lumineux. Des chérubins et des lutins folâtraient tout autour. En dessous, un grand champ rouge baigné de lumière. Le rouge des roses ou celui du sang ? Le Pistolero n'aurait su le dire. *Des deux, peut-être.*

— La septième carte, c'est la Vie, dit doucement l'homme en noir. Mais pas pour toi.

— Et que vient-elle faire dans cette histoire ?

— Tu n'as pas à savoir cela pour l'instant. Ni moi, d'ailleurs. Je ne suis pas le grand homme que tu recherches, Roland. Je ne suis que son émissaire.

D'une chiquenaude, il fit sauter la carte dans le feu mourant. Elle se carbonisa, s'incurva et s'enflamma en un éclair. Le Pistolero sentit son cœur trembler et se glacer dans sa poitrine.

— Dors, à présent, dit l'homme en noir d'un ton désinvolte. Peut-être pour rêver, ce genre de choses.

— Ce que mes balles ne veulent faire, il se peut que mes mains s'en chargent, dit le Pistolero.

Ses jambes se replièrent avec une rapidité sauvage et splendide, et il se jeta sur l'homme de l'autre côté du feu, les bras déployés. Toujours souriant, l'homme en noir se mit à grossir dans son champ de vision, puis à reculer le long d'un grand couloir qui bruissait d'échos. Le monde se remplit tout entier du son de ce rire sardonique, et lui tombait, mourait, sombrait dans le sommeil.

Il rêva.

3

L'univers était vide. Rien ne bougeait. Rien n'existait.

Le Pistolero flottait, perplexe.

— Mettons un peu de lumière, fit nonchalamment la voix de l'homme en noir, et la lumière fut.

Le Pistolero se dit avec détachement que la lumière, ça faisait vraiment du bien.

— Et maintenant, l'obscurité dans le ciel, avec des étoiles. Et, en dessous, de l'eau.

C'est ce qui se produisit. Il flottait au-dessus de mers infinies. Les étoiles scintillaient sans fin, pourtant il n'aperçut aucune des constellations qui l'avaient guidé au cours de sa longue vie.

— La terre, fit l'homme en noir comme une invite, et il y eut la terre. Elle se hissa hors de l'eau dans d'infinies convulsions galvaniques. Elle était rouge, aride, craquelée et recouverte d'un vernis stérile. Des volcans crachaient sans fin du magma, comme des furoncles géants sur le visage ingrat d'un adolescent.

— Bon, disait l'homme en noir. C'est un début. Il y faut des plantes. Des arbres. De l'herbe et des champs.

Et c'est ce qui se produisit. Des dinosaures déambulaient çà et là, grognant et aboyant, se mangeant les uns les autres et s'engluant dans des marécages bouillonnants et nauséabonds. Des forêts tropicales gigantesques s'étendaient partout. Des fougères géantes agitaient vers le ciel leurs feuilles en dents de scie. Des cafards bicéphales rampaient sur certaines. Le Pistolero voyait tout cela. Et pourtant il se sentait grand.

— Et maintenant, faites entrer l'homme, dit l'homme en noir de sa voix douce.

Mais le Pistolero tombait... tombait vers le haut. L'horizon de cette vaste terre féconde commença à s'incurver. Certes, on lui avait toujours dit que la terre était ronde, Vannay, son professeur, avait affirmé qu'on l'avait prouvé bien avant que le monde ne change. Mais ça...

Plus loin, encore plus loin, plus haut, encore plus haut. Les continents prirent forme sous ses yeux ébahis, puis furent obscurcis par des tourbillons de nuages. L'atmosphère du monde les retenait dans un sac placentaire. Et le soleil, montant entre les épaules de la terre...

Il poussa un cri et se cacha les yeux du bras.

— Que la lumière soit !

La voix n'était plus celle de l'homme en noir. Elle était gigantesque, fracassante. Elle remplissait l'espace, et l'espace entre les espaces.

— *Lumière !*

La chute, la chute.

Le soleil rétrécit. Une planète rouge striée de canaux passa près de lui, entourée de deux lunes qui tournaient furieusement. Au-delà, une ceinture tourbillonnante de pierres et une énorme planète bouillonnant de gaz, trop gigantesque pour se soutenir elle-même, aplatie aux pôles. Plus loin encore, il aperçut un monde cerclé d'un anneau, qui scintillait comme une pierre précieuse au milieu de sa guirlande de particules de glace.

— *Lumière ! Que la lumière...*

D'autres mondes, un, deux, trois. Bien au-delà du dernier, une boule de roche et de glace solitaire tourbillonnait dans les ténèbres mortes, autour d'un soleil pas plus brillant qu'une pièce de monnaie ternie.

Et, au-delà, les ténèbres.

— Non, dit le Pistolero, et ce mot parut plat, sans écho dans les ténèbres. Les ténèbres plus obscures que l'obscurité, plus noires que le noir. À côté, la nuit la plus sombre de l'âme humaine ressemblait à un midi resplendissant, et les ténèbres sous la montagne une simple trace sur la joue de la Lumière.

— Assez, je vous en prie, assez maintenant. Assez...

— LUMIÈRE !

— Assez, assez, je vous en prie…

Les étoiles elles-mêmes se mirent à rétrécir. Des nébuleuses entières se rapprochèrent, pour former des masses rougeoyantes. L'univers tout entier semblait se resserrer autour de lui.

— Je vous en prie assez assez assez…

Il entendit la voix soyeuse de l'homme en noir lui murmurer à l'oreille :

— Eh bien ! renonce. Écarte toute pensée de la Tour. Va ton chemin, pistolero, et entame cette longue tâche, celle de sauver ton âme.

Il se ressaisit. Tremblant et seul, enveloppé de ténèbres, terrifié par cette signification ultime qui se précipitait dans son esprit, il se ressaisit et énonça sa réponse, la seule, la dernière :

— JAMAIS !

— ALORS QUE LA LUMIÈRE SOIT !

Et la lumière *fut*, s'écrasa sur lui comme un coup de marteau, une lumière fantastique et primordiale. La conscience n'avait aucune chance de survie contre pareil éblouissement, mais juste avant qu'elle rende l'âme, le Pistolero vit clairement quelque chose, quelque chose qu'il jugea d'une importance cosmique. Il s'y accrocha dans un effort monstrueux, puis il descendit très profond, chercha refuge à l'intérieur de lui-même, avant que cette lumière n'aveugle ses yeux et ne pulvérise sa santé mentale.

Il fuit la lumière et la connaissance qu'impliquait cette lumière, et ainsi il revint à lui-même. Ainsi faisons-nous ; ainsi font les meilleurs d'entre nous.

4

Il faisait toujours nuit – la même nuit ou une autre, il fut incapable de le savoir de prime abord. Il se releva de l'endroit où l'avait fait échouer son saut de démon vers l'homme en noir et il contempla le tronc de bois de fer sur lequel Walter o'Dim (comme l'avaient nommé certains que Roland avait croisés en chemin) s'était assis. Il avait disparu.

Il se sentit submergé par un immense désespoir – mon Dieu, tout ça à refaire – et c'est alors que l'homme en noir dit dans son dos :

— Par ici, pistolero. Je n'aime pas me tenir trop près. Tu parles en dormant, gloussa-t-il.

Le Pistolero se redressa sur les genoux en titubant et se retourna. Le feu n'était plus qu'un tas de braises rouges et de cendres grises, dessinant le motif familier et décomposé de combustible consumé. L'homme en noir était assis à côté, et happait des lèvres les restes graisseux du lapin avec un enthousiasme déplaisant.

— Tu t'en es bien tiré, commenta-t-il. Jamais je n'aurais pu envoyer cette vision à ton père. Il en serait revenu gâteux.

— Qu'est-ce que c'était ? demanda le Pistolero.

Ses paroles étaient floues et tremblantes. Il sentait que, s'il essayait de se lever, ses jambes allaient se dérober sous lui.

— L'univers, répondit négligemment l'homme en noir.

Il rota et envoya les os dans le feu, où ils commencèrent par luire, puis noircirent. Au-dessus de la cuvette du golgotha, le vent gémissait sa mélopée funèbre.

— L'univers ? demanda le Pistolero d'une voix ébahie.

C'était un mot qui ne lui était pas familier. Sa première pensée fut que l'autre essayait de donner dans le poétique.

— Tu veux la Tour, poursuivit l'homme en noir.

Ce qui ressemblait à une question.

— Oui.

— Eh bien ! tu ne l'auras pas, répondit l'autre avec un sourire rayonnant de cruauté. Roland, si tu mets ton âme au clou, ou si tu la vends carrément, personne ne s'en soucie, en haut lieu. Je crois mesurer jusqu'où la dernière étape t'a mené, si près de la limite. La Tour va te tuer, à mi-chemin du prochain monde.

— Vous ne savez rien de moi, dit tranquillement le Pistolero, et le sourire s'effaça des lèvres de l'autre.

— C'est moi qui ai fait ton père, et c'est moi qui l'ai détruit, fit l'homme en noir sur un ton sévère. Je me suis présenté à ta mère sous les traits de Marten – voilà une vérité que tu as toujours soupçonnée, pas vrai ? – et je l'ai prise. Elle a plié sous moi comme un roseau... bien que (et cela te réconfortera peut-être) elle n'ait jamais rompu. Quoi qu'il en soit, c'était écrit, et cela s'est produit. Je suis le suppôt le plus obscur de celui qui dirige aujourd'hui la Tour Sombre, et la Terre a été livrée à la main rouge de ce roi.

— Rouge ? Pourquoi dites-vous rouge ?

— Peu importe. Nous ne parlerons pas de lui, même si tu apprendrais plus que tu ne le souhaites, en insistant. Ce qui t'a blessé une première fois te blessera une seconde. Ce n'est pas le commencement, mais la fin du commencement. Tu ferais bien de te rappeler cela…, mais tu ne te rappelles jamais rien.

— Je ne comprends pas.

— Non. À l'évidence. Tu n'as jamais compris. Tu ne comprendras jamais. Tu n'as aucune imagination. Cette partie de toi est aveugle.

— Qu'ai-je vu ? demanda le Pistolero. Qu'ai-je vu, à la fin ? Qu'est-ce que c'était ?

— À quoi cela ressemblait-il ?

Le Pistolero demeura silencieux, pensif. Il chercha son tabac de la main, mais il n'y en avait plus. L'homme en noir n'offrit pas de remplir sa blague, que ce fût par la magie noire ou blanche. Il trouverait peut-être du tabac plus tard, dans son *sac-serre*, mais plus tard lui paraissait très loin, pour le moment.

— Il y avait de la lumière, finit-il par dire. Une grande lumière blanche. Et puis…

Sa voix se cassa net et il fixa l'homme en noir. Il était penché vers l'avant, une émotion indéfinissable imprimée sur ses traits, imprimée de façon trop limpide pour permettre tout mensonge ou toute dénégation. C'était un mélange d'effroi et d'émerveillement. Peut-être cela revenait-il au même.

— Tu n'en sais rien, s'écria le Pistolero, et le sourire lui monta aux lèvres. Ô grand sorcier qui ramènes les morts à la vie. Tu n'en sais rien. Tu n'es qu'un charlatan !

— Si, je sais, répondit l'homme en noir. Mais je ne sais pas… quoi.

— La lumière blanche, répéta le Pistolero. Et puis... un brin d'herbe. Un seul brin d'herbe qui remplissait tout. Et moi j'étais minuscule. Infinitésimal.

— De l'herbe.

L'homme en noir ferma les yeux. Il avait les traits tirés et le teint blême.

— Un brin d'herbe. Tu es sûr ?

— Oui, fit le Pistolero en fronçant les sourcils. Sauf qu'il était mauve.

— Écoute-moi, maintenant, Roland, fils de Steven. Veux-tu bien m'écouter ?

— Oui.

Et c'est ainsi que l'homme en noir se mit à parler.

5

L'univers (dit-il), c'est le Grand Tout, et il offre un paradoxe trop gigantesque pour que l'esprit fini puisse l'embrasser. Tout comme le cerveau vivant ne peut concevoir le cerveau non vivant – bien qu'il croie parfois qu'il le peut –, l'esprit fini ne peut concevoir l'infini.

Cette réalité prosaïque, celle de l'existence de l'univers seule met en déroute aussi bien le pragmatiste que le romantique. Il fut une époque, une centaine de générations avant que le monde ne change, où l'homme avait déployé suffisamment de prouesses techniques et scientifiques pour ébrécher quelque peu le gros pilier de pierre de la réalité. Mais même dans cette situation, la fausse lumière de la science (de la connaissance, si tu préfères) ne brillait que dans un petit nombre de pays développés. Une compagnie (ou cabale) menait le mouvement ; North Central Positronics, ainsi se faisait-elle appeler. Pourtant, malgré un gigantesque accroissement de données objectives, il y avait étonnamment peu d'idées perspicaces.

— Pistolero, nos lointains aïeux ont vaincu la maladie-qui-pourrit, qu'ils appelaient cancer, ils ont presque vaincu le vieillissement, ils ont marché sur la lune...

— Je n'y crois pas, dit le Pistolero platement.

À ces mots, l'homme en noir se contenta de sourire et de répondre :

— Pas besoin d'y croire. Pourtant c'est vrai. Ils ont conçu ou découvert quantité d'autres babioles. Mais cette profusion d'informations n'a produit que peu ou pas de progrès. Il n'y a pas eu d'odes à la gloire des merveilles de l'insémination artificielle – la conception d'enfants à partir de sperme congelé – ou à celle des voitures qui fonctionnaient à l'énergie solaire. Peu de gens semblaient avoir saisi le principe de réalité le plus essentiel : tout nouveau savoir mène toujours à des mystères encore plus impressionnants. Une plus grande connaissance physiologique du cerveau rend l'existence de l'âme moins possible et pourtant plus probable, du fait de la nature de la recherche. Ne le vois-tu pas ? Bien sûr que non. Tu as atteint les limites de ton entendement. Mais peu importe... ce n'est pas le sujet.

— *Quel est* le sujet, alors ?

— Le plus grand mystère qu'offre l'univers n'est pas la vie, mais la proportion. La proportion englobe la vie, et la Tour englobe la proportion. L'enfant, qui ne s'effarouche pas des prodiges, demande : Papa, qu'est-ce qu'il y a au-dessus du ciel ? Et le père répond : « Les ténèbres de l'espace. L'enfant : Et après l'espace, qu'est-ce qu'il y a ? Le père : La galaxie. L'enfant : Et après la galaxie ? Le père : une autre galaxie. L'enfant : Et après les autres galaxies ? Le père : Personne ne le sait. »

Tu vois ? La proportion nous bat. Pour le poisson, le lac dans lequel il vit, c'est l'univers. Que pense ce poisson lorsqu'il est arrimé par la bouche, et qu'on le secoue, qu'on lui fait traverser les limites argentées de l'existence, jusque dans un nouvel univers, où l'air le noie et où la lumière est une folie bleue ? Où des bipèdes gigantesques sans branchies le fourrent dans une boîte étouffante, avec des algues humides, pour qu'il y meure ?

Ou bien on peut prendre la pointe d'une mine de crayon et l'agrandir. Et là on atteint une prise de conscience soudaine : la mine du crayon n'est pas solide, elle est composée d'atomes qui gravitent et tourbillonnent comme des milliards de milliards de planètes en pleine démence. Ce qui nous paraît solide n'est en fait qu'un filet relâché qui ne tient que par la force de gravité. Si on les regarde à taille réelle, les distances entre ces atomes peuvent devenir des lieues, des gouffres, des espaces incommensurables. Les atomes eux-mêmes sont composés d'un noyau, et de protons et d'électrons qui tournent. On peut même descendre jusqu'aux particules subatomiques. Et ensuite ? Des tachyons ? Le néant ? Bien sûr que non. Tout dans l'univers nie le néant : suggérer qu'il y a une fin, voilà l'absurdité par excellence.

Si tu basculais et tombais à la limite de l'univers, penses-tu que tu trouverais un panneau disant : « Voie sans issue » ? Non. Tu trouverais peut-être quelque chose de rond et de dur, comme le poussin qui voit son œuf de l'intérieur. Et si tu devais donner un coup de bec et percer la coquille (ou trouver une porte), imagine la lumière immense, torrentielle qui se déverserait par le trou, à la fin de l'espace ? Pourrais-tu regarder cette lumière et y découvrir que notre univers tout entier n'est qu'une partie d'un atome de brin d'herbe ? Serais-tu contraint de penser qu'en brûlant une brindille, tu incinères une éternité d'éternités ? Que l'existence ne s'élève pas vers un infini, mais vers une infinité d'infinis ?

Peut-être as-tu vu la place que tient notre univers dans le grand ordre des choses... pas plus qu'un atome dans un brin d'herbe. Cela signifierait-il que tout ce que nous percevons, depuis le virus microscopique jusqu'à la Nébuleuse de la Tête de cheval au loin, que tout cela est contenu dans un brin d'herbe qui n'est appelé à vivre qu'une saison, dans quelque temporalité inconnue ? Et si ce brin d'herbe devait être coupé par une faux ? Lorsqu'il commencera à mourir, la pourriture s'insinuera-t-elle dans notre propre univers et dans nos propres vies, faisant tout jaunir et brunir, desséchant tout ? Peut-être ce processus a-t-il déjà commencé. On dit que le monde a changé. Peut-être que ce que nous voulons dire, c'est qu'il a commencé à se dessécher.

Songe à quel point nous sommes minuscules, au vu d'un tel concept, pistolero ! S'il y a un Dieu en train de nous observer, rendrait-Il vraiment la justice pour une race de moucherons au milieu d'une infinité de races de moucherons ?

Son œil voit-il le moineau tomber, quand ce moineau est moins qu'une particule d'hydrogène flottant seule dans la profondeur de l'espace ? Et s'Il voit effectivement… quelle doit être la nature d'un tel Dieu ? Où vit-Il ? Comment est-il possible de vivre au-delà de l'infini ?

Imagine le sable du Désert Mohaine, celui que tu as traversé pour me trouver, et imagine un trillion d'univers – pas des mondes, des *univers* – emprisonnés dans chaque grain de ce désert ; et au cœur de chaque universalité, une infinité d'autres. Depuis notre poste d'observation pitoyable, au ras du sol, nous dominons ces univers, d'un seul coup de pied nous pouvons terrasser un milliard de milliards de mondes, les envoyer voler dans les ténèbres, en une chaîne qui ne sera jamais achevée.

La proportion, pistolero… *la proportion…*

Poussons plus loin l'hypothèse. Supposons que tous les mondes, tous les univers aient été reliés en un seul ensemble, un seul pylône, une Tour. Et qu'à l'intérieur on trouve un escalier, menant peut-être au Divin lui-même. Oserais-tu le gravir jusqu'au sommet, pistolero ? Se pourrait-il que, quelque part au-dessus de toute cette réalité infinie, il y ait une Pièce ?…

Tu n'oses pas.

Et dans l'esprit du Pistolero résonnèrent ces paroles : *Tu n'oses pas.*

6

— Quelqu'un a osé, fit le Pistolero.

— Et qui cela peut-il bien être ?

— Dieu, répondit le Pistolero d'une voix douce, les yeux brillants. Dieu a osé… ou ce roi dont vous parliez… ou… la pièce est-elle vide, prophète ?

— Je ne sais pas.

La peur traversa le visage terne de l'homme en noir, aussi douce et sombre qu'une aile de buse.

— Et, en outre, je ne cherche pas à savoir. Cela pourrait se révéler peu judicieux.

— Peur de tomber raide mort ?

— Peut-être peur d'un… règlement de comptes.

L'homme en noir resta silencieux quelque temps. La nuit était très longue. La Voie lactée s'étirait au-dessus d'eux dans toute sa splendeur, mais aussi terrifiante dans les interstices entre ses lampes allumées. Le Pistolero se demanda ce qu'il ressentirait si ce ciel d'encre s'ouvrait et qu'il en jaillissait un torrent de lumière.

— Le feu, dit-il. J'ai froid.

— Fais-le toi-même, répliqua l'homme en noir. Le major-dome a pris sa soirée.

7

Le Pistolero somnola un moment et, en se réveillant, il trouva l'homme en noir occupé à le fixer d'un air avide et malsain.

— Qu'est-ce que tu regardes comme ça ?

Un vieil adage de Cort lui revint en mémoire.

— Tu as vu le derrière de ta sœur, ou quoi ?

— C'est toi que je regarde, évidemment.

— Eh bien arrête.

Il fourragea dans le feu, réduisant à néant la précision de l'idéogramme.

— Je n'aime pas ça.

Il regarda vers l'est, pour voir si la lumière commençait à poindre, mais la nuit durait, durait.

— Tu cherches déjà la lumière.

— Je suis fait pour la lumière.

— Ah, tiens donc ! Quel impoli je fais, d'oser oublier cela ! Pourtant il nous reste beaucoup à discuter, toi et moi. Car c'est ce que m'a dit mon roi et maître.

— Ce roi, qui est-il ?

L'homme en noir sourit.

— Allons-nous donc dire la vérité, toi et moi ? Plus de mensonges ? Plus de fascinerie ?

— Je croyais que c'était le cas.

Mais l'homme en noir persista, comme si Roland n'avait pas ouvert la bouche.

— Peut-il y avoir une vérité entre nous, entre hommes ? Non pas comme des amis, mais comme des égaux ? Voici une offre qu'on te fera rarement, Roland. Seuls des égaux se disent la vérité, voilà ce que je pense. Les amis et les amants passent leur temps à mentir, piégés qu'ils sont dans la toile de l'estime. Quel ennui !

— Eh bien, comme je ne voudrais pas t'ennuyer, optons pour la vérité.

Il ne lui avait pas fait réponse plus directe, de toute cette nuit-là.

— Commence par me raconter ce que tu entends exactement par fascinerie.

— Mais enfin, l'enchantement, pistolero ! L'enchantement de mon roi a prolongé cette nuit et la prolongera tant que notre palabre ne sera pas close.

— Et combien de temps ça prendra ?

— Longtemps. Je ne peux pas te dire mieux. Je ne le sais pas moi-même.

L'homme en noir se tenait au-dessus du feu, et les braises rougeoyantes lui dessinaient des formes sur le visage.

— Pose tes questions. Je te dirai ce que je sais. Tu m'as rattrapé. Ce n'est que justice. Je ne pensais pas que tu y parviendrais. Pourtant ta quête ne fait que commencer. Pose tes questions. Elles nous conduiront bien assez vite dans le vif du sujet.

— Qui est ton roi ?

— Je ne l'ai jamais vu, mais toi tu devras le rencontrer. Mais avant cela, tu devras d'abord rencontrer l'Étranger Sans Âge.

L'homme en noir sourit sans méchanceté.

— Tu devras le tuer, pistolero. Mais quelque chose me dit que ce n'était pas le sens de ta question.

— Si tu n'as jamais vu ton roi et maître, d'où le connais-tu ?

— Il m'apparaît en rêve. Il est venu à moi en une vision, alors que je vivais pauvre et inconnu, dans une terre lointaine.

Il y a de cela une poignée de siècles, il m'a fait endosser mon devoir et m'a promis de me récompenser, bien qu'il y eût bien des errances dans ma jeunesse et dans mes jours d'homme, ceux d'avant mon apothéose. C'est toi, cette apothéose, pistolero. Tu es mon apogée. Tu vois qu'il y a quelqu'un pour te prendre au sérieux, gloussa-t-il.

— Et cet Étranger, il a un nom ?

— Ô oui, il a un nom.

— Et quel est-il ?

— Légion, dit l'homme en noir d'une voix douce.

Quelque part dans les ténèbres à l'est, là où s'étendaient les montagnes, un éboulement rocheux vint ponctuer ses paroles et un puma poussa un cri de femme. Le Pistolero frissonna et l'homme en noir tressaillit.

— Mais je ne crois pas que ce soit ta vraie question, une fois encore. Il n'est pas dans ta nature de réfléchir si loin en aval.

Le Pistolero connaissait la question. Elle l'avait rongé toute la nuit et même depuis des années, se dit-il. Elle tremblait sur ses lèvres mais il ne la posa pas... pas encore.

— Cet Étranger, c'est un suppôt de la Tour ? Comme toi ?

— Oui-là. Il *s'ombroie* et *se caméléone*. Il est de tous les temps. Pourtant il en est un plus grand que lui.

— Qui ?

— Assez avec tes questions ! gémit l'homme en noir.

Sa voix visait à la sévérité, et elle sombra dans la supplication.

— Je ne sais point ! Je ne souhaite pas savoir. Parler des choses du Monde Ultime, c'est parler de la ruine de sa propre âme.

— Et au-delà de cet Étranger Sans Âge se dresse la Tour, et ce que la Tour contient, quoi que ce soit ?

— Oui, murmura l'homme en noir. Mais aucune de ces choses n'a à voir avec ta question.

Vrai.

— D'accord, dit le Pistolero, puis il posa la question la plus vieille du monde : Vais-je réussir ? Vais-je gagner mon but ?

— Si je répondais à cette question, pistolero, tu me tuerais.

— Je *devrais* te tuer. Tu as besoin d'être tué.

Ses mains étaient descendues sur les crosses usées de ses pistolets.

— Ceux-là n'ouvrent pas de portes, pistolero. Ils ne font que les fermer pour toujours.

— Où dois-je aller ?

— Commence par l'ouest. Va vers la mer. Là où finit le monde, c'est de là que tu dois partir. Il y a eu un homme qui t'a conseillé… cet homme que tu as vaincu il y a si long-temps…

— Oui, Cort, l'interrompit le Pistolero avec impatience.

— Son conseil était d'attendre. C'était un mauvais conseil. Car, même à l'époque, mes plans contre ton père étaient en marche. Il t'a renvoyé, et lorsque tu es revenu…

— Je ne souhaite pas t'entendre parler de ça, fit le Pisto-lero, et en pensée il entendit la voix de sa mère chanter : *Petit oiseau, bébé adoré, amène donc ici ton panier.*

— Alors entends ceci : lorsque tu es revenu, Marten était parti pour l'ouest, rejoindre les rebelles. C'est ce qu'ils di-saient tous, du moins, et tu l'as cru. Pourtant, avec l'aide d'une certaine sorcière, il t'avait tendu un piège, et tu es tombé dedans. Bon garçon ! Et bien que Marten eût disparu depuis longtemps, il y avait un homme qui te faisait parfois penser à lui, n'est-ce pas ? Un homme qui portait l'habit d'un moine et la tête rasée d'un pénitent…

— Walter, murmura le Pistolero.

Et bien qu'il fût allé aussi loin de lui-même dans ses ré-flexions, la vérité toute nue le stupéfia.

— *Toi.* Marten n'est jamais parti.

L'homme en noir gloussa.

— À ton service.

— Je devrais te tuer maintenant.

— Voilà qui ne serait pas très juste. De plus, tout ça, c'est du passé. Le temps est venu de partager.

— Tu n'es jamais parti, répéta le Pistolero, abasourdi. Tu n'as fait que te métamorphoser.

— Assieds-toi donc, l'invita l'homme en noir. Je vais te ra-conter des histoires, autant que tu souhaiteras en entendre. Tes propres histoires, il me semble, seront bien plus longues.

— Je ne parle pas de moi, marmonna le Pistolero.

— Pourtant, ce soir, tu le devras. Afin que nous puissions comprendre.

— Comprendre quoi ? Mon but ? Tu le connais. Trouver la Tour, tel est mon but. J'ai prêté serment.

— Pas ton but, pistolero. Ton esprit. Ton esprit lent, curieux, opiniâtre. Jamais il n'y en a eu de pareil, dans toute l'histoire du monde. Peut-être dans toute l'histoire de la création. C'est l'heure de la discussion. C'est l'heure des histoires.

— Alors, parle.

L'homme en noir secoua la manche volumineuse de sa robe. Un paquet emballé dans du papier métallique en tomba et réverbéra la lueur mourante des braises en une myriade d'éclats lumineux.

— Du tabac, pistolero. Veux-tu fumer ?

S'il avait su résister au lapin, cette fois-ci l'envie eut raison de sa volonté.

Il ouvrit le paquet avec des doigts avides. À l'intérieur se trouvait du tabac fin, enveloppé dans des feuilles vertes, incroyablement souples et humides. Il n'en avait pas vu de tel depuis dix ans.

Il roula deux cigarettes et en mordit l'extrémité, pour libérer la saveur. Il en offrit une à l'homme en noir, qui l'accepta. Ils prirent chacun une brindille enflammée dans le feu.

Le Pistolero alluma sa cigarette et fit descendre la fumée aromatique loin dans ses poumons, fermant les yeux pour permettre à ses sens de se concentrer. Il recracha la fumée avec une satisfaction lente.

— Est-il bon ? s'informa l'homme en noir.

— Oui. Très bon.

— Profites-en. C'est peut-être la dernière cigarette que tu fumes avant très longtemps.

Le Pistolero accueillit la nouvelle d'un air imperturbable.

— Très bien, reprit l'homme en noir. Commençons : Tu dois comprendre que la Tour a toujours existé, et qu'il y a toujours eu des garçons qui en ont eu vent, et qui n'ont eu de cesse de la posséder, plus que le pouvoir, la richesse ou les femmes... des garçons qui cherchent les portes qui y conduisent...

8

Ainsi, il y eut palabre, toute une nuit de palabre, et Dieu seul sait quoi d'autre encore (et quelle proportion de vérité se glissa dans tout cela), mais le Pistolero n'en garda ensuite que peu de souvenirs... et pour son esprit étrangement pragmatique, peu lui parut mériter d'être gardé en mémoire. L'homme en noir lui raconta encore qu'il devait se rendre au bord de la mer, qui ne se trouvait qu'à une trentaine de kilomètres à l'ouest, sans encombre, et que là il serait investi du pouvoir de *tirer les cartes*.

— Mais ça n'est pas tout à fait exact, avait dit l'homme en noir, en jetant sa cigarette dans les restes du feu de camp. Personne ne veut t'investir d'un quelconque pouvoir, pistolero ; il est tout simplement *en toi*, et je suis bien obligé de te dire que c'est en partie grâce au sacrifice de ce garçon, et en partie parce que c'est la loi, la loi naturelle des choses. L'eau doit descendre la colline, et toi tu dois savoir. Tu en tireras trois, d'après ce que je vois..., mais je ne m'en soucie guère, et je ne souhaite pas savoir.

— Le trois, murmura le Pistolero, repensant à l'Oracle.

— Et c'est là que commence la rigolade ! Mais, d'ici là, j'aurai disparu depuis longtemps, pistolero. Mon rôle est terminé, à présent. La chaîne demeure entre tes mains. Veille à ce qu'elle ne s'enroule pas autour de ton cou.

Sous l'emprise d'une force extérieure à lui, Roland dit :

— Il te reste encore une chose à dire, n'est-ce pas ?

— Oui, fit l'homme en noir et il sourit de ses yeux sans profondeur, tout en tendant une main vers le Pistolero.

— Que la lumière soit.

Et la lumière fut, et cette fois c'était une bonne lumière.

Roland se réveilla près des ruines du feu de camp, et il avait vieilli de dix ans. Sa chevelure noire s'était raréfiée aux tempes et elle avait pris les reflets gris de la toile d'araignée à la fin de l'automne. Les rides de son visage s'étaient creusées, sa peau était plus rêche.

Ce qu'il restait du bois qu'il avait transporté semblait s'être pétrifié, et l'homme en noir n'était plus qu'un squelette riant dans une robe noire en décomposition, un peu plus d'os dans cet ossuaire géant, un crâne de plus dans ce golgotha.

Mais est-ce vraiment toi ? se demanda-t-il. *J'ai des doutes, Walter o'Dim… J'ai des doutes, Marten-qui-fut.*

Il se leva et regarda autour de lui. Puis, dans un mouvement vif et soudain, il tendit la main vers les restes de son compagnon de la nuit passée (s'il s'agissait bien de ceux de Walter), une nuit qui par une ruse inconnue avait duré dix ans. Il en cassa la mâchoire hilare et la fourra négligemment dans la poche gauche de son jean – en remplacement de celle perdue sous les montagnes ; une bonne affaire.

— Combien de mensonges m'as-tu racontés ? demanda-t-il.

Beaucoup, il n'en doutait pas, mais il s'y était mêlé de la vérité, ce qui en faisait de bons mensonges.

La Tour. Quelque part, devant, elle l'attendait – l'essence même du Temps, l'essence de la Proportion.

Il repartit vers l'ouest une nouvelle fois, tournant le dos au lever du soleil, se dirigeant vers l'océan, prenant conscience qu'une grande page de sa vie venait de se tourner.

— Je t'aimais, Jake, dit-il à voix haute.

Son corps finit par se dérouiller et il se mit à marcher plus rapidement. Avant le soir, il avait atteint la fin de la terre. Il s'assit sur la plage qui s'étendait à droite et à gauche, à perte de vue, déserte. Les vagues venaient s'écraser inlassablement sur le rivage, martelant, martelant encore. Le soleil couchant peignait sur l'eau une large bande de pyrite.

C'est là que le Pistolero resta assis, le visage vers le ciel, dans la lumière mourante. Il rêva ses rêves à lui et regarda les étoiles se lever ; sa détermination n'avait pas fléchi, son cœur ne chancelait pas. Ses cheveux, plus fins à présent et grisonnants aux tempes, voletaient autour de sa tête ; les pistolets incrustés de bois de santal de son père pendaient inertes contre ses hanches. Il était seul, mais pour lui la solitude n'avait rien de mauvais ou d'ignoble. L'obscurité tomba et le monde changea. Le Pistolero attendit que vînt le temps de *tirer les cartes* et s'abîma dans ses longs rêves de la Tour Sombre, de laquelle il s'approcherait un jour dans le crépuscule, sonnant son cor, pour y livrer quelque bataille ultime et inimaginable.

2950

Achevé d'imprimer en France (Manchecourt)
par Maury-Eurolivres
le 10 février 2006.
Dépôt légal février 2006. ISBN 2-290-34589-X

Éditions J'ai lu
87, quai Panhard-et-Levassor, 75013 Paris
Diffusion France et étranger : Flammarion